Michael Wolff

Fuoco e furia

Dentro la Casa Bianca di Trump

Rizzoli

Pubblicato per

Rizzoli

da Mondadori Libri S.p.A.

ISBN 978-88-17-10293-3

Titolo originale dell'opera:
FIRE AND FURY

Prima edizione: febbraio 2018

Traduzione di Elena Cantoni e Irene Annoni *per* Studio Editoriale Littera
Realizzazione editoriale: Studio Editoriale Littera, Rescaldina (MI)

Fuoco e furia

A Victoria e Louise, madre e figlia

Nota dell'autore

Ho scritto questo libro per un motivo piuttosto banale. Il 20 gennaio 2017, giorno della cerimonia di insediamento di Donald Trump, gli Stati Uniti sono entrati nell'uragano politico più dirompente dai tempi del Watergate. Con l'avvicinarsi di quella data, ho deciso di raccontare la vicenda in presa diretta e di cercare di osservare la vita nella Casa Bianca di Trump con gli occhi dei testimoni più prossimi al nuovo presidente.

In origine doveva trattarsi di un resoconto dei primi cento giorni della sua amministrazione, tradizionale parametro di valutazione di una nuova presidenza. Poi però gli eventi si sono accavallati senza respiro per oltre duecento giorni e il sipario sul primo atto della presidenza Trump è calato solo alla fine di luglio, con la nomina di John Kelly, ex generale dei Marines, a capo di gabinetto della Casa Bianca e l'uscita di scena del capo stratega del presidente, Stephen K. Bannon, tre settimane dopo.

Gli eventi descritti in queste pagine si basano su diciotto mesi di conversazioni intrattenute con il presidente, gran parte del suo entourage – che in alcuni casi ho intervistato decine di volte – e molte delle persone con cui loro stessi si consultano. La prima risale a molto prima che potessi anche solo immaginare Trump alla Casa Bianca, figurarsi di scriverci un libro. Alla fine del maggio 2016, mentre si ingozzava di gelato alla vaniglia nella sua residenza di Beverly Hills, l'allora candidato alle presidenziali mi ha intrattenuto su una quantità di argomenti disparati, chiacchierando a ruota libera mentre i suoi assistenti – Hope Hicks, Corey Lewandowski e Jared Kushner – entravano e uscivano dalla stanza. In seguito ho continuato a incontrare e intervistare i membri dello staff della sua campagna elettorale, fino e oltre la convention repubblicana a Cleveland, quando ancora l'ipotesi di un'elezione di Trump sembrava assurda. Dopodiché c'è stato il trasferimento nella Trump Tower dell'intera squadra, capitanata dal loquace Steve Bannon: l'uomo che prima delle elezioni sembrava una macchietta e, dopo la vittoria, è stato salutato come colui che ha reso possibile il miracolo.

Poco dopo il 20 gennaio, mi sono praticamente accampato su un divano della West Wing. Da allora ho condotto oltre duecento interviste.

Se da un lato l'amministrazione Trump ha fatto dell'ostilità alla stampa una vera e propria piattaforma politica, dall'altro si è dimostrata più aperta con i reporter di qualsiasi amministrazione nella storia recente. All'inizio il mio obiettivo era diventare una presenza formalmente accettata alla Casa Bianca, acquisire una sorta di status da «mosca sul muro». Il presidente stesso si era dichiarato d'accordo. Ma, alla luce dei conflitti scoppiati tra i vari feudi della nuova amministrazione fin dai primi giorni dell'insediamento, non era chiaro a chi spettasse accreditarmi. Al tempo stesso nessuno sembrava autorizzato a mandarmi via. Così sono diventato più un intruso fisso che un ospite indesiderato – una presenza davvero molto simile a quella di una mosca sul muro – e senza mai accettare regole né fare promesse su ciò che avrei scritto oppure no.

Molti resoconti di ciò che è accaduto nella Casa Bianca di Trump sono contraddittori, e parecchi, nello stile del presidente, spudoratamente falsi. Queste contraddizioni, e la loro disinvoltura nei confronti della verità, per non dire della realtà stessa, sono un tema basilare di questo libro. A volte mi sono limitato a riportare la versione dei fatti resa dai protagonisti, lasciando al lettore la facoltà di giudicare. In altri casi ho raccontato ciò che ritenevo vero in base alla coerenza dei resoconti e alla testimonianza di chi si era dimostrato affidabile.

Alcune delle mie fonti hanno parlato con me proteggendosi dietro lo scudo del cosiddetto *deep background*, in virtù del quale, senza esplicitare i loro nomi, mi è stato concesso di riferire i fatti di cui mi mettevano al corrente in forma impersonale, come dalla prospettiva di un testimone incorporeo. Mi sono anche affidato a interviste ufficiose, citando dichiarazioni rese da un interlocutore con l'intesa di tutelarne l'anonimato. In altri casi, l'accordo era che il contenuto dell'intervista non sarebbe stato divulgato fino alla pubblicazione del libro. In altri ancora la piena divulgazione era stata autorizzata formalmente fin da principio.

Ciò detto, trattare con l'amministrazione Trump ha posto non pochi paradossi giornalistici, spesso dovuti all'assenza di procedure ufficiali e all'inesperienza: materiale raccolto da interviste ufficiose a sorpresa diventato ufficiale; fonti che mi hanno rivelato dettagli in stretta confidenza, salvo poi renderli di dominio pubblico, come se averli ammessi la prima volta li avesse ormai autorizzati a sdoganarli; la frequente disattenzione alla prassi di stabilire parametri sull'uso di una conversazione; opinioni talmente note e pubbliche di una fonte che sarebbe stato ridicolo non citarla con nome e cognome; la condivisione quasi in stile samizdat, o lo spiattellamento di retroscena e conversazioni private. E ovunque in questa storia risuona la voce costante, instancabile e incontrollata del presidente stesso, con le sue esternazioni pubbliche e private divulgate da chiunque ogni giorno, a volte nel preciso istante in cui vengono pronunciate.

Per qualche motivo, pressoché tutti quelli che ho consultato – dai membri di vertice dello staff presidenziale agli osservatori più attenti dell'amministrazione – mi hanno dedicato un'enorme quantità del loro tempo e si sono prodigati per aiutarmi a far luce sulla natura unica della vita nella Casa Bianca di Trump.

Alla fine ciò che ho visto, e di cui ho scritto in questo libro, è un gruppo di persone che, ciascuna a suo modo, si sono sforzate di scendere a patti con ciò che significa lavorare con Donald Trump.

Il mio debito nei loro confronti è immenso.

Prologo

Ailes e Bannon

L'appuntamento era fissato per le sei e mezzo, ma Steve Bannon, d'un tratto diventato uno degli uomini più potenti al mondo e ormai del tutto incurante di qualsivoglia vincolo temporale, era in ritardo.

Aveva assicurato la sua presenza a una cena in casa di amici nel Greenwich Village, dove avrebbe incontrato Roger Ailes, ex capo di Fox News e figura di primissimo piano dei media di destra, nonché suo mentore occasionale. L'indomani, il 4 gennaio 2017 – all'incirca due settimane prima della cerimonia di insediamento del suo amico Donald Trump alla Casa Bianca come quarantacinquesimo presidente degli Stati Uniti –, Ailes si sarebbe trasferito a Palm Beach per un pensionamento forzato e, nelle sue speranze, temporaneo.

L'incontro aveva rischiato di saltare per il maltempo. A settantasei anni, Ailes si muoveva a fatica per problemi alle gambe e all'anca, e lui e sua moglie Beth vivevano sull'Hudson, nel nord dello Stato: in caso di neve raggiungere Manhattan sarebbe stata un'impresa. Lui però era impaziente di vedere Bannon, il quale, dal canto suo, era bloccato alla Trump Tower. Stava cercando di liberarsi, come testimoniavano i continui aggiornamenti che la sua assistente, Alexandra Preate, inviava via sms.

In attesa del suo arrivo, Ailes prese in mano le redini della serata. Sbalordito, come molti, della vittoria elettorale di Donald

Trump, intrattenne i commensali con un breve seminario sull'imprevedibilità e le assurdità del mondo della politica. Prima del lancio di Fox News, avvenuto nel 1996, Ailes era stato per trent'anni uno degli esponenti di punta del partito repubblicano e, per quanto sorpreso dall'esito della campagna presidenziale, sarebbe stato perfettamente in grado di tracciare una linea di discendenza diretta tra Nixon e Trump. L'unica cosa di cui non poteva essere sicuro era che Trump – con i suoi trascorsi tra le file dei repubblicani, degli indipendenti e dei democratici – sarebbe riuscito a calarsi nella parte. In ogni caso Ailes riteneva di conoscerlo piuttosto bene e non vedeva l'ora di offrirgli il suo aiuto. Era anche ansioso di tornare a dire la sua nel campo dei media di destra: elencò entusiasta ai commensali i vari sistemi con cui contava di raccogliere il miliardo di dollari che gli serviva per fondare un nuovo network via cavo.

Ailes e Bannon, entrambi autodidatti, si consideravano profondi conoscitori della storia, con un debole per le grandi teorie generali. Si sentivano quasi degli eletti: intrattenevano, con la storia, un rapporto personale, come con Donald Trump.

Controvoglia, Ailes sapeva di dover cedere a Bannon, almeno per il momento, il testimone di portavoce ufficiale della destra. Il passaggio di consegne non era privo di risvolti ironici. La sua Fox News, con un fatturato annuo di un miliardo e mezzo di dollari, aveva dominato la politica repubblicana per due decenni, ma ora era Breitbart News, di Bannon, che in termini di profitti non superava il milione e mezzo l'anno, a pretendere lo scettro. Ailes, fino a poco prima la persona più potente nella destra conservatrice, aveva assecondato e tollerato Donald Trump per trent'anni, però alla fine erano stati Bannon e Breitbart a portarlo alla presidenza.

Sei mesi prima, quando la vittoria di Trump sembrava ancora inconcepibile, Ailes, accusato di molestie sessuali, era stato liquidato da Fox, grazie a un'astuta mossa dei figli liberal del conservatore Rupert Murdoch, l'ottantacinquenne azionista di maggioranza della rete, nonché uno dei più potenti imprenditori del settore dei media. In campo liberal si era esultato per la caduta di Ailes: il conservatore più inviso della politica moderna era stato abbattuto dalle nuove norme sociali. Eppure, a distanza di appena tre mesi, Donald Trump, accusato di comportamenti ben più discutibili e scandalosi, era stato eletto presidente.

Ailes apprezzava molti aspetti della personalità di Trump: il suo talento di affabulatore, la teatralità, il gusto per il pettegolezzo. Ne ammirava il fiuto per il mercato, o quantomeno l'ostinazione cieca e instancabile con cui cercava di conquistarlo. Gli piacevano il suo atteggiamento, l'impatto che sapeva esercitare, la spregiudicatezza. «Non si ferma davanti a niente» aveva commentato, incredulo, con un amico dopo il primo dibattito con Hillary Clinton. «Puoi dargli una randellata in testa e lui prosegue imperterrito. Nemmeno si accorge di averle prese.»

Al tempo stesso, però, lo riteneva del tutto privo di convinzioni politiche e spina dorsale. Il fatto stesso che Fox News fosse riuscita a presentarlo come il prototipo del normale cittadino arrabbiato era la prova che il mondo ormai si era completamente ribaltato. Prima o poi qualcuno ne avrebbe pagato lo scotto, e Ailes temeva che sarebbe toccato a lui.

Ciò detto, Ailes osservava i politici da decenni e nella sua lunga carriera aveva visto una gamma infinita di tipologie, stili, stranezze, maschere, vigliaccherie e manie varie. Quelli come lui – e adesso come Bannon – lavoravano con politici di ogni sorta, istituendo con loro un rapporto di assoluta interdipendenza e simbiosi. Un politico è la faccia di un complesso ingranaggio organizzativo. I consiglieri politici conoscono le regole del gioco, così come le conosce la gran parte dei candidati e dei funzionari di governo. Ma non Trump. Lui era troppo indisciplinato per attenersi a una strategia a lungo termine. Non aveva né la capacità né la predisposizione per aderire a un'organizzazione, come pure a un qualsiasi programma o principio. Agli occhi di Ailes era una causa persa. Lui era semplicemente «Donald», ed era convinto che questo bastasse ad aprirgli tutte le porte.

Ai primi di agosto, poco dopo l'allontanamento di Ailes da

Fox News, Trump gli aveva chiesto di assumere la direzione della sua disastrata campagna elettorale, ma lui, conoscendo bene l'avversione del vecchio amico a seguire o anche solo ascoltare i consigli, aveva declinato l'offerta. Una settimana più tardi l'incarico era stato affidato a Bannon.

Dopo le elezioni, Ailes oscillava tra il rimpianto di non aver accettato l'incarico e l'incredulità che quell'occasione si fosse rivelata tanto proficua. Capiva che l'ascesa al potere di Trump era il trionfo imprevedibile di tutto ciò che lui stesso e Fox News rappresentavano. Anzi, si poteva attribuire proprio ad Ailes la responsabilità di aver scatenato le correnti di rabbia che avevano portato a quella vittoria: in fin dei conti era stato lui a inventare i media di destra che a loro volta avevano fatto del personaggio di Trump un protagonista.

E adesso, da membro della ristretta cerchia di amici e consiglieri che Trump consultava più di frequente, Ailes si augurava che il trasferimento suo e di Beth a Palm Beach gli avrebbe offerto un rapporto privilegiato con il nuovo presidente. Sapeva che Trump aveva in programma di soggiornare spesso a Mar-a-Lago, la villa situata a un tiro di schioppo dalla sua futura casa. Ma, per quanto consapevole che in politica la vittoria cambia tutto – è il vincitore a stabilire le nuove regole del gioco –, *quella* vittoria continuava a sembrargli troppo improbabile e bizzarra: il suo amico Donald Trump era il nuovo presidente degli Stati Uniti.

Bannon si presentò alle nove e mezzo, a cena già iniziata, quando il resto degli invitati era lì ormai da tre ore. Sessantatré anni suonati, sovrappeso, Bannon aveva un aspetto persino più sciatto del solito – barba sfatta e blazer stazzonato sopra le consuete due camicie e un paio di pantaloni mimetici –, ma appena seduto a tavola si impadronì all'istante della conversazione. Rifiutando un bicchiere di vino con un laconico «Non bevo alcolici», si lanciò in un resoconto dettagliatissimo sul mondo di cui stava per assumere il controllo.

«Il nostro sarà un blitz: in sette giorni occuperemo tutte le cariche di gabinetto, con una raffica di nomine» dichiarò, passando poi a elencare i prescelti, i militari e gli uomini d'affari di un'amministrazione in stile anni Cinquanta: «Tillerson, Sessions, Mattis...».

Il nome di «Mad Dog» Mattis – l'ex generale a quattro stelle nominato da Trump ministro della Difesa – gli suggerì una lunga digressione sulla tortura, sul sorprendente liberalismo delle alte cariche dell'esercito e sulla stupidità della burocrazia civile e militare. Dopodiché passò all'imminente nomina di Michael Flynn – uno dei generali prediletti di Trump che aveva aperto molti dei suoi comizi – a consigliere per la Sicurezza nazionale.

«Va benissimo. Non è Jim Mattis e non è John Kelly... ma va bene comunque. Basta affiancargli lo staff giusto.» Poi però aggiunse: «Il fatto è che, una volta esclusi gli anti-Trump più convinti, che hanno firmato tutte quelle petizioni, e i neoconservatori che ci hanno dichiarato guerra, non è che abbiamo proprio l'imbarazzo della scelta». Spiegò che per quella carica aveva cercato di raccomandare John Bolton, ex ambasciatore e super-falco, che avrebbe incontrato anche il gusto di Ailes.

«È un incendiario e uno stronzetto imprevedibile. Ma ci serve» commentò infatti l'ex capo di Fox News. «Nessun altro è competente su Israele. Flynn è fissato con l'Iran, mentre Tillerson» – nominato segretario di Stato – «capisce solo il petrolio.»

«Il problema di Bolton sono i baffi» ghignò Bannon. «Secondo Trump non ha il *physique du rôle*. Si sa, per apprezzare Bolton bisogna conoscerlo.»

«Be', una volta si è cacciato nei guai per una rissa in un hotel e per aver inseguito una tizia.»

«Se lo raccontassi a Trump, avrebbe la nomina in tasca.»

Bannon aveva la curiosa capacità di abbracciare la causa di Trump dando allo stesso tempo l'impressione di non prenderlo sul serio fino in fondo. Il loro primo incontro era avvenuto nel 2010, quando il futuro presidente continuava ancora a chiamarsi fuori e dentro la campagna elettorale; nel corso di una riunione tenutasi alla Trump Tower, Bannon gli aveva suggerito che un investimento di mezzo milione di dollari a sostegno di qualche candidato del Tea Party avrebbe favorito le sue ambizioni presidenziali. Era uscito dalla riunione convinto che Trump non avrebbe mai scucito una cifra del genere. Prendeva troppo alla leggera la corsa alla presidenza, tutto qui. Tra quel primo incontro e la metà dell'agosto 2016, quando aveva assunto il controllo della campagna elettorale del tycoon, fatta eccezione per qualche intervista realizzata per la trasmissione radiofonica di Breitbart, il totale delle conversazioni a quattr'occhi tra Bannon e Trump non superava i dieci minuti.

Ma adesso era arrivato il suo momento di cavalcare lo Zeitgeist. Il mondo era stato inghiottito da un senso di incertezza assoluta. La Brexit nel Regno Unito, le ondate di migranti che sbarcavano sulle coste europee e le contestazioni furibonde che avevano suscitato, l'insoddisfazione generalizzata dei lavoratori, lo spettro di nuove catastrofi finanziarie, Bernie Sanders e le sue rivendicazioni ultra-liberal: i contraccolpi erano innegabili. Persino i paladini più accesi del globalismo sembravano vacillare. Bannon era certo che vaste fasce della popolazione fossero pronte a recepire un nuovo messaggio. Al mondo servivano frontiere, o quantomeno bisognava riportarlo a un tempo in cui le frontiere esistevano: il tempo in cui l'America era grande. Trump era diventato il megafono di quel messaggio.

Quella sera di gennaio, Bannon aveva già trascorso quasi cinque mesi immerso nel mondo di Donald Trump, mettendo insieme un intero catalogo delle sue peculiarità, oltre a una serie di motivi più che sufficienti per nutrire una certa preoccupazione per l'imprevedibilità del suo capo e delle sue opinioni. Ma niente di tutto ciò aveva sminuito l'incredibile e carismatico appeal esercitato da Trump sulla destra, sul Tea Party e sul popolo del web, né l'opportunità che, con la sua vittoria, stava offrendo a Steve Bannon.

«Ma *lui* capisce?» chiese di punto in bianco Ailes, scrutando Bannon dritto negli occhi.

Si riferiva a Trump. La domanda sembrava riguardare la

sua agenda politica: il miliardario playboy comprendeva davvero la causa populista? O forse la domanda riguardava il potere in quanto tale: Trump era consapevole del ruolo che la storia gli aveva assegnato?

Bannon bevve un sorso d'acqua. «Capisce» rispose, dopo aver esitato un momento di troppo. «Entro certi limiti, almeno.»

Ailes continuò a fissarlo, inclinando appena la testa, come in attesa che l'altro si sbottonasse un po'.

«Dico sul serio» insistette Bannon. «Sta seguendo il programma, il *suo* programma.» Colse l'occasione per sviare il discorso da Trump alla sua agenda politica. «Tanto per cominciare sposteremo l'ambasciata americana a Gerusalemme. Netanyahu è d'accordo. Sheldon pure.» Si riferiva a Sheldon Adelson, miliardario dei casinò, filoisraeliano di estrema destra e sostenitore di Trump. «La linea di condotta è già decisa.»

«E Donald lo sa?» chiese Ailes, sarcastico.

Bannon gli rivolse un sorriso quasi complice, e proseguì: «Che la Giordania si prenda pure la Cisgiordania e l'Egitto la striscia di Gaza. Che se ne occupino loro o colino a picco nel tentativo. I sauditi sono sull'orlo di una guerra, gli egiziani anche, e hanno tutti un sacro terrore dell'Iran... Yemen, Sinai, Libia: la situazione è pessima. Per questo la Russia è la chiave. E in fondo che cos'ha la Russia che non va? Certo, sono i cattivi. Ma il mondo è pieno di cattivi».

Aveva parlato con il fervore di un uomo che sta ridisegnando la carta geopolitica mondiale.

«Però bisogna saperlo che sono i cattivi» puntualizzò Ailes. «E Donald forse non lo sa.»

Il vero nemico, riprese Bannon, ignorando il commento, attento come di consueto a non esporsi troppo e a non difendere né sminuire Trump, era la Cina. La Cina era il fronte principale di una nuova Guerra fredda. E negli anni di Obama nessuno se n'era accorto: credevano di sapere, invece non avevano capito niente. Colpa dell'incompetenza dell'intelligence americana. «Comey è un uomo mediocre, e anche Brennan» disse, liquidando rispettivamente il direttore dell'FBI e quello della CIA.

«La Casa Bianca di Obama è come quella di Johnson nel 1968. A condurre la campagna contro l'ISIS è il suo consigliere per la Sicurezza nazionale, Susan Rice. Individuano obiettivi, la Rice sceglie i bersagli per i droni. Stanno gestendo la guerra con la stessa efficacia di Johnson nel Sessantotto. Il Pentagono se n'è lavato le mani. A Obama i media perdonano qualsiasi cosa. Ideologia a parte, è allo sbaraglio. Non so neanche che fa, Obama. A Capitol Hill non lo conosce nessuno, e nemmeno nel mondo degli affari: che cosa ha realizzato, cosa fa davvero?»

«E qual è la posizione di Donald in proposito?» chiese Ailes, lasciando chiaramente intendere che considerava Bannon molto più avanti del suo benefattore.

«È d'accordo con me al cento per cento.»

«È sul pezzo?»

«Quanto basta.»

«Io eviterei di dargli troppo da pensare» commentò Ailes, in tono divertito.

Bannon sbuffò. «Troppo, troppo poco... Che differenza vuoi che faccia?»

«E con i russi come si sta muovendo?» lo incalzò Ailes.

«In sostanza, era andato in Russia convinto di incontrare Putin, ma quello non se l'è filato. Lui però ha continuato a provarci.»

«Tipico di Donald.»

«È un fenomeno» commentò Bannon, che ormai sembrava considerare Trump una sorta di forza della natura che sfuggiva a qualunque spiegazione.

Con quell'esclamazione parve ritenere chiuso l'argomento Trump, come se il nuovo presidente fosse un'entità suprema cui vadano riservati solo gratitudine e ossequio, e proseguì a testa bassa nel ruolo che si era attribuito, quello di «regista» della sua presidenza: «La Cina è il nodo centrale. Tutto il resto non conta. Se ci giochiamo male questa carta, è la fine. È molto semplice: la Cina di oggi assomiglia alla Germania tra il 1929 e il 1930. Come i tedeschi, i cinesi sono il popolo più razionale del mondo, finché a un certo punto non perdono la testa. E accadrà, proprio com'è accaduto ai nazisti negli anni Trenta.

Il loro diventerà uno Stato ipernazionalista, e una volta che questo sarà successo, non ci sarà modo di tornare indietro».

«Dubito che Trump possa diventare un nuovo Nixon, con la Cina» ribatté Ailes, asciutto, sottintendendo che, a suo avviso, l'idea che Trump potesse essere fautore del cambiamento globale fosse fantascienza.

Bannon sorrise. «Alla Cina ci pensa Bannon» replicò, in un tono al tempo stesso magniloquente e autoironico.

«E il ragazzo come sta?» chiese Ailes, riferendosi al genero e principale consigliere politico di Trump, il trentaseienne Jared Kushner.

«È il mio alleato numero uno» rispose Bannon, evidentemente intenzionato, quale che fosse la realtà dei fatti, ad attenersi alla versione ufficiale.

«Davvero?» domandò Ailes, dubbioso.

«Fa parte della squadra.»

«Ha avuto parecchi incontri con Rupert.»

«Per la verità a tal riguardo potresti essermi utile.» Dopodiché, e per diversi minuti, Bannon cercò di coinvolgere Ailes in una strategia per tagliare le gambe a Murdoch. Da quando era stato cacciato da Fox, non correva buon sangue tra Ailes e il magnate, che ora sfruttava la propria posizione per esercitare pressioni sul presidente neoeletto, spingendolo a una moderazione più gradita all'establishment: l'ennesima, singolare inversione di tendenza nelle correnti del conservatorismo americano. Bannon voleva che Ailes suggerisse a Trump, tra le cui molte nevrosi c'erano anche la paura della vecchiaia e il terrore di perdere la memoria, che Murdoch fosse avviato su quella china.

«Gli farò una telefonata» assicurò Ailes. «Ma Trump si butterebbe nel fuoco per Rupert. Come per Putin. Tutto un fiorire di inchini e leccate di culo. Il problema è capire chi tiene al guinzaglio chi.»

I due maghi dei media di destra, il più anziano e il più giovane (sia pure non di molto), continuarono a intrattenere gli ospiti fino a mezzanotte e mezzo, con Ailes impegnato nel tentativo di decifrare il nuovo enigma nazionale rappresentato da Trump – sebbene intimamente convinto che il comportamento di Trump fosse prevedibilissimo – e Bannon determinato a sviare il discorso, affinché nulla potesse guastare il suo momento.

«Donald Trump ha quello che ci vuole. Trump è Trump» sentenziò.

«Già, Trump è Trump» ripeté Ailes, in tono vagamente esitante.

1

L'Election Day

Il pomeriggio dell'8 novembre 2016, Kellyanne Conway, direttrice della campagna elettorale di Trump e personaggio di primo piano, se non addirittura la star dell'«universo Trump», si trasferì nel suo ufficio di vetro della Trump Tower. Fino alle ultime settimane, il quartier generale della campagna era rimasto un luogo anonimo. A distinguerlo dagli uffici di un'azienda qualsiasi c'erano solo un paio di poster con slogan di destra.

Quel giorno la Conway era di un umore stranamente buono per essere la direttrice di una campagna elettorale che stava per concludersi con una sconfitta clamorosa, per non dire umiliante. Era sicurissima che Trump sarebbe stato sconfitto, ma forse sarebbe riuscito a contenere il divario sotto i sei punti. Date le circostanze, già quello sarebbe stato un traguardo notevole. E, quanto all'imminente débâcle, la cosa non la riguardava: la colpa era di Reince Priebus, non sua.

La Conway aveva trascorso buona parte della giornata a chiamare amici e alleati politici, assicurandosi di scaricare su di lui ogni responsabilità. Poi aveva contattato alcuni dei produttori e conduttori televisivi con cui durante la campagna era entrata più in confidenza e che, dopo la fitta serie di colloqui tenuti nelle ultime settimane, sperava le avrebbero offerto la conduzione di un programma di punta dopo le elezioni. Ne aveva corteggiati parecchi da quando, a metà agosto, aveva preso in mano le redini della campagna di Trump, diventandone una portavoce particolarmente combattiva, con i suoi sorrisi inalterabili e la curiosa combinazione di vulnerabilità e imperturbabilità del suo volto telegenico.

La tesi che ripeteva a tutti era che, al di là delle innumerevoli, spaventose gaffe della campagna, il vero problema era il demone impossibile da controllare: il Comitato nazionale repubblicano, diretto da Priebus, dalla sua spalla – la trentaduenne Katie Walsh – e dal loro addetto stampa, Sean Spicer. Da quando Trump si era aggiudicato la nomination, all'inizio dell'estate, invece di schierarsi a suo sostegno, il Comitato, di fatto l'organo principe dell'establishment repubblicano, aveva continuato a spalmare le sue puntate su più tavoli. Ogni volta che a Trump serviva una spinta, il Comitato mancava all'appello.

Questa era la prima parte della tesi della Conway. La seconda era che, a dispetto di tutto, la campagna era comunque riuscita a risollevarsi. Con una squadra pressoché priva di risorse e con il peggior candidato della storia politica moderna – la reazione tipica della Conway al nome di Trump era una plateale occhiata verso il cielo oppure uno sguardo vitreo –, tutto sommato se l'era cavata egregiamente. In passato la Conway aveva gestito una modesta società di sondaggi, ma era ben consapevole che la sua prima esperienza di una campagna nazionale l'aveva trasformata in una delle voci conservatrici più autorevoli delle televisioni via cavo.

Per la verità, uno dei sondaggisti della campagna di Trump, John McLaughlin, nelle ultime settimane aveva cominciato a sostenere che le preferenze rilevate in alcuni Stati chiave, fino a quel momento desolanti, stessero volgendo a favore del candidato repubblicano. Ma questo non aveva scalfito le certezze della Conway, di Trump stesso e del genero Jared Kushner, capo effettivo della campagna o comunque supervisore designato della famiglia: tutti e tre erano certi che l'avventura stesse per concludersi.

Solo Steve Bannon insisteva che i numeri avrebbero favorito Trump. Ma, visto che a sostenerlo era quel matto di Steve, il parere non era affatto convincente.

Quasi tutti nello staff della campagna, ancora una macchina estremamente ridotta, si consideravano persone perspicaci e perciò consapevoli, come chiunque si occupasse di politica, delle reali prospettive di quell'operazione. La convinzione unanime, per quanto taciuta, era che non solo Trump *non* sarebbe diventato presidente, ma che con ogni probabilità era meglio così. E il vantaggio era che, posta la prima convinzione, nessuno avrebbe dovuto preoccuparsi della seconda questione.

Con la campagna ormai agli sgoccioli, Trump stesso non nutriva dubbi di sorta. Era sopravvissuto alla divulgazione del fuori onda con Billy Bush, conduttore televisivo della NBC News, e alla levata di scudi in cui lo stesso Comitato nazionale repubblicano aveva avuto la faccia tosta di chiedergli di ritirarsi. L'alzata d'ingegno del direttore dell'FBI, James Comey, che di punto in bianco aveva sferrato un duro colpo a Hillary Clinton annunciando la riapertura dell'inchiesta sulle sue email undici giorni prima delle elezioni, aveva contribuito a far vacillare la certezza della vittoria schiacciante dell'avversaria democratica.

«Potrei diventare l'uomo più famoso del pianeta» aveva detto Trump a Sam Nunberg, alternativamente assunto e licenziato come suo assistente, all'inizio della campagna.

«Ma lei vuole diventare presidente?» gli aveva chiesto lui (domanda diversa dal quesito esistenziale posto di rito a ogni candidato: «Perché vuole diventare presidente?»). Non aveva ottenuto risposta.

E a cosa sarebbe servito? Tanto Trump non ci sarebbe mai riuscito.

Il suo vecchio amico Roger Ailes amava ripetere che il modo migliore per fare carriera in televisione è proporsi alla presidenza. E adesso, incoraggiato da Ailes, il candidato aveva messo in giro la voce di un nuovo network targato Trump. Il futuro appariva roseo.

Disse ad Ailes che quella campagna avrebbe dato nuovo lustro al suo nome, offrendogli opportunità impensate. «L'impatto supera i miei sogni più sfrenati» commentò nel corso di una conversazione una settimana prima delle elezioni. «Me ne infischio di perdere, perché non sarà una sconfitta. Tutto quello che volevo l'ho già ottenuto.» Sapeva persino come rispondere alle domande, dopo la disfatta: «Elezione rubata!».

Donald Trump e il suo manipolo di guerrieri elettorali erano pronti a perdere in grande stile. Quello che proprio non si aspettavano era di vincere.

In politica, per forza di cose, qualcuno deve perdere, eppure tutti pensano di poter vincere. D'altro canto vincere senza crederci è forse impossibile, con l'unica eccezione della campagna di Trump.

Il candidato stesso non faceva che criticarla, dicendo che era gestita da un branco di incompetenti. Era convinto, invece, che la squadra di Hillary Clinton fosse costituita da menti brillanti. «Loro hanno i migliori e noi gli scarti» non faceva che ripetere. Tutti quelli che avevano viaggiato sul suo aereo elettorale avevano assistito a invettive epocali dirette ai malcapitati di turno: Trump si dichiarava regolarmente circondato da idioti.

Corey Lewandowski, il primo direttore più o meno ufficiale della campagna, ne era stato spesso il bersaglio privilegiato. Per mesi Trump l'aveva definito «il peggiore», e nel giugno del 2016 lo aveva licenziato in tronco. Salvo poi dichiarare che senza di lui la campagna era spacciata. «Siamo tutti degli incapaci» diceva. «I nostri collaboratori sono degli inetti, nessuno sa cosa sta facendo... È un peccato non poter più contare su Corey.» Non aveva impiegato molto a giurarla anche al successore, Paul Manafort.

In agosto, con un distacco tra i dodici e i diciassette punti dalla Clinton e nel vortice di una tempesta mediatica che lo massacrava ogni giorno, l'ipotesi di una vittoria sembrava più improbabile che mai. Aveva toccato il fondo, eppure Trump riuscì a sfruttare proprio la campagna perdente per fare cassa.

Il miliardario di destra Bob Mercer, sostenitore di Ted Cruz, era passato dalla sua parte con un finanziamento di cinque milioni di dollari. Convinto che la campagna di Trump fosse allo sbando, e nel fuggifuggi di altri potenziali finanziatori, Mercer e sua figlia Rebekah avevano viaggiato in controtendenza, partendo in elicottero dalla loro tenuta a Long Island per presenziare a una raccolta fondi organizzata negli Hamptons, nella residenza estiva di Woody Johnson, proprietario della squadra di football dei New York Jets ed erede della multinazionale Johnson & Johnson.

Trump non aveva un rapporto vero e proprio con loro: aveva avuto non più di qualche conversazione con Bob Mercer, che per parte sua parlava quasi solo a monosillabi, e, quanto a Rebekah, la loro intera relazione si riduceva a un selfie scattato insieme nella Trump Tower. Tuttavia, quando i due si offrirono di resuscitare la campagna, insediandoci i propri luogotenenti, Steve Bannon e Kellyanne Conway, Trump non sollevò obiezioni. Si limitò a esprimere un totale sconcerto sul *perché* volessero fare una cosa del genere. «È un gran casino» disse ai Mercer.

A giudicare da tutti gli indicatori significativi, quella che Steve Bannon avrebbe definito «una campagna sconclusionata» era funestata non soltanto dalla percezione di una sconfitta annunciata, ma anche dall'opinione condivisa che la vittoria fosse un'impresa assolutamente impossibile.

Persino il candidato, che pure si proclamava dieci volte miliardario, si era rifiutato di investirci i suoi soldi. A Jared Kushner – che quando Bannon si unì alla campagna era in vacanza in Croazia con la moglie e il nemico di Trump, David Geffen – Bannon disse che dopo il primo dibattito, in settembre, sarebbero serviti altri cinquanta milioni di dollari per arrivare fino al giorno delle elezioni.

«Senza la garanzia di una vittoria, cinquanta milioni non li scuciamo manco morti» fu la pragmatica risposta di Kushner.

«Allora facciamo venticinque» rilanciò Bannon.

«Solo se possiamo dire che la vittoria è più che probabile.»

Alla fine riuscirono a convincerlo a prestare dieci milioni, con la clausola che glieli avrebbero restituiti con le prime raccolte fondi. (Steve Mnuchin, al tempo direttore finanziario della campagna, si presentò di persona con i dati per il bonifico, per evitare che Trump «dimenticasse» di eseguirlo.)

Di fatto non c'era nessuna campagna, perché mancava una vera organizzazione, o quella che c'era era del tutto inefficiente. Roger Stone, primo direttore de facto, si era dimesso o era stato licenziato da Trump: entrambi, in pubblico, sostenevano di aver dato il benservito all'altro. Sam Nunberg, un assistente di Trump che aveva lavorato per Stone, era stato clamorosamente cacciato da Lewandowski, per poi essere querelato da Trump stesso: una mossa che aveva incrementato in modo esponenziale lo sbandieramento pubblico di panni sporchi. Lewandowski e Hope Hicks, la portavoce della campagna assunta per tramite di Ivanka Trump, avevano avuto una relazione culminata in una lite per strada, episodio citato da Nunberg nella sua risposta alla querela di Trump. La campagna sembrava pensata con lo scopo specifico di *non* vincere.

Persino dopo che Trump ebbe sbaragliato gli altri sedici candidati repubblicani, un risultato già di per sé impensabile, l'obiettivo di portarlo alla presidenza continuò ad apparire del tutto irreale.

E sebbene in autunno sembrasse acquisire un pizzico di credibilità in più, anche questa evaporò con lo scandalo Billy Bush. «È che provo un'attrazione automatica per le belle donne. Non resisto: devo baciarle» aveva detto Trump al conduttore della NBC, a microfoni aperti, nel bel mezzo del dibattito esploso in tutta la nazione sulle molestie sessuali. «È un'attrazione magnetica. Come le vedo, le bacio, senza aspettare neanche un secondo. Se sei uno che conta, loro te lo permettono. Puoi fare quello che vuoi... afferrarle per la fica. Qualunque cosa.»

La bufera che seguì assunse accenti melodrammatici. La mortificazione era stata tale che, convocato a New York da Washington per una riunione di emergenza alla Trump Tower, Reince Priebus, capo del Comitato nazionale repubblicano, non aveva avuto il coraggio di uscire dalla Penn Station. Lo staff di Trump aveva penato due ore per convincerlo a raggiungere il quartier generale.

«Fratello» gli aveva detto Bannon, implorandolo al cellulare, «magari poi non ci vedremo mai più, ma oggi devi venire qui, ed entrare dalla porta principale.»

L'umiliazione subita da Melania Trump, dopo la diffusione di quel video, un lato positivo ce l'aveva: adesso era assolutamente impossibile che suo marito diventasse presidente.

Il matrimonio di Donald Trump era un mistero per quasi tutti quelli che gli stavano intorno, o quantomeno per coloro che non avevano jet privati e svariate case. Il tempo che lui e Melania trascorrevano insieme era risibile. Passavano giorni interi senza nemmeno parlarsi, anche quando erano entrambi alla Trump Tower. Spesso lei non aveva idea di dove fosse il marito, e non sembrava preoccuparsene. Lui cambiava residenza come un comune mortale passa da una stanza all'altra. Oltre a essere all'oscuro dei suoi spostamenti, la moglie del tycoon lo era anche dei suoi affari, e se ne interessava pochissimo. Padre assente per i primi quattro figli, Trump era stato ancora più elusivo con il quinto, Barron, avuto da Melania. Giunto al suo terzo matrimonio, diceva agli amici di aver trovato la formula magica: vivi e lascia vivere. «Ciascuno dei due fa come gli pare.»

Già noto come sciupafemmine, durante la campagna elettorale era diventato il donnaiolo più famigerato del mondo. Nessuno avrebbe mai sostenuto che fosse dotato di una particolare sensibilità nei confronti delle donne, ma lui stesso aveva un ampio repertorio di idee su come andarci d'accordo, compresa la teoria che tanto più giovane è la tua compagna, tanto meno se la prende per un tradimento.

Ciononostante, non si trattava di un matrimonio di facciata. Donald parlava spesso di Melania quando lei non era presente e se c'era ne lodava apertamente la bellezza, anche a costo di metterla in imbarazzo. Si vantava, senza traccia di ironia, di avere una «moglie trofeo». E se anche non condivideva con lei la propria vita, era ben contento di spartirne il bottino. «Una moglie felice significa una vita felice» diceva, avallando un popolare cliché da uomo ricco.

Teneva anche alla sua approvazione (come a quella di tutte le donne della sua cerchia che, saggiamente, non gliela lesinavano). Nel 2014, quando aveva cominciato a prendere in seria considerazione l'ipotesi di candidarsi, Melania era stata tra i primi a dichiarare possibile la sua vittoria. La figlia di Trump, Ivanka, che aveva subito preso le distanze dalla campagna, la citava come una barzelletta. «Per capire chi è Melania» diceva agli amici, «basta sapere una cosa: è convinta che, se si candida, mio padre vincerà di sicuro.»

Tuttavia Melania era terrorizzata alla prospettiva che suo marito potesse davvero diventare presidente. Riteneva che la sua nomina avrebbe distrutto l'esistenza appartata che con tanta cura aveva costruito per se stessa – isolandosi soprattutto dalla famiglia allargata di Trump – e che ruotava quasi esclusivamente intorno a suo figlio.

Non fasciarti la testa, le rispondeva lui, divertito. Nel frattempo, però, quasi ogni giorno presenziava a comizi e imperversava sui media, facendo crescere lo sgomento e l'angoscia di Melania.

Gli amici la informarono delle dicerie, al tempo stesso crudeli e comiche, che circolavano sul suo conto a Manhattan. I suoi esordi nel mondo della moda erano finiti sotto la lente di ingrandimento e quando Trump ottenne la nomination, in Slovenia, Paese di origine di Melania, la rivista di gossip «Suzy» pubblicò le prime insinuazioni. Dopodiché, come assaggio nauseabondo di ciò che il futuro aveva in serbo per lei, il «Daily Mail» fece scoppiare il caso in tutto il mondo.

Il «New York Post» mise le mani sui provini di un servizio fotografico senza veli cui Melania si era prestata all'inizio della carriera: tutti, tranne lei, attribuirono quella fuga di notizie a Trump stesso.

Disperata, Melania affrontò il marito. Gli disse che, se era questo ciò che dovevano aspettarsi, lei non credeva di farcela.

Trump rispose alla sua maniera – «Quereliamoli!» – e ingaggiò un team di avvocati, ma si dimostrò anche insolitamente accomodante. Assicurò alla moglie che era questione di poco, poteva starne certa: bastava aspettare novembre, poi sarebbe tornato tutto come prima. Le fece una promessa solenne: non c'era la minima possibilità che diventasse presidente. E, pur essendo un fedifrago cronico – persino patologico, per sua stessa ammissione –, quella promessa sembrava proprio deciso a mantenerla.

Forse in modo non del tutto involontario, la campagna di Trump aveva ricalcato le orme della trama del classico di Mel Brooks *Per favore, non toccate le vecchiette*. Gli ingenui e truffaldini protagonisti, Max Bialystock e Leo Bloom, decidono di frodare i finanziatori dello spettacolo di Broadway che stanno producendo. In sostanza i due si impegnano a mettere in scena un fiasco: impiegando solo una minima quota del capitale degli investitori nella produzione, infatti, avrebbero potuto tenerne per sé la maggior parte. Manco a dirlo, il musical si rivela talmente sopra le righe da fare il botto al botteghino, spedendoli entrambi in galera.

I candidati che arrivano alla presidenza – animati dalla *hybris*, dal narcisismo o da un senso soprannaturale del proprio destino – molto spesso hanno dedicato una quota sostanziale della loro carriera – se non addirittura tutta la vita, dall'adolescenza in poi – a prepararsi per quel ruolo. Danno la scalata alle cariche elettive. Lustrano la loro immagine pubblica. Profondono un'energia maniacale nella creazione di contatti, dato che il successo in politica dipende in larga parte dagli alleati che ti scegli. Studiano come forsennati (persino lo svogliato George W. Bush, che peraltro incaricò i galoppini del padre di studiare per lui). E cancellano con cura le proprie tracce, o come minimo si ingegnano a coprirle. Insomma, si addestrano a vincere e a governare.

Il calcolo di Trump, nel senso più proprio del termine, era di tutt'altro genere. Il candidato e i suoi consiglieri più stretti ritenevano di poter raccogliere tutti i frutti dell'essere *quasi* arrivati alla presidenza, senza dover cambiare di una virgola il proprio comportamento o la loro visione del mondo: non avevano bisogno di mostrarsi diversi da ciò che erano, tanto non c'era speranza di vittoria.

Molti candidati alla presidenza hanno tramutato in virtù il fatto di essere degli outsider a Washington, strategia che favorisce i governatori rispetto ai senatori. Per quanto possa sentirsene distante, detestarla persino, un aspirante che si rispetti non può non avvalersi dei consigli e del sostegno degli insider della capitale. Ma, nel caso di Trump, quasi nessuno della sua cerchia aveva mai lavorato in politica a livello nazionale, anzi, i suoi consiglieri più stretti con la politica non avevano proprio niente a che fare. Trump non aveva mai avuto molti amici, ma all'inizio della sua campagna elettorale di amici tra le alte sfere della politica non ne contava nessuno. Gli unici due politici con cui avesse intrattenuto rapporti erano Rudy Giuliani e Chris Christie, entrambi a loro modo personaggi atipici e isolati. E definirlo del tutto ignaro dei rudimenti intellettuali del mestiere sarebbe stato un eufemismo. All'inizio della campagna, in una scena davvero degna di *Per favore, non toccate le vecchiette*, Sam Nunberg fu incaricato di spiegargli la Costituzione: «Già al Quarto Emendamento ha cominciato a tirarsi il labbro inferiore con le dita e ad alzare gli occhi al cielo».

Quasi tutti nel suo staff erano invischiati in un groviglio di conflitti di interessi capace di distruggere qualsiasi amministrazione. Mike Flynn, il futuro consigliere per la Sicurezza nazionale che lo intratteneva dicendo peste e corna della CIA e dell'inettitudine delle spie americane, era stato messo in guardia da amici che non era una buona idea accettare 45.000 dollari dai russi per tenere un discorso. «Be', sarebbe un problema solo in caso di vittoria» aveva risposto lui. Dunque il dubbio non si poneva affatto.

Paul Manafort, lobbista e consulente politico internazionale assunto da Trump per guidare la campagna dopo il licenziamento di Lewandowski – e che accettò l'incarico senza compenso, moltiplicando gli interrogativi su ciò che si aspettava in cambio –, per trent'anni aveva reso i propri servigi a dittatori e despoti corrotti, accumulando milioni di dollari e lasciandosi dietro una pista di denaro che già da un pezzo aveva attirato l'attenzione degli inquirenti americani. Per di più, al momento di unirsi alla campagna, era perseguito legalmente, e sorvegliato in ogni mossa finanziaria, dall'oligarca e miliardario russo Oleg Deripaska, che gli aveva giurato vendetta per una frode immobiliare costatagli diciassette milioni di dollari.

Per ovvi motivi, prima di Trump nessun presidente e pochissimi politici erano emersi dal campo immobiliare, un settore scarsamente regolamentato, basato sul debito ed esposto alle frequenti fluttuazioni di mercato, che spesso dipende dagli aiuti dello Stato e rappresenta la destinazione prediletta per i patrimoni di dubbia provenienza, ovvero per il riciclaggio di denaro sporco. Oltre a Trump stesso, il genero Jared Kushner, il consuocero Charlie Kushner, i figli Don Jr., Eric e Ivanka avevano tutti tenuto a galla le proprie imprese d'affari operando in vario grado nella zona grigia dei flussi di contanti e dell'evasione fiscale. Jared Kushner, marito della figlia e braccio destro di Trump, era legato a doppio filo all'impresa immobiliare di suo padre Charlie, che a più riprese aveva scontato condanne federali per evasione fiscale, corruzione di testimoni e finanziamento illegale di campagna elettorale.

Nella politica moderna, è prassi che un candidato incarichi il proprio staff di prevenire l'opposizione, conducendo indagini puntigliose su di lui e i suoi collaboratori. Se anche Trump avesse seguito la regola, sarebbero stati in parecchi nella sua squadra ad avere ragionevoli motivi di temere il minuziosissimo esame delle authority etiche nel dopo-campagna. Lui però non volle saperne. Roger Stone, suo storico consigliere politico, spiegò a Steve Bannon che esaminarsi a fondo non era nell'indole di Trump. Né avrebbe tollerato che altri sapessero troppo di lui: come si dice, l'informazione è potere. E comunque, perché prendersi la briga di un esercizio tanto sgradevole e potenzialmente pericoloso, quando non c'era alcuna possibilità di vincere le elezioni?

E non soltanto Trump ignorò i potenziali conflitti di interessi derivanti dalle sue attività e proprietà immobiliari. Si rifiutò categoricamente anche di rendere pubblica la sua dichiarazione dei redditi. A quale scopo, se tanto la vittoria era fuori portata?

Di più: evitò di soffermarsi anche un solo istante sulla questione della transizione della squadra di governo, sostenendo che «portava male», ma intendendo in realtà che era una perdita di tempo.

Tanto non avrebbe vinto! O meglio, lui avrebbe vinto perdendo.

Il suo obiettivo era diventare l'uomo più famoso del mondo, il martire della corrotta Hillary Clinton.

Al suo seguito, la figlia Ivanka e il genero Jared sarebbero passati da ragazzini relativamente ignoti a celebrità internazionali e ambasciatori del marchio Trump.

Steve Bannon avrebbe assunto la guida de facto del movimento del Tea Party.

Kellyanne Conway sarebbe diventata la nuova star dei notiziari via cavo.

Reince Priebus e Katie Walsh avrebbero ripreso le redini del partito repubblicano.

Melania Trump sarebbe potuta tornare nell'ombra.

Questo era l'esito rassicurante che si aspettavano dall'8 novembre 2016. Tutti loro avrebbero guadagnato dalla sconfitta.

Quella sera, quando, poco dopo le otto, l'impensato sembrò diventare realtà – c'era davvero il rischio che Trump vincesse le elezioni –, Don Jr. disse a un amico che suo padre, o «DJT», come lo chiamava lui, era pallido come un morto. Melania, cui il marito aveva giurato che mai e poi mai sarebbe diventato presidente, piangeva a dirotto. E non erano lacrime di gioia.

Nel giro di poco più di un'ora, sotto gli occhi piuttosto divertiti di Steve Bannon, il suo candidato passò dallo sconcerto all'incredulità e infine al terrore. Ma mancava ancora la metamorfosi finale: presto Donald Trump si sarebbe convinto non soltanto di aver meritato la vittoria, ma anche di avere tutte le carte in regola per essere il nuovo presidente degli Stati Uniti.

2

La Trump Tower

Il sabato dopo le elezioni, Donald Trump ricevette un gruppo selezionato di sostenitori nel suo appartamento su tre piani nella Trump Tower. Persino gli amici più stretti erano ancora sotto shock, e al piccolo ricevimento si respirava un'aria di incredulità generale. Trump, invece, guardava nervosamente l'orologio.

Rupert Murdoch, che fino a quel momento lo aveva liquidato come un ciarlatano e un buffone, aveva promesso di presenziare insieme alla moglie, Jerry Hall. I due però tardavano a palesarsi. Trump si affannava a rassicurare gli ospiti – Rupert stava arrivando, era solo questione di minuti – e, quando alcuni fecero per andarsene, li persuase a pazientare un altro po': Non vorrai perderti l'occasione di vedere Rupert? (O, come intese uno di loro: Non vorrai perderti l'occasione di vedere me e Rupert insieme?)

L'ex moglie di Murdoch, Wendi, aveva frequentato spesso Jared e Ivanka, ma il magnate dei media non aveva mai fatto mistero della propria mancanza di interesse nei confronti di Trump. Il suo legame con Kushner costituiva un elemento non irrilevante nella dinamica di potere fra Trump e il genero, e una leva che quest'ultimo aveva usato abilmente a proprio vantaggio, infilando con falsa nonchalance il nome di Murdoch nelle conversazioni con il suocero. Quando, nel 2015, Ivanka aveva riferito a Murdoch che il padre aveva deciso di candidarsi alla presidenza, lui aveva escluso senza appello la possibilità di una vittoria.

Invece si era consumato il più sbalorditivo capovolgimento nella storia americana, e il presidente neoeletto era sulle spine per via di quell'incontro. «È un grande» ripeteva ai suoi ospiti, in tono sempre più concitato. «Dico sul serio: il più grande dei nostri tempi. Dovete conoscerlo.»

La situazione presentava una curiosa inversione di ruoli, una sorta di paradossale simmetria. Trump, che sembrava ancora considerare la presidenza come un trampolino per elevare la sua posizione sociale, stava cercando in tutti i modi di conquistarsi i favori di un uomo che aveva sempre dato mostra di disprezzarlo. E quando infine Murdoch fece il suo ingresso alla festa, anche lui appariva sconcertato e allibito come tutti gli altri, e in difficoltà nel vedere in quell'impensata nuova luce un uomo che per più di una generazione era stato, nel più clemente dei giudizi, il principe dei pagliacci del jet set internazionale.

Murdoch non era il solo tra i miliardari ad aver guardato Trump con disprezzo. Negli anni prima dell'elezione, Carl Icahn, che Trump citava spesso come amico e che in seguito avrebbe proposto per un'alta carica di governo, non si faceva scrupoli a metterlo in ridicolo (tra l'altro smentendo apertamente la pretesa di Trump di essere a sua volta miliardario).

Tra quanti conoscevano Trump, ben pochi si facevano illusioni sul suo conto. Era quasi il bello di un personaggio come lui: Donald era precisamente come appariva, un uomo con l'avidità negli occhi e la disonestà nell'anima.

Adesso però era il presidente degli Stati Uniti. E questo, come in una mossa di jujutsu, aveva completamente ribaltato la situazione. Qualunque opinione si potesse avere di lui, era riuscito nell'obiettivo: aveva estratto la spada dalla roccia. Il fatto era innegabile, e aveva cambiato tutto.

Quei miliardari avrebbero dovuto riconsiderare il giudizio che avevano di lui. E, come loro, chiunque ruotasse nella sua orbita. Lo staff della campagna elettorale, che d'un tratto vedeva a portata di mano incarichi nella West Wing – nomine in grado di decidere delle loro carriere e farli entrare nella storia –, doveva guardare con nuovi occhi quell'uomo bizzarro, difficile, persino ridicolo e, fino a prova contraria, incompetente. Era stato eletto presidente: di conseguenza – come amava ripetere Kellyanne Conway – era presidenziale per definizione.

Ma a comportarsi in modo presidenziale lui non ci pensava proprio. Mai una volta aveva dimostrato riguardo per il decoro o il cerimoniale politico. Tantomeno aveva esercitato un minimo di autocontrollo.

Furono reclutati nuovi collaboratori che, pur non nascondendo quello che pensavano di Trump, accettarono di unirsi all'impresa: Jim Mattis, ex generale a quattro stelle e tra i più rispettati comandanti delle forze armate americane; Rex Tillerson, amministratore delegato della ExxonMobil; Scott Pruitt e Betsy DeVos, fedelissimi di Jeb Bush. Tutti loro dovettero concentrarsi su un unico dato di fatto: Trump era un personaggio eccentrico, persino strampalato, ma adesso era il nuovo presidente.

Può funzionare, cominciarono all'improvviso a ripetere tutti i membri della sua cerchia. Sì, può funzionare. *Forse.*

In effetti, visto da vicino, Trump non è l'uomo pretenzioso e bellicoso che ha aizzato folle idrofobe in campagna elettorale. Non è né irascibile né aggressivo. È stato forse il candidato più fragoroso, minaccioso e preoccupante nella storia americana moderna, ma di persona è quasi conciliante. Il suo profondo autocompiacimento è contagioso. In sua presenza, la vita sembra rosea. Trump è un ottimista – almeno nel giudicare se stesso –, e sa essere affascinante e lusinghiero, capace di prestare al suo interlocutore un'attenzione assoluta. È spiritoso, persino autoironico. E ha energia da vendere. «Facciamolo!» è la sua risposta a qualsiasi cosa. Non è un duro. È «uno scimmione dal cuore d'oro», secondo la definizione non proprio adulatoria di Bannon.

Peter Thiel, cofondatore di PayPal e membro del consiglio di amministrazione di Facebook (nonché l'unica voce significativa nella Silicon Valley a essersi spesa in favore di Trump), fu messo in guardia da un altro miliardario e amico storico del neopresidente: trascinato dal vizio incorreggibile della lusinga, Trump gli avrebbe offerto amicizia imperitura, lo avrebbe coperto di lodi e avrebbe dichiarato che la loro sarebbe stata una collaborazione straordinaria. Qualunque cosa ti serva, tu chiamami e io farò in modo che tu la ottenga, gli avrebbe assicurato. Quando si comportava così, disse l'amico comune, non bisognava prenderlo sul serio. Ma Thiel, che aveva tenuto un discorso in suo favore alla convention repubblicana di Cleveland, avrebbe riferito in seguito che, per quanto avvisato, lui ci aveva creduto quando Trump gli aveva giurato eterna amicizia, salvo poi scomparire e non rispondere alle sue telefonate. Ma al potere si può anche perdonare qualche mancanza nelle relazioni sociali. Erano altri gli aspetti davvero preoccupanti del carattere del nuovo presidente.

Quasi tutti i professionisti che erano entrati nella sua cerchia avevano dovuto prendere atto di un fatto incontrovertibile: Trump non sapeva niente di niente. Non esisteva argomento, a parte forse l'edilizia, di cui fosse davvero competente. Improvvisava su qualunque cosa. Quello che sapeva sembrava sempre averlo imparato un'ora prima, e per giunta in modo sconclusionato. Eppure i membri della sua nuova squadra stavano cercando di convincersi del contrario: Trump era stato eletto presidente, perciò qualche capacità doveva averla per forza. E se era vero che tutti nel suo ambiente ne conoscevano l'inettitudine – Trump, il grande uomo d'affari, non sapeva leggere un bilancio, e il candidato che in campagna elettorale aveva fatto leva sulla propria abilità di negoziatore in realtà era un disastro al tavolo delle trattative, in particolare per la disattenzione cronica ai dettagli –, il suo staff individuò in lui un'altra qualità: Trump aveva *istinto.* Sì, era quella la parola giusta. Aveva una forte personalità. Sapeva convincerti.

«È una brava persona, un uomo intelligente o capace?» si chiese una volta Sam Nunberg, suo storico consigliere politico. «Non lo so proprio. Ma di certo è una star.»

Piers Morgan, giornalista inglese e conduttore (senza troppo successo) della CNN che dopo la partecipazione a *The Celebrity Apprentice* era rimasto un amico fedele di Trump, disse che per capire le sue virtù e le sue attrattive bastava leggere il suo libro, *L'arte di fare affari*. Quelle pagine lo riassumevano alla perfezione, rivelando i segreti del suo acume, della sua energia e del suo carisma. Trump era racchiuso in quel libro. Peccato che il libro non lo aveva scritto lui. Il ghostwriter, Tony Schwartz, aveva sbandierato ai quattro venti che il presunto autore non aveva contribuito in niente alla stesura, anzi, probabilmente non lo aveva nemmeno letto. Ma forse era proprio questo il punto. Trump non è uno scrittore, è un personaggio: un protagonista e un eroe.

Appassionato di wrestling, fan e finanziatore della World Wrestling Entertainment (e accolto nella WWE Hall of Fame), Trump viveva come Hulk Hogan, interpretando nella realtà un personaggio fittizio. Per il divertimento dei suoi amici, e la preoccupazione dei tanti che si accingevano a lavorare per lui ai vertici del governo federale, Trump parlava spesso di sé in terza persona: Trump ha fatto questo, «Trumpster» (il suo nome utente su Twitter) ha detto quest'altro. E il ruolo ricoperto finora era talmente potente che lui sembrava restio o incapace di rinunciarvi per assumere quello di presidente, o diventare presidenziale.

Nessuno negava che fosse un uomo difficile, ma molti nel nuovo entourage cercarono di giustificarne il comportamento trovandovi la spiegazione stessa del suo successo e sforzandosi di interpretarlo come un vantaggio, non un limite. Per Steve Bannon, l'ineguagliata virtù politica di Trump consiste nell'essere un maschio alfa, forse l'ultimo della sua specie. Un uomo in stile anni Cinquanta, un tipo con tutte le carte in regola per appartenere al Rat Pack, un personaggio uscito dritto dalla serie televisiva *Mad Men*.

Trump stesso ha una comprensione persino più accurata della propria natura. Una volta, in viaggio sul suo aereo privato con un altro miliardario e deciso a far colpo sulla modella straniera che accompagnava l'amico, propose una tappa ad Atlantic City per visitare uno dei suoi casinò. L'amico disse alla modella che ad Atlantic City non c'era proprio niente da vedere. Era la capitale mondiale del *white trash*.

«Che cos'è il *white trash*?» aveva chiesto lei.

«Sono quelli come me» aveva risposto Trump. «Tranne che loro sono poveri.»

In sostanza lui cerca scuse per non adeguarsi, per non essere rispettabile, un espediente, seppur discutibile, per vincere. Ed è la vittoria che conta, non i mezzi con cui la si ottiene.

Per dirla in altro modo, e secondo il giudizio degli amici che badavano bene a non cascare nei suoi tranelli, Trump semplicemente era privo di scrupoli. Era un ribelle, un disturbatore, un uomo che, vivendo al di sopra delle regole, le disprezzava. Un buon amico sia suo sia di Bill Clinton trovava in loro somiglianze inquietanti, salvo che Clinton conservava una facciata rispettabile, Trump no.

Una manifestazione di questa personalità furfantesca, sia per Trump sia per Clinton, era il loro modo di corteggiare le donne, o molestarle, per l'esattezza. Persino rispetto ai più famigerati campioni della categoria i due spiccavano per la totale assenza di dubbi ed esitazioni.

Trump amava ripetere che una delle cose che rendevano la vita degna di essere vissuta era portarsi a letto le mogli degli amici. Per riuscirci, la sua tecnica preferita cominciava con una telefonata, in cui lasciava intendere alla donna che il marito non fosse precisamente l'uomo che lei credeva. Dopodiché convocava lui nel suo ufficio e lo coinvolgeva in quella che, ai suoi occhi, era una spiritosa conversazione piccante: «Di' un po', ma godi ancora a letto con tua moglie? E quanto spesso lo fate? Su, a me puoi dirlo: te ne sarai pure scopata un'altra che ti piaceva di più. Racconta. A proposito, giusto oggi arrivano delle ragazze da Los Angeles. Perché non ti fermi, così andiamo di sopra e ce la spassiamo un po'? Non lo dico a nessuno, giuro...». E, per tutto il tempo, la moglie dell'amico ascoltava la conversazione dal telefono, in vivavoce.

D'altra parte Trump non era certo il primo presidente privo di scrupoli, e i precedenti andavano ben oltre Clinton. A renderlo davvero unico era una mancanza di tutt'altro tipo. Chi lo conosceva bene non si capacitava che fosse riuscito a vincere le elezioni, a tagliare il traguardo più ambizioso di tutti, senza avere il requisito più basilare per la carica: quelle che i neuroscienziati chiamano «funzioni esecutive». Aveva ottenuto la presidenza, ma il suo cervello non sembrava in grado di svolgere i compiti primari richiesti dal suo nuovo ruolo. Era del tutto incapace di pianificare, organizzare, concentrare o spostare l'attenzione a seconda delle priorità. Mai in vita sua era riuscito a modificare il proprio modo di essere o di fare per adeguarlo a quanto richiesto da un dato obiettivo. Al livello più elementare, non capiva il rapporto tra causa ed effetto.

Il presunto complotto con la Russia per aggiudicarsi la vittoria alle urne – un'accusa gravissima di cui lui rideva – era, secondo alcuni dei suoi amici, l'esempio paradigmatico della sua incapacità di collegare i puntini. Anche ammesso che non avesse davvero cospirato con i russi per truccare le elezioni, restava il fatto che si era prodigato in ogni modo per entrare nelle grazie di Vladimir Putin, lasciandosi dietro un'allarmante pista di parole e azioni il cui costo politico rischiava di rivelarsi enorme.

Poco dopo l'elezione, il suo amico Ailes cercò di fargliela capire. «Non puoi permetterti passi falsi sulla questione Russia» gli disse, in tono pressante. Anche fuori da Fox News, Ailes aveva mantenuto una capillare rete di intelligence e avvertì Trump dell'imminente divulgazione di informazioni potenzialmente devastanti sul suo conto. «È una faccenda seria, Donald, non puoi prenderla alla leggera.»

«Ci sta pensando Jared» rispose lui, spensierato. «È tutto sistemato.»

La Trump Tower, adiacente alla gioielleria Tiffany e ora quartier generale di una rivoluzione populista, d'un tratto cominciò a somigliare a una nave spaziale aliena – la Morte Nera – atterrata nel cuore di Manhattan. Sulla Quinta Strada si era riversata una processione di potenti, volonterosi e ambiziosi venuti a bussare alla porta del nuovo presidente, oltre a una folla di contestatori indignati e semplici curiosi, al punto che si era dovuto correre ai ripari, erigendo un labirintico percorso di transenne nel tentativo di arginare il caos.

Nel 2010 il Pre-Election Presidential Transition Act aveva istituito finanziamenti per permettere ai candidati alla presidenza di cominciare a esaminare le credenziali degli aspiranti alle cariche della sua amministrazione, in modo da preparare il passaggio delle consegne burocratiche tra i funzionari uscenti ed entranti che avrebbe avuto luogo il 20 gennaio. Durante la campagna, Chris Christie, il governatore del New Jersey e capo della squadra di transizione di Trump, aveva cercato in ogni modo di convincere il candidato che quei fondi non si potevano indirizzare ad altri scopi: la legge imponeva di spenderli per pianificare la transizione. Trump però era certo che quella transizione non lo avrebbe riguardato, e infine, esasperato, aveva vietato a Christie di tornare sull'argomento.

All'indomani dell'elezione, i suoi consiglieri più stretti – di colpo impazienti di partecipare a un processo del quale nessuno di loro fino a quel momento si era minimamente preoccupato – se la presero con Christie, accusandolo di aver mancato al suo dovere di preparare un piano di transizione. In fretta e furia, l'esiguo team che doveva occuparsene si trasferì dal centro di Washington alla Trump Tower.

Mai nella storia una squadra di transizione (e a ben guardare nemmeno lo staff di una campagna elettorale) aveva avuto un quartier generale tanto sfarzoso. Il che era intenzionale. Comunicava un classico messaggio in stile Trump: Non soltanto siamo outsider, ma siamo più potenti di voialtri insider. Siamo più ricchi, più famosi. E le nostre sedi fanno impallidire le vostre.

Per giunta il palazzo in questione era addirittura personalizzato: come noto, il nome di Trump campeggia sull'ingresso. La Tower ospitava il suo appartamento su tre piani, incalcolabilmente più vasto della residenza nella Casa Bianca, e l'ufficio privato che Trump occupava fin dagli anni Ottanta. Adesso, oltre all'ufficio della campagna elettorale, comprendeva anche quello della squadra di transizione: il tutto saldamente nelle sue mani, e fuori dal controllo di Washington e della «palude».

La reazione istintiva del nuovo presidente di fronte a quella vittoria improbabile, per non dire assurda, era stata l'esatto opposto dell'umiltà. Il suo desiderio era di sbattere il proprio successo in faccia a tutti. Sarebbero stati gli insider di Washington, o gli aspiranti tali, a dover andare da lui, non il contrario.

In un colpo solo, la Trump Tower aveva rubato la scena alla Casa Bianca. Chiunque si presentasse lì per un appuntamento con il presidente neoeletto stava riconoscendo o accettando implicitamente un governo di outsider. Trump li costrinse tutti a subire quella che il suo staff, gongolando, chiamava «la gogna»: la camminata nel corridoio di transenne che portava all'ingresso, sotto gli occhi di una folla di reporter e dei curiosi accalcati sulla strada. Un atto d'ossequio, se non un'umiliazione vera e propria.

L'imponenza aliena della Trump Tower contribuiva a occultare il fatto che ben pochi nei già sparuti ranghi della cerchia ristretta di Trump, ora chiamati a mettere insieme un governo dalla sera alla mattina, avevano la benché minima esperienza in materia. Nessuno di loro aveva mai lavorato in politica, in ambito burocratico, organizzativo o legislativo.

La politica è basata sulle relazioni, dipende in tutto e per tutto dalle conoscenze. Ma, diversamente dagli altri presidenti – che pure potevano aver sofferto di carenze gestionali –, al momento della nomina Trump era un neofita al cento per cento, perciò gli mancavano i contatti politici e governativi che altri avevano accumulato nel corso di un'intera carriera. Non aveva al suo servizio nemmeno un'organizzazione degna di questo nome. Per gran parte dei diciotto mesi di campagna, la sua «organizzazione» era limitata a tre persone: il direttore, Corey Lewandowski (almeno fino al suo licenziamento, un mese prima della convention repubblicana nazionale), la sua portavoce-segretaria-valletta e prima assunta per la campagna, la ventiseienne Hope Hicks, e lui stesso. Lo strettissimo indispensabile e le decisioni di pancia: erano questi gli strumenti principali di Trump. Aveva scoperto che più gente avevi tra i piedi, più diventava difficile invertire la rotta.

La squadra professionale – chiamiamola così, anche se non comprendeva professionisti di sorta – era stata reclutata soltanto in agosto, nell'estremo tentativo di salvare almeno la faccia. Ma con loro Trump lavorava solo da qualche mese.

Preparandosi a passare dal Comitato nazionale repubblicano alla Casa Bianca, Reince Priebus notò, con una certa preoccupazione, che Trump era capacissimo di offrire su due piedi, e a gente incontrata per la prima volta, incarichi della cui importanza non sembrava nemmeno consapevole.

Ailes, veterano delle amministrazioni Nixon, Reagan e Bush senior, era sempre più angosciato per l'incapacità del presidente neoeletto a concentrarsi con la dovuta tempestività sulla creazione di una squadra di governo in grado di servirlo e proteggerlo. Cercò di spiegargli la feroce opposizione che lo avrebbe accolto fin dal primo giorno dell'insediamento.

«Come capo di gabinetto ti serve uno con le palle, e uno con le palle che conosca Washington come le sue tasche» gli suggerì, poco dopo l'elezione. «Lo so, pensi di esserlo già tu, ma a Washington è diverso.» Gli fece il nome di Boehner. John Boehner era stato lo speaker della Camera dei Rappresentanti fino alle sue dimissioni, nel 2015, a seguito delle pressioni ricevute dal Tea Party.

«E chi sarebbe?» ribatté lui.

Conoscendo il suo disprezzo per le competenze altrui, tutti nella sua cerchia di miliardari cercarono di fargli capire l'importanza delle persone – molte – di cui avrebbe avuto bisogno alla Casa Bianca, e la necessità di circondarsi di gente che sapeva come muoversi a Washington. Le persone contano più dei programmi, gli ripetevano. *Sono* i tuoi programmi.

«Frank Sinatra si sbagliava» disse David Bossie, uno dei suoi consiglieri politici di più lunga data. «Farcela a New York non significa necessariamente che puoi farcela a Washington.»

Giuristi e politologi hanno versato fiumi di inchiostro sulla natura specifica del ruolo di capo di gabinetto. Si tratta di una carica determinante quanto quella del presidente stesso per il funzionamento della Casa Bianca e dell'esecutivo, con i suoi quattro milioni di dipendenti, compresi gli 1,3 milioni nei servizi di sicurezza e militari.

Nel tentativo di illustrarne l'importanza, il ruolo di capo di gabinetto è stato equiparato a un vicepresidente, a un direttore operativo, persino a un primo ministro. Tra i colossi della categoria bisogna annoverare H.R. Haldeman e Alexander Haig, sotto Richard Nixon; Donald Rumsfeld e Dick Cheney, sotto Gerald Ford; Hamilton Jordan, sotto Jimmy Carter; James Baker, sotto Ronald Reagan; di nuovo James Baker, sotto George H.W. Bush; Leon Panetta, Erskine Bowles e John Podesta, sotto Bill Clinton; Andrew Card, sotto George W. Bush; e Rahm Emanuel e Bill Daley, sotto Barack Obama. Ma su una cosa tutti gli studiosi sono unanimi: un capo di gabinetto forte ed esperto di Washington e del governo federale è senz'altro preferibile a uno debole e ignaro della capitale.

Donald Trump sapeva poco o niente della storia di questa funzione o degli studi in merito. Così colmò la lacuna a modo suo, basandosi sulla propria esperienza personale nel management. Per decenni si era affidato a collaboratori di lunga data, agli amici e ai membri della famiglia. Per quanto gli piacesse spacciarla per un impero, di fatto la sua impresa era costituita da una quantità di holding diverse, di lusso ma disparate, la cui missione aziendale consisteva più nell'assecondare i capricci del titolare e rappresentante del marchio che nel rispettare i requisiti di redditività o altri parametri di rendimento.

I suoi figli, Don Jr. ed Eric – che a loro insaputa la cerchia interna di Trump aveva ribattezzato Uday e Qusay, come i figli di Saddam Hussein –, suggerirono di istituire alla Casa Bianca due strutture parallele, una dedicata alla visione di più ampio respiro, alle apparizioni personali e al talento di venditore del padre, e l'altra impegnata nell'ordinaria amministrazione. A capo della seconda struttura i due vedevano se stessi.

Per il ruolo di capo di gabinetto, in prima battuta Trump aveva pensato all'amico Tom Barrack, membro del suo informale gabinetto di magnati immobiliari di cui facevano parte anche Steven Roth e Richard LeFrak.

Nipote di immigrati libanesi, Barrack è l'investitore immobiliare noto per l'acume e la fissa per le celebrità oggi proprietario dell'eccentrica reggia di Michael Jackson, il Neverland Ranch. Insieme a Jeffrey Epstein – il finanziere newyorkese destinato a campeggiare sui tabloid in seguito alle accuse di aver avuto rapporti sessuali con minorenni e ai tredici mesi scontati in un carcere di Palm Beach per favoreggiamento della prostituzione nel 2008 –, Trump e Barrack erano stati i tre moschettieri nella vita notturna degli anni Ottanta e Novanta.

Fondatore e amministratore delegato della società di investimento Colony Capital, Barrack era diventato miliardario con le speculazioni e «fondi avvoltoio» specializzati in investimenti a rischio nelle proprietà immobiliari di mezzo mondo, comprese quelle dell'amico Donald Trump, per salvarle dalla bancarotta. In tempi più recenti aveva aiutato anche il genero di Trump, Jared Kushner.

Barrack aveva seguito con notevole divertimento l'eccentrica campagna presidenziale di Trump e aveva negoziato l'accordo per insediare Paul Manafort al posto di Corey Lewandowski quando quest'ultimo era entrato in rotta di collisione con Kushner. Poi, sbalordito come tutti dai successi che quell'improbabile campagna continuava a mietere, aveva presentato il futuro presidente alla convention repubblicana di luglio, dedicandogli un discorso caloroso e personale (in contrasto con i suoi toni di solito cupi e aggressivi).

Per Trump la prospettiva di reclutare alla Casa Bianca il suo amico Tom – un genio organizzativo e pienamente consapevole del totale disinteresse di Donald per il trantran della gestione quotidiana – sarebbe stata un sogno diventato realtà. Era stata quella la sua reazione – di comodo e istantanea – alla circostanza imprevista di trovarsi catapultato nel ruolo di presidente: l'avrebbe affrontata con l'aiuto di un mentore professionale, confidente, investitore e amico, un uomo che i conoscenti di entrambi definiscono «uno dei migliori ammaestratori di Donald». Nella sua cerchia la chiamavano «la strategia dei due *amigos*». (Il terzo, Epstein, era rimasto legato a Barrack, ma dopo lo scandalo era stato espunto dalla biografia di Trump.)

Barrack era una delle poche persone di cui Trump, che per riflesso automatico tende a pensare male di tutti, riconoscesse le competenze e, nella sua visione, non soltanto sarebbe stato in grado di far funzionare a dovere l'intero ingranaggio, ma avrebbe permesso a lui di essere se stesso. Trump era più che certo che dove non fosse arrivato lui, sarebbe senz'altro riuscito il suo amico Tom. Barrack avrebbe gestito l'impresa e lui avrebbe venduto il prodotto: rendere l'America di nuovo grande. #MAGA, Make America Great Again.

Per Barrack, come per tutti intorno a Trump, l'esito elettorale fu l'equivalente di un'impossibile vincita alla lotteria: quel balordo del suo amico era diventato presidente. Ma alla fine, anche dopo innumerevoli telefonate imploranti di Donald, Tom dovette declinare l'offerta. «Il fatto è che sono troppo ricco» obiettò. Non sarebbe mai riuscito a districare il groviglio delle sue società e holding – compresi grossi investimenti in Medio Oriente – in modo da soddisfare i cani da guardia della commissione etica. Trump sembrava infischiarsene del conflitto di interessi, oppure aveva rimosso il problema, ma per se stesso Barrack non vedeva altro che grattacapi e costi. E poi, ora al suo quarto matrimonio, non gli andava per niente che la sua pittoresca vita privata – spesso, nel corso degli anni, vissuta in coppia con Trump – diventasse di dominio pubblico.

La scelta di ripiego di Trump fu il genero. Durante la campagna, dopo mesi di scompiglio e stravaganze (se non ai suoi occhi, quantomeno a quelli degli altri, compresa la sua famiglia), Kushner era sceso in campo diventando a tutti gli effetti la sua ombra, sempre a un passo da lui, muto se non interpellato, e in quel caso pronto a offrire pareri invariabilmente rassicuranti e lusinghieri. Corey Lewandowski lo chiamava «il maggiordomo». Trump si era convinto che il genero fosse dotato di un'incredibile sagacia, se non altro perché aveva capito che non bisognava intralciarlo.

In aperta violazione delle leggi e del buon gusto, e per l'incredulità generale, il nuovo presidente sembrava determinato a circondarsi di parenti. L'intera famiglia Trump – esclusa la moglie, che curiosamente avrebbe continuato a vivere a New York – stava traslocando alla Casa Bianca, e tutti con un incarico equivalente a quello rivestito nella Trump Organization. E senza che nessuno dei consiglieri sollevasse obiezioni.

Infine fu la diva della destra e sostenitrice di Trump, Ann Coulter, a prenderlo da parte. «Forse non te l'ha detto nessuno, ma guarda che non si fa: non puoi assumere i tuoi figli.»

Trump continuò ad affermare di avere pieno diritto al supporto dei suoi cari, lasciando al tempo stesso intendere di essere inerme di fronte alle loro pressioni. La mia, diceva, è una famiglia *un po' particolare*. Il suo staff comprendeva i conflitti intrinsechi e le possibili complicazioni legali di avere il genero del presidente come capo di gabinetto, ma soprattutto temeva che la propensione di Trump a privilegiare i suoi familiari diventasse ancora più evidente. Dopo molte pressioni, il presidente si rassegnò a non dare l'incarico al genero. Quantomeno non in via ufficiale.

Fuori gioco Barrack e Kushner, Trump decise che l'incarico dovesse andare a Chris Christie, il governatore del New Jersey che, come abbiamo detto, insieme a Rudolph Giuliani, rappresentava la totalità dei suoi amici con una reale esperienza politica.

Come è accaduto spesso agli alleati di Trump, Christie era più volte entrato e uscito dalle grazie del tycoon. Nelle ultime settimane di campagna Trump aveva osservato con disprezzo prima il progressivo allontanamento di Christie da un'impresa destinata alla sconfitta, e poi lo slancio con cui, a scrutinio terminato, il governatore si era affrettato a saltare di nuovo sul carro dei vincitori.

La loro amicizia risaliva ai tempi in cui Trump aveva tentato – invano – di imporsi come pezzo grosso dei casinò di Atlantic City. (Nutriva da tempo un rispetto reverenziale e un acceso senso di rivalità nei confronti del magnate del gioco di Las Vegas, Steve Wynn, che in seguito avrebbe nominato direttore finanziario del Comitato nazionale repubblicano.) Trump lo aveva sostenuto nella sua scalata alla politica del New Jersey, ne ammirava lo stile diretto e, nel 2012 e 2013, quando Christie preparava la propria candidatura alle presidenziali e lui, nel declino del suo reality televisivo, *The Apprentice*, si guardava intorno in cerca di nuove opportunità, aveva persino accarezzato l'ipotesi che l'amico lo prendesse con sé in veste di vicepresidente.

All'inizio della campagna aveva dichiarato che l'unico motivo per cui aveva accettato di candidarsi in concorrenza con Christie era stato il Bridgegate (lo scandalo scoppiato quando i collaboratori del governatore avevano fatto chiudere al traffico le corsie del George Washington Bridge per intralciare il sindaco di una cittadina vicina e suo oppositore, un episodio che in privato Trump giustificava con la tesi che «nel New Jersey è così: si gioca duro»). Nel febbraio del 2016, quando, dopo il ritiro dalla gara elettorale, si era schierato con Trump, Christie era stato coperto di ridicolo per il sostegno offerto all'amico (ma era convinto che Trump gli avrebbe riservato la carica di vicepresidente).

Per Trump era stato un forte dispiacere doversi rimangiare la parola. Ma l'avversione dell'establishment repubblicano nei confronti di Christie era quasi pari a quella nutrita per Trump. A mo' di compensazione gli aveva offerto la direzione della squadra di transizione, con l'intesa implicita di un incarico cruciale nell'amministrazione: capo di gabinetto o attorney general, il ministro della Giustizia.

Ma c'era un problema. Nel 2005 era stato proprio Christie, al tempo procuratore federale nel New Jersey, a mandare in galera il padre di Jared, Charles Kushner. Indagato per frode fiscale, Kushner aveva ordito un piano con una prostituta per ricattare il cognato, citato come testimone dall'accusa.

In varie ricostruzioni, spesso attribuibili a Christie stesso, nella vicenda della carriera abortita del governatore Jared fa la parte del boia vendicativo. È un caso da manuale di vendetta servita fredda: a distanza di anni, il figlio di un uomo perseguitato (o, nella fattispecie, condannato con regolare processo) sfrutta il potere acquisito contro l'artefice di quell'oltraggio alla sua famiglia. Altri testimoni offrono una versione più sottile e, per molti aspetti, più cupa. Jared Kushner, come i generi di tutto il mondo, cammina in punta di piedi intorno al suocero, facendo il possibile per rendersi invisibile: da una parte l'uomo più anziano, ingombrante e prevaricatore, dall'altra quello più giovane, esile e malleabile. In questa versione della storia, non è il deferente Jared a sferrare a Christie il colpo di grazia: con una torsione forse persino più soddisfacente in termini di fantasia di vendetta, è lo stesso Charlie Kushner a esigere la resa dei conti, per mezzo della nuora, l'unica nell'entourage di Trump a esercitare una vera influenza. Ivanka avrebbe riferito al padre che la nomina di Christie a capo di gabinetto o in qualsiasi altra posizione di vertice avrebbe creato enormi problemi a lei e alla sua famiglia acquisita, e che anzi sarebbe stato meglio sbarazzarsi del tutto di lui.

Il peso massimo dell'organizzazione era Bannon. Trump, che sembrava incantato dal suo eloquio – un misto di invettive, divagazioni storiche, rivelazioni sui media, motti di destra e banalità motivazionali –, cominciò a sottoporne il nome come capo di gabinetto al vaglio della sua cerchia di miliardari, che reagì al suggerimento con scherno e scandalo. Il che non impedì a Trump di sostenere che molti fossero comunque a favore dell'ipotesi.

Nelle settimane precedenti l'elezione, Trump aveva bollato Bannon come adulatore per l'insistenza con cui preconizzava una vittoria certa. Adesso invece gli attribuiva una preveggenza quasi mistica. E Bannon, privo di qualsiasi esperienza politica, fu l'unico insider in grado di offrire una visione coerente del populismo di Trump: il «trumpismo».

Le forze anti-Bannon, che comprendevano quasi ogni repubblicano non appartenente al Tea Party, non impiegarono molto a reagire. Murdoch, nemico sempre più aspro di Bannon, disse a Trump che sceglierlo come capo di gabinetto era una mossa arrischiata. Joe Scarborough, ex membro del Congresso e co-conduttore della trasmissione *Morning Joe* della MSNBC, uno degli show prediletti di Trump, lo avvertì in privato che la nomina avrebbe scatenato «una rivolta» a Washington. Poi, avviando un tema ricorrente, denigrò pubblicamente Bannon nel suo show.

In sfavore di Bannon come candidato all'incarico non giocava soltanto il suo estremismo politico. È un uomo profondamente disorganizzato, e quasi al limite dell'autismo per l'ossessione con cui si concentra su un dettaglio a discapito di tutto il resto. Potremmo definirlo il peggior dirigente mai vissuto? Sì, possiamo. Al telefono non rispondeva mai e nelle email si limitava a un'unica parola, in parte per le sue paranoie sulla posta elettronica, ma più che altro per l'ermetismo tipico dei maniaci del controllo. Teneva a distanza assistenti e collaboratori. Con lui era impossibile fissare un appuntamento: l'unica speranza era presentarsi di persona e incrociare le dita. Per colmo dell'ironia, la sua prima assistente, Alexandra Preate, responsabile della comunicazione e della raccolta fondi per l'area conservatrice, era confusionaria quanto lui. Con tre matrimoni falliti alle spalle, Bannon viveva da scapolo a Capitol Hill, presso la cosiddetta «Breitbart Embassy», sede anche degli uffici di Breitbart News e ora centro nevralgico della sua vita sregolata. Nessuna persona sana di mente avrebbe mai assunto Steven Bannon per un incarico il cui primo requisito erano le capacità organizzative.

Non restava che Reince Priebus, l'unico plausibile nella rosa dei candidati.

Paul Ryan, lo speaker della Camera dei Rappresentanti, e Mitch McConnell, leader della maggioranza del Senato, cominciarono subito a premere per la sua nomina. Se proprio dovevano rassegnarsi a trattare con un alieno come Donald Trump, volevano almeno un intermediario che parlasse la loro lingua.

Il quarantacinquenne Priebus non era un politico, un tecnico o uno stratega. Nell'ingranaggio governativo il suo era uno dei mestieri più antichi: la raccolta fondi.

Originario di una famiglia operaia del New Jersey e cresciuto nel Wisconsin, Priebus si era candidato per la prima volta a una carica elettiva a trentadue anni, presentandosi – senza ottenerlo – per un seggio al Senato dello Stato del Wisconsin. In seguito era diventato presidente del partito per il suo Stato e poi consulente legale del Comitato nazionale repubblicano finché, nel 2011, ne aveva preso in mano le redini. La sua credibilità politica derivava dalla benevolenza del Tea Party nel Wisconsin e dal rapporto con il governatore dello Stato, Scott Walker, stella nascente del partito (e, per brevissimo tempo, candidato di punta nel 2016).

Data la granitica opposizione a Trump espressa da alcuni settori del partito, e la convinzione pressoché unanime dei repubblicani che la sua campagna non soltanto sarebbe precipitata nel baratro di una sconfitta ignominiosa, ma avrebbe trascinato anche il partito con sé, quando il candidato strappò la nomination alla convention Priebus si ritrovò a subire enormi pressioni per ridimensionare le risorse del Comitato convogliate nel candidato ufficiale e persino per abbandonarlo del tutto al suo destino.

Convinto lui stesso che l'impresa di Trump fosse disperata, Priebus fece comunque del suo meglio per coprirsi le spalle. Il fatto di non averle voltate del tutto a Trump gli tornò utile, tramutandolo in una sorta di eroe (mentre, in caso di sconfitta, sarebbe stato il capro espiatorio, almeno nell'opinione di Kellyanne Conway). Date le circostanze, diventò l'unico possibile aspirante all'incarico di capo di gabinetto.

Il suo ingresso nella cerchia di Trump gli causò comunque una buona dose di incertezza e sconcerto. Il suo primo, lungo colloquio con il presidente neoeletto fu un'esperienza surreale. Trump si era esibito in un monologo inarrestabile, ripetendosi di continuo.

«Adesso ti spiego come funziona» lo aveva avvisato uno stretto collaboratore del presidente. «Un'ora di incontro a quattr'occhi con lui significa quarantacinque minuti di aneddoti, sempre gli stessi. Perciò, quando ti presenti, devi avere un unico obiettivo ben preciso e infilarlo nella conversazione ogni volta che lui si ferma a riprendere fiato.»

La nomina di Priebus alla carica di capo di gabinetto, annunciata a metà novembre, lo rese un pari livello di Bannon. Trump era ricaduto nell'inveterata abitudine di non permettere a nessuno di esercitare un vero potere. Persino sulla poltrona di vertice, Priebus sarebbe stato una figura debole, coerente con la tipologia di quasi tutti i luogotenenti di Trump nel corso degli anni. La scelta si rivelò vantaggiosa anche per gli sconfitti. Tom Barrack non avrebbe avuto difficoltà ad aggirare Priebus, continuando a consultarsi direttamente con Trump. L'autorevolezza di Jared Kushner come genero e, di fatto, primo consigliere restava indiscussa. E Steve Bannon, che rispondeva a Trump in persona, si confermava portavoce supremo del trumpismo alla Casa Bianca.

In altre parole, ci sarebbe stato un unico capo di gabinetto, il meno influente della combriccola e con un potere soltanto nominale, mentre gli altri, più importanti, avrebbero garantito il proseguimento del caos e l'indiscussa indipendenza di Trump.

Jim Baker, capo di gabinetto sia di Ronald Reagan sia di George H.W. Bush e modello quasi universale per la gestione della West Wing, consigliò a Priebus di rifiutare l'incarico.

Nessuna tappa della sua metamorfosi – da candidato farsa a incantatore di una fascia demografica frustrata a dirompente neopresidente – ispirò a Trump riflessioni approfondite su se stesso. Appena ripresosi dallo shock della vittoria elettorale, si limitò a riscriverla come un esito inevitabile.

Un esempio del suo revisionismo, e della sua nuova percezione di sé come capo supremo degli Stati Uniti, riguardava il momento in cui in campagna elettorale aveva toccato il fondo: il già citato scandalo Billy Bush.

La sua spiegazione, in una conversazione ufficiosa con un comprensivo conduttore televisivo, fu: «Non ero davvero io».

Il conduttore ribatté che in effetti non era giusto che il mondo lo mettesse alla gogna per quell'unica gaffe.

«No» lo corresse Trump. «Intendevo proprio che non sono stato io a dire quelle cose. Ho parlato con esperti del settore, e loro mi hanno spiegato quant'è facile falsificare le registrazioni, inserendo la voce di un'altra persona.»

Aveva vinto, perciò ora si aspettava di esercitare un fascino irresistibile e ispirare rispetto reverenziale e benevolenza. Ai suoi occhi, la situazione doveva rispondere a una logica binaria: dall'essergli ostili i media sarebbero passati a venerarlo.

Invece veniva ancora trattato con orrore ed esecrazione da una stampa che in passato, per consuetudine e protocollo, aveva riservato una deferenza assoluta a ogni nuovo presidente, chiunque fosse. (Aver vinto malgrado i tre milioni di voti in meno presi rispetto alla sua rivale era ancora un tasto dolente, quindi un argomento da evitare.) Trump non riusciva proprio a capacitarsi che le stesse persone – cioè i media – che lo avevano criticato aspramente per aver espresso l'intenzione di contestare l'esito elettorale adesso accusassero lui di non essere il presidente legittimo.

Trump non è un politico capace di indagare le ragioni profonde dell'altrui stima o riprovazione: è un venditore, a lui interessa arrivare al sodo. «Ho vinto. Sono il vincitore. Non sono io il perdente» ripeteva, incredulo, come un mantra.

Bannon lo descrisse come una «macchina semplice». In modalità «on» partivano le lusinghe, in quella «off» gli insulti. La sua adulazione era sperticata, servile, iperbolica, e del tutto scollegata dalla realtà: il tal dei tali era il migliore in assoluto, il più incredibile, il non plus ultra, un genio. Allo stesso modo, le contestazioni erano rancorose, aspre, velenose, il preludio all'ostracismo senza appello.

Era l'essenza particolare della sua natura di uomo d'affari. La convinzione strategica di Trump era che non ci fossero limiti alla piaggeria con cui sedurre un potenziale acquirente. Ma se poi il contratto andava in fumo, il suo disprezzo e, nel caso, le querele con cui poteva investirlo erano incontenibili. Dopotutto, se non avevano fatto effetto le sviolinate, probabilmente non lo avrebbero fatto nemmeno le calunnie. Bannon era convinto che fosse facile spegnere e accendere l'interruttore, ma forse si sbagliava.

Malgrado il braccio di ferro che Bannon lo stava incitando a ingaggiare – con i media, con i democratici, con l'establishment della capitale –, Trump restava comunque vulnerabile al corteggiamento. In un certo senso non desiderava altro.

Jeff Bezos, fondatore di Amazon e proprietario del «Washington Post», diventato una delle «bestie nere» mediatiche di Trump, si impegnò ad aprire un canale di comunicazione non soltanto con il neopresidente ma anche con sua figlia Ivanka. Durante la campagna, Trump aveva sentenziato che Amazon era «un assassino a piede libero, dal punto di vista fiscale» e aveva minacciato che, in caso di una sua vittoria, «se la vedranno proprio brutta». Adesso, di punto in bianco, elogiava Bezos come «un genio». In un colloquio alla Trump Tower, l'imprenditore Elon Musk gli propose di coinvolgere l'amministrazione nel suo progetto per colonizzare Marte e Trump aderì di slancio. Stephen Schwarzman, capo del Blackstone Group – nonché amico di Kushner –, si offrì di organizzare a Trump un consiglio per gli affari, e lui abbracciò subito il progetto. Anna

Wintour, direttrice di «Vogue» e regina dell'industria della moda, aveva sperato di essere nominata ambasciatrice in Gran Bretagna sotto Obama, e quando non era successo, delusa, si era schierata con Hillary Clinton. Ora si presentò alla Trump Tower (ma rifiutando con alterigia di sottoporsi alla gogna) e, con notevole faccia tosta, si propose al nuovo presidente per lo stesso incarico. Per parte sua, Trump non era affatto avverso all'idea. («Per fortuna tra loro non è scattata l'alchimia» commentò Bannon.)

Il 14 dicembre, a dispetto delle martellanti critiche espresse da Trump contro l'industria tecnologica nel corso di tutta la sua campagna, una delegazione di vertice della Silicon Valley arrivò alla Trump Tower per incontrarlo. Più tardi, quel pomeriggio, Trump telefonò a Rupert Murdoch, che gli chiese com'era andato l'incontro.

«Oh, alla grande» rispose lui. «Davvero benissimo. Quei ragazzi hanno proprio bisogno di me. Obama non li ha favoriti granché: troppa regolamentazione. E adesso ho veramente la possibilità di aiutarli.»

«Donald» obiettò Murdoch, «per otto anni quei "ragazzi" hanno fatto il bello e il cattivo tempo con Obama. In pratica erano loro a gestire l'amministrazione. Non hanno alcun bisogno del tuo aiuto.»

«Prendi per esempio la questione dei visti H-1B. Di quelli non possono proprio fare a meno.»

Murdoch gli fece notare che sarebbe stata dura conciliare un approccio liberal all'estensione dei permessi di lavoro con le sue promesse elettorali in merito all'immigrazione.

La cosa, tuttavia, non sembrò preoccuparlo. «Un modo si trova» rispose.

«Che razza d'imbecille» commentò Murdoch tra sé, con un'alzata di spalle, dopo aver riagganciato.

Dieci giorni prima della cerimonia inaugurale che avrebbe insediato Trump come quarantacinquesimo presidente, un gruppo di giovani membri del suo staff – gli uomini in giacca e cravatta, le donne nel look prediletto del capo: stivali alti col tacco, minigonna e capelli lunghi – stava assistendo al discorso di commiato di Barack Obama trasmesso via streaming da un computer di uno degli uffici della Trump Tower.

«Trump ha detto di non aver mai ascoltato fino in fondo un discorso di Obama» commentò uno dei ragazzi, con l'aria di saperla lunga.

«Troppo noiosi» aggiunse un altro.

Mentre Obama diceva addio alla nazione, in fondo al corridoio erano in corso i preparativi per la prima conferenza stampa post-elezione del neopresidente, prevista per l'indomani. Il piano era di impegnarsi a dimostrare che i suoi conflitti di interessi sarebbero stati efficacemente risolti.

Fino ad allora, era convinzione di Trump che la nazione l'avesse scelto non malgrado, ma proprio *grazie* a quei conflitti – che dopotutto attestavano la sua sagacia, le sue conoscenze e l'esperienza negli affari, e la forza del suo marchio – e che anche volendo sarebbe stato comunque impossibile districarsene. Anzi, parlando a suo nome con i reporter e chiunque le prestasse ascolto, Kellyanne Conway ripeteva un patetico discorsetto su quanto già Trump avesse sacrificato.

Dopo aver strombazzato l'intenzione di infischiarsene delle leggi sul conflitto di interessi, con un piccolo *coup de théâtre* Trump decise di assumere un atteggiamento più accomodante. In piedi nella lobby della Trump Tower, accanto a un tavolo ingombro di oggetti di scena – faldoni di documenti e fascicoli legali –, avrebbe descritto lo sforzo immane per compiere l'impresa impossibile, a riprova dell'abnegazione con cui avrebbe trascurato i propri affari per concentrarsi esclusivamente sul bene della nazione.

Ma la recita si rivelò superflua.

Alcuni esponenti del partito democratico avevano assunto la Fusion GPS, una società di investigazioni fondata da ex giornalisti che forniva informazioni a clienti privati. Nel giugno del 2016, la Fusion aveva reclutato Christopher Steele, un'ex spia inglese, per aiutarla a indagare sulla relazione con Vladimir Putin, di cui Trump si vantava tanto, e sulla natura del suo rapporto con il Cremlino. Avvalendosi di fonti russe, molte delle quali collegate all'intelligence del proprio Paese, Steele preparò un rapporto esplosivo – ribattezzato «il dossier» – nel quale si ipotizzava che Donald Trump fosse assoggettato a un ricatto del governo di Putin. A settembre Steele aveva presentato l'esito delle sue indagini al «New York Times», al «Washington Post», a Yahoo! News, al «New Yorker» e alla CNN. In mancanza di conferme indipendenti, e poiché si trattava di informazioni di origine incerta e comunque relative a un candidato con scarsissime probabilità di vittoria, nessuna redazione si offrì di pubblicarle.

Ma il giorno prima della conferenza stampa indetta da Trump, la CNN divulgò alcuni dettagli dell'indagine e, a stretto giro di posta, BuzzFeed pubblicò per intero il dossier: una ridda di comportamenti inammissibili, elencati punto per punto.

Alla vigilia dell'insediamento di Trump alla Casa Bianca, i media, così atipicamente unanimi quando si trattava di lui, stavano sostenendo l'ipotesi di una cospirazione di proporzioni colossali. La teoria, di colpo presentata come poco meno che certa, era che i russi avessero incastrato Donald Trump durante un suo viaggio a Mosca, ordendo un rudimentale ricatto in cui erano coinvolti prostitute e filmati di atti sessuali al limite della perversione (con tanto di «piogge dorate»). La conclusione implicita era che, vedendosi ormai compromesso, Trump avesse cospirato con i russi per truccare le elezioni e diventare il burattino di Putin alla Casa Bianca.

Se la tesi era vera, la nazione si trovava sulla soglia di uno dei momenti più dirompenti nella storia della democrazia, delle relazioni internazionali e del giornalismo.

Se invece era falsa (difficile immaginare una via di mezzo), in uno sviluppo altrettanto epocale per la storia della democrazia, avrebbe confermato la tesi di Trump (e di Bannon) che i media, accecati dall'avversione sia ideologica sia personale per il leader democraticamente eletto, fossero disposti a usare qualsiasi mezzo nel tentativo di abbatterlo. In un articolo pubblicato dal «Weekly Standard», un periodico conservatore ma anti-Trump, Mark Hemingway illustrò l'inedito paradosso dei due narratori inaffidabili che ormai dominavano la vita pubblica americana: da una parte il presidente neoeletto, che sparava giudizi appellandosi a informazioni lacunose o semplicemente prive di fondamento, e dall'altra i media, «che hanno deciso a priori che ogni azione di Trump sia per definizione incostituzionale o un abuso di potere».

Il pomeriggio dell'11 gennaio, le due percezioni opposte si trovarono faccia a faccia nella lobby della Trump Tower: l'anticristo politico, protagonista di oscuri per quanto buffoneschi scandali, contro una folla di reporter aspiranti rivoluzionari, ebbri di virtù, certezze e teorie complottiste. Ciascuno era per l'altro il propugnatore di una versione radicalmente falsa della realtà.

Non a caso la descrizione dei protagonisti ricorda i personaggi dei fumetti: la conferenza stampa si svolse proprio in quei termini.

Il primo encomio di Trump a se stesso: «Sarò il più grande produttore di posti di lavoro che Dio abbia mai creato...».

Un assaggio delle problematiche che si trovava ad affrontare: «I veterani con un piccolo tumore non riescono a farsi visitare da un medico finché il cancro non diventa terminale...».

Poi l'incredulità: «Anni fa sono stato in Russia, per il concorso di Miss Universo, e me la sono cavata piuttosto bene. Dico sempre a tutti che bisogna stare attenti, perché in situazioni come quella hai sempre una telecamera puntata addosso, e quello che fai rischia di finire in televisione. E non soltanto in Russia, in tutto il mondo. E dopo come fai a dimostrare il contrario? Per inciso, io sono parecchio germofobico. Dico sul serio».

Poi la negazione delle accuse: «Non ho niente a che fare con la Russia, mai stipulato affari da quelle parti o prestato un centesimo, perché ne siamo stati alla larga. A proposito, nel fine settimana ho ricevuto un'offerta di due miliardi di dollari per un affare a Dubai e ho declinato. Non ero tenuto a farlo perché, come sapete, non c'è in essere alcun conflitto di interessi. Me l'hanno confermato appena tre mesi fa, ma è comunque un bel sollievo. Ho preferito rifiutare perché qualcuno avrebbe potuto pensare male, però di fatto non ci sarebbe stato alcun impedimento. Per me non sarebbe un problema gestire contemporaneamente la Trump Organization, una grande, grande azienda, e il Paese. È solo che non voglio».

Poi l'attacco diretto alla CNN, la sua nemesi: «La vostra azienda è terribile... una vera sciagura... Zitti! Fate silenzio... Non siate maleducati... non siate... No, non risponderò alle vostre domande... Non vi ascolto nemmeno... Voi mettete in giro solo fake news...».

E la sintesi: «Tanto per cominciare, quel dossier non bisognava proprio pubblicarlo, perché non vale neanche la carta su cui è stampato. Non sarebbe mai, mai dovuto accadere. Gli hacker cinesi si sono insinuati in ventidue milioni di account online. Questo perché non abbiamo difese, perché siamo governati da incompetenti. La Russia avrà più rispetto per il nostro Paese quando ci sarò io al timone. E non soltanto la Russia, ma anche la Cina, che ci ha completamente sfruttati. La Russia, la Cina, il Giappone, il Messico, tutti i Paesi del mondo ci rispetteranno molto, molto di più di quanto abbiano fatto sotto le amministrazioni precedenti...».

Non solo aveva dato libero sfogo ai suoi rancori più profondi e aspri, ma aveva anche dimostrato che nemmeno da presidente intendeva darsi un contegno, continuando imperterrito a sparare invettive, accuse campate per aria e insulti.

«Secondo me è stato grandioso» disse Kellyanne Conway dopo la conferenza stampa. «Ma i media non lo diranno. Non lo faranno mai.»

3

Day One

Il trentaseienne Jared Kushner si vantava della sua capacità di andare d'accordo con gli uomini più anziani. Quando Donald Trump si insediò alla Casa Bianca, Kushner era diventato l'intermediario designato tra il suocero e l'establishment, o quantomeno la parte di establishment disposta ad avere a che fare con lui: i repubblicani più moderati, gli industriali, i ricchi di New York. Le élite, allarmate da una situazione potenzialmente imprevedibile, erano ben contente di poter contare su qualcuno che sembrasse in grado di gestirla.

Molti nella cerchia più ristretta di suo suocero si confidavano anche con lui, spesso manifestando la propria preoccupazione per il loro amico e presidente neoeletto.

«Gli do ottimi consigli su come comportarsi e il giorno dopo lui li segue per tre ore, dopodiché se ne va dritto per la sua strada» si lagnò uno di loro con Kushner. Quest'ultimo, che per abitudine ascoltava tutto senza dire granché, rispose che capiva la sua esasperazione.

Ciascuno di quei potenti cercò di infondere a Trump almeno una vaga percezione di come funziona la politica nel mondo reale, che tutti loro ritenevano di conoscere molto meglio di lui. Temevano che Trump non avesse idea di ciò che lo aspettava. La sua follia era del tutto priva di metodo.

E ognuno di quegli interlocutori impartì a Kushner una sorta di lezione sui limiti del potere presidenziale, spiegandogli che Washington era pensata più per osteggiarlo e minarlo che per assecondarlo.

«Non permettergli di mettersi contro la stampa e il partito repubblicano e impediscigli di minacciare i membri del Congresso, perché se ci provi quelli ti fottono. Ma soprattutto non deve fare incazzare l'intelligence» gli disse un esponente dei repubblicani. «Se scherza con l'intelligence, quelli si vendicano e trascinano l'indagine sulla faccenda della Russia per due o tre anni, con fughe di notizie ogni giorno.»

Si sforzarono di scuotere l'impassibilità sovrumana di Kushner dipingendo a tinte fosche il mondo delle spie e il loro potere, la loro tendenza a divulgare segreti a ex membri dell'intelligence o ad altri alleati nel Congresso e persino a funzionari dell'esecutivo, per poi finire in pasto alla stampa.

Adesso Kushner parlava spesso anche con Henry Kissinger. Lo statista si era trovato in prima fila quando la comunità dell'intelligence si era rivoltata contro Richard Nixon e gli illustrò il genere di guai, o peggio, in cui poteva impantanarsi la nuova amministrazione.

Il *deep state* («Stato profondo»), ovvero la convinzione, trasversale a destra e a sinistra, di una perenne cospirazione tra il governo e le reti dell'intelligence, un concetto molto usato da Breitbart News, diventò uno slogan per la squadra di Trump: il presidente neoeletto aveva risvegliato l'orso dello Stato profondo.

I protagonisti della congiura avevano nome e cognome: il direttore della CIA John Brennan, il direttore dell'Intelligence nazionale James Clapper, l'esuberante consigliere per la Sicurezza nazionale Susan Rice e il suo vice Ben Rhodes, prediletto di Obama.

Si disegnarono trame da film: una congrega di scagnozzi dell'intelligence, in possesso di innumerevoli prove della sventatezza e dei discutibili traffici di Trump, avrebbe impedito alla nuova amministrazione di governare con uno stillicidio di rivelazioni scandalose, imbarazzanti e depistanti fatte filtrare alla stampa.

Ciò che tutti ripetevano a Kushner era che il presidente doveva fare ammenda. Tendere un ramoscello d'ulivo. Rabbonire. Non si scherza con certi poteri, gli dicevano in tono grave e solenne.

Per l'intera campagna e in modo ancora più intenso in seguito, Trump aveva preso di mira la comunità dell'intelligence americana – la CIA, l'FBI, il Consiglio per la Sicurezza nazionale (NSC) e un totale di diciassette diverse agenzie – sparando accuse di incompetenza e calunnia. (Quando entrava in argomento, disse un suo assistente, inseriva «il pilota automatico».) Era il più sostanzioso dei molti e contraddittori messaggi di Trump in contrasto con l'ortodossia conservatrice. Le accuse rivolte all'intelligence comprendevano le errate informazioni sulle armi di distruzione di massa che avevano preceduto la guerra in Iraq, una litania di fiaschi sotto l'amministrazione Obama nella gestione delle guerre in Afghanistan, Iraq, Siria, Libia e altri conflitti e, ultima per tempistica ma non certo per importanza, la fuga di notizie relativa all'indagine sui suoi presunti intrallazzi e sotterfugi in Russia.

Le sue critiche sembravano allinearlo con la sinistra che per mezzo secolo aveva additato le agenzie di intelligence americane come il cattivo per eccellenza. Tranne che adesso, con un capovolgimento notevole, l'ostilità condivisa nei confronti di Donald Trump aveva tramutato i liberal in alleati dell'intelligence. Buona parte della sinistra, che aveva respinto a gran voce e con indignazione il giudizio secco della comunità dell'intelligence su Edward Snowden (non disinteressato paladino della verità e della libertà ma traditore di segreti nazionali), di colpo dichiarava perfettamente attendibili le ipotesi dei torbidi rapporti fra Trump e i russi avanzate dall'intelligence stessa.

Trump era pericolosamente isolato.

Perciò a Kushner sembrò ragionevole inserire tra le priorità più urgenti della nuova amministrazione un tentativo di riconciliazione con la CIA.

Trump non si divertì per niente alla sua cerimonia di insediamento. Aveva sperato in una festa faraonica. Tom Barrack, aspirante uomo di spettacolo – oltre al Neverland Ranch di Michael Jackson, aveva comprato anche la Miramax dalla

Disney, in società con l'attore Rob Lowe –, aveva declinato l'offerta di diventare capo di gabinetto ma, come parte del suo coinvolgimento ombra nella Casa Bianca dell'amico, aveva raccolto i fondi necessari alla cerimonia e promesso un evento «voluttuoso» e «poetico», elementi non soltanto in contrasto con la personalità del nuovo presidente, ma anche con il desiderio di Bannon di dare all'occasione un tono austero e populista. Trump implorò gli amici di usare la loro influenza per convincere a esibirsi almeno alcune delle star di prima grandezza che stavano snobbando l'evento, salvo poi sentirsi offeso e infuriarsi perché quelle star sembravano determinate a metterlo in imbarazzo. Bannon, abile a tranquillizzare oltre che a sobillare, cercò di calmarlo spiegando al nuovo presidente che il suo trionfo era stato così clamoroso e imprevisto che adesso i media e i liberal dovevano per forza giustificare in qualche modo il proprio fallimento.

Nelle ore che precedettero la cerimonia, tutta Washington sembrava tenere il fiato sospeso. La sera prima del giuramento, Bob Corker, senatore repubblicano del Tennessee e presidente del Comitato per le relazioni estere del Senato, aprì il suo intervento a un convegno al Jefferson Hotel con un quesito esistenziale: «Dove stiamo andando?». Fece una pausa, poi rispose, con aria profondamente sgomenta: «Non ne ho idea».

Più tardi, quella sera, vista la penuria di star al concerto organizzato al Lincoln Memorial, dovuta anche alla ben nota difficoltà nel far entrare a Washington la cultura pop, fu Trump stesso a salire sul palco, dopo aver detto con rabbia ai suoi collaboratori che sarebbe stato in grado di richiamare più pubblico di qualsiasi star.

Dissuaso dal suo staff dal soggiornare al Trump International Hotel di Washington, e già pentito della decisione, il giorno della cerimonia iniziò con le sue rimostranze sulla sistemazione. La suite della Blair House, l'albergo ufficiale, proprio di fronte alla Casa Bianca, era troppo calda, la pressione dell'acqua in bagno era pessima, il letto scomodo.

Il suo umore non migliorò. Per l'intera mattinata litigò davanti a chiunque con la moglie, che sembrava a un passo dallo scoppiare a piangere e che il giorno dopo se ne sarebbe tornata a New York: ogni volta che le rivolgeva la parola, era per criticarla o impartirle un ordine. Kellyanne Conway aveva fatto delle pubbliche relazioni di Melania Trump una missione personale, promuovendo la nuova First Lady come un pilastro di sostegno per il presidente e a sua volta una voce meritevole di essere ascoltata, e stava cercando di convincere Trump che la moglie potesse svolgere un ruolo importante alla Casa Bianca. Ma, in generale, il rapporto dei Trump rientrava nel novero degli argomenti in cui era meglio non addentrarsi: un'altra misteriosa variabile negli umori del presidente.

All'incontro cerimoniale tra il presidente uscente e quello entrante, che avvenne alla Casa Bianca poco prima che entrambi raggiungessero il luogo del giuramento, Trump ebbe l'impressione che gli Obama avessero trattato con sufficienza – «Molto arroganti» fu il suo commento – sia lui sia Melania. Invece di fare buon viso a cattivo gioco, ostentò quella che alcuni nel suo entourage avevano cominciato a chiamare la sua «faccia da golf»: espressione bieca e bellicosa, andatura a passo di marcia, con spalle ingobbite e braccia ciondolanti, fronte corrugata, labbra strette in un broncio. Era diventato quello il suo personaggio pubblico: Trump il truculento.

Le cerimonie di insediamento dovrebbero essere un'occasione pacifica e distesa. I media ne parlano sempre in toni lusinghieri e ottimistici. Per i fedeli del partito sono il segno che sono tornati i bei tempi. Per la «palude» – la burocrazia federale e l'establishment di Washington – è l'occasione di ingraziarsi i nuovi arrivati e cercare di trarne vantaggio. Per il Paese sono un'incoronazione. Ma Bannon aveva tre messaggi o temi che voleva ficcare in testa al suo capo: che la presidenza Trump doveva essere diversa, più di qualsiasi altra dai tempi di Andrew Jackson (personaggio sul conto del quale stava cercando di erudire il non proprio colto neopresidente a furia di libri e citazioni); che loro sapevano bene chi fosse il nemico e non avrebbero commesso l'errore di cercare di accattivarselo, perché sarebbe comunque stata un'impresa impossibile; e infine che, proprio per questo, fin dal primo giorno si sarebbero considerati sul piede di guerra. Se da una parte quel tipo di discorso compiaceva il lato combattivo di Trump, dall'altra lo feriva nel suo bisogno di sentirsi apprezzato. Bannon riteneva di poter gestire i due impulsi pungolando il primo e spiegando al suo capo che il fatto di avere nemici a Washington gli avrebbe guadagnato molti più amici altrove.

Per come andarono le cose, il pessimo umore di Trump si rivelò perfetto per l'acrimonioso discorso inaugurale scritto da Bannon. Buona parte dei sedici minuti di arringa consisteva negli ormai quotidiani tic verbali da *joie de guerre* del suo capo stratega: Riprendiamoci il Paese, *America First* – l'America prima di tutto –, e guerra senza quartiere. Ma il discorso diventò persino più cupo e aggressivo quando, in tono con il livore provato da Trump, venne pronunciato con la sua faccia da golf. L'amministrazione debuttò intenzionalmente con toni minacciosi, un monito lanciato da Bannon alla fazione opposta: Preparatevi, perché da oggi cambia tutto. L'orgoglio ferito di Trump, il fatto che si fosse sentito disprezzato e respinto proprio nel giorno in cui diventava presidente, contribuì a veicolare il messaggio. Quando, finito di parlare, il presidente scese dal podio, continuava a ripetere: «Questo discorso di certo non se lo scordano».

Più probabile che il suo discorso inaugurale passi alla storia con la nota a piè di pagina fornita da George W. Bush, presente sul palco: «Proprio assurdo, questo discorso».

Per quanto deluso dall'incapacità di Washington di accoglierlo e celebrarlo a dovere, Trump era un venditore, e perciò un inguaribile ottimista. I venditori, la cui caratteristica dominante e risorsa principale è la capacità di continuare a vendere, non smettono mai di ridipingere il mondo di rosa. Ciò che gli altri trovano scoraggiante per loro è un motivo in più per ritoccare la realtà.

Già l'indomani mattina Trump cominciò a chiedere conferma della sua convinzione che la cerimonia di insediamento fosse stata un grande successo. «C'era un sacco di gente. Sarà stato più di un milione di persone, vero?» Telefonò a una sfilza di amici che in gran parte decisero di assecondarlo. Kushner confermò che l'affluenza era stata notevole. La Conway non fece alcun tentativo di dissuaderlo. Priebus concordò con lui. Bannon si limitò a una battuta.

Uno dei primi atti di Trump da presidente fu di rimpiazzare una serie di foto motivazionali appese nella West Wing con scatti del pubblico alla sua cerimonia inaugurale.

Bannon aveva escogitato un modo per razionalizzare l'inclinazione di Trump a distorcere la realtà. Le sue iperboli, i voli pindarici, le improvvisazioni e la sua pressoché totale indifferenza ai fatti erano il risultato della sua indole *naïve* e di quella propensione alla teatralità che contribuiva a creare l'immediatezza e la spontaneità che avevano fatto presa su molti dei suoi spettatori ai comizi. E che in pari misura avevano inorridito tanti altri.

Per Bannon, Obama era la stella polare del distacco. «La politica» diceva, in un tono sorprendentemente autorevole per un uomo che fino a quell'agosto in politica non aveva mai lavorato, «richiede un'immediatezza che a lui manca del tutto.» Trump, al contrario, era un William Jennings Bryan redivivo. (Bannon sosteneva da tempo che alla destra servisse un nuovo William Jennings Bryan, e gli amici davano per scontato che si riferisse a se stesso.) Alla fine dell'Ottocento, Bryan – tre volte candidato alla presidenza per i democratici e in seguito segretario di Stato di Woodrow Wilson – aveva incantato le rozze platee di campagnoli con il suo eloquio appassionato ed estemporaneo. Secondo la teoria di alcuni intimi, Bannon compreso, Trump compensava le proprie difficoltà di lettura, scrittura e concentrazione con uno stile improvvisato che, se pure non eguagliava i discorsi di Bryan, di certo produceva un effetto esattamente opposto rispetto a Obama.

In parte esortativo, in parte testimonianza personale, in parte spacconate da bar, il suo approccio alla chissenefrega, farneticante, disarticolato e divagante combinava aspetti delle piazzate sulla televisione via cavo, del revivalismo religioso da tendone, dei discorsi motivazionali e dei videoblog su YouTube. Nella politica americana di oggi il carisma è inteso come una combinazione di fascino, arguzia e stile. Ma esiste anche un altro tipo di carisma, che ricorda più il cristianesimo evangelico, uno spettacolo emotivo ed esperienziale.

Il fulcro della campagna elettorale di Trump erano stati i grandi comizi che attiravano decine di migliaia di persone, un fenomeno politico che i democratici avevano sottovalutato e considerato la prova dei limiti dell'appeal di Trump. Per la sua squadra, quello stile, quell'intesa non mediata – i suoi discorsi, i tweet, le telefonate estemporanee ai programmi radiofonici e televisivi e, spesso, a chiunque fosse disposto ad ascoltarlo – era una rivelazione, una forma di politica nuova, personale e trascinante. Per la fazione opposta, era una rozza pagliacciata che, nella migliore delle ipotesi, aspirava al tipo di demagogia cruda e autoritaria già da un pezzo screditata e consegnata al dimenticatoio della storia, e che comunque nella politica americana non aveva mai funzionato.

Ma, per quanto giudicato vantaggioso dal suo entourage, lo stile oratorio di Trump presentava anche un deterrente notevole, perché spesso – anzi, sempre – si abbandonava a dichiarazioni del tutto false.

Questo aveva portato alla teoria della duplice realtà nella politica di Trump. In una delle due realtà, che comprendeva gran parte dei suoi sostenitori, la natura del neopresidente era compresa e apprezzata. Trump era l'anti-tecnico, il contro-esperto. Era l'uomo delle decisioni di pancia, l'uomo qualunque. Era il jazz (anche se alcuni, parlandone, dicevano «il rap»), mentre tutti gli altri erano una noiosa ballata folk. Nell'altra realtà, in cui viveva larga parte dei suoi avversari, tutte queste virtù non erano che difetti criminosi se non addirittura deficit patologici. E lo stesso valeva per i media che, avendo bollato la sua presidenza come illegittima e bastarda, credevano di poterlo sminuire, ferire (e aizzare) e infine privare di ogni credibilità, sottolineando in modo implacabile ogni suo passo falso.

Nel loro eccesso moralistico, i media non riuscivano a capacitarsi che la falsità fattuale delle sue affermazioni non bastasse a chiudere le discussioni. Com'era possibile che non se ne vergognasse? Come poteva il suo staff continuare a difenderlo? I fatti sono fatti! Chi li nega, li ignora o li travisa è un bugiardo, un truffatore e uno spergiuro. (Scoppiò una piccola controversia giornalistica: le sue sparate erano da definirsi errori o menzogne?)

Secondo Bannon: (1) Trump non sarebbe mai cambiato; (2) cercando di cambiarlo si sarebbe ottenuto solo di rovinare il suo stile; (3) i suoi sostenitori non lo consideravano un problema; (4) i media lo avrebbero odiato comunque; (5) meglio giocare contro i media che con loro; (6) la pretesa dei media di ergersi a garanti dell'onestà e della verità era essa stessa una truffa; (7) la rivoluzione di Trump era un attacco ai preconcetti e alle competenze convenzionali. In definitiva era meglio avallare il suo modo di fare che cercare di arginarlo o correggerlo.

Il guaio era che, a dispetto dell'incapacità di attenersi al copione («Il suo cervello non funziona in quel modo» era una delle giustificazioni che si erano dati nella sua cerchia interna), Trump desiderava disperatamente l'approvazione dei media. Ma, come sottolineato da Bannon, non sarebbe mai riuscito a non sbagliare i fatti, e tantomeno ad ammettere di essersi sbagliato, quindi quell'approvazione poteva sognarsela. Il che, e questo era il vantaggio, significava che lo si sarebbe dovuto difendere a spada tratta dalla disapprovazione dei media.

Peccato che più quella difesa era stentorea – e per giunta in merito a dichiarazioni facilissime da smentire –, più i media moltiplicavano i loro attacchi e le loro censure. Senza contare che Trump cominciava a incassare critiche anche dalla sua cerchia. E non si trattava soltanto delle telefonate degli amici preoccupati per lui; adesso erano addirittura i membri del suo staff a dirgli di «darsi una calmata». «A chi puoi rivolgerti nel tuo entourage?» lo incalzò Joe Scarborough, durante una telefonata. «Chi è la persona di cui ti fidi di più? Jared, magari? C'è qualcuno lì con cui puoi parlare a fondo prima di agire?»

«Be', la risposta non ti piacerà» disse il presidente. «Quella persona sono io. Io stesso. Mi consulto tra me e me.»

E da quelle consultazioni, ventiquattro ore dopo la cerimonia inaugurale, era scaturito un milione di persone immaginarie. Trump incaricò il nuovo addetto stampa, Sean Spicer – il cui mantra personale sarebbe presto diventato: «Cose del genere uno non potrebbe inventarsele» –, di sostenere la sua tesi, e quel momento mediatico tramutò Spicer, di suo un dignitoso professionista della politica, in una barzelletta nazionale, un colpo da cui sembrava destinato a non riprendersi mai più. Dopodiché, aggiungendo il danno alla beffa, Trump se la prese con lui perché non era riuscito a far apparire reale quel milione di spettatori inesistenti.

Fu la prima dimostrazione in veste presidenziale di un fenomeno che gli addetti alla campagna elettorale avevano già osservato mesi prima: detto fuori dai denti, Trump se ne fotteva proprio. Come in seguito avrebbe riassunto Spicer: Potevi anche cercare di convincerlo, ma lui restava della sua idea, e se le tue parole la contraddicevano lui non ti credeva, punto.

L'indomani Kellyanne Conway, che dopo l'aggressività esibita durante la campagna cominciava a indossare una maschera di petulanza e autocommiserazione, dichiarò il diritto del nuovo presidente ai «fatti alternativi». Per coincidenza, lei stessa si era sbagliata: voleva dire «*informazioni* alternative», il che avrebbe almeno lasciato intendere che il presidente avesse accesso a fonti diverse da tutti gli altri. Ma, per come pronunciò la frase, sembrava che la nuova amministrazione si arrogasse il diritto di ritoccare la realtà. E in un certo senso era proprio così. Anche se, dal punto di vista della Conway, erano i media a travisare la realtà, facendo una montagna (le fake news) di un sassolino (un'esagerazione involontaria e irrilevante, per quanto vasta nelle sue proporzioni).

Al contempo arrivò la risposta a una domanda frequente e posta con urgenza sia fuori sia dentro la Casa Bianca: adesso che era presidente e ufficialmente insediato, Trump avrebbe continuato con i suoi tweet autarchici e spesso incomprensibili? La risposta? Certo che sì.

Era la sua fondamentale innovazione all'arte del governo: le esplosioni regolari e incontinenti di rabbia e malumore.

Ma, subito dopo l'insediamento, il primo punto all'ordine del giorno era riconciliarsi con la CIA.

Sabato 21 gennaio il primo atto presidenziale di Trump fu una visita ufficiale a Langley, evento organizzato da Kushner allo scopo di «fare un po' di politica», secondo la descrizione ottimistica di Bannon. Con un discorso meticolosamente preparato, Trump avrebbe profuso la sua caratteristica adulazione sulla CIA e sul resto dell'immenso colabrodo dell'intelligence americana.

Imbacuccato nel cappotto scuro che gli dava un'aria da gangster, davanti al muro di stelle costruito dalla CIA in memoria degli agenti caduti in servizio e di fronte a una platea di circa trecento dipendenti dell'Agenzia e a un gruppo di funzionari della Casa Bianca, Trump cambiò improvvisamente rotta. Un po' per la sua arroganza, un po' per il piacere puro e semplice di avere un pubblico, decise di ignorare il testo preparato e di lanciarsi in quello che si potrebbe definire senza tema di smentita uno degli interventi più curiosi mai pronunciati da un presidente americano.

«Io so molte cose di West Point. Sono il tipo di persona che crede fermamente nelle accademie. Ogni volta che parlo di mio zio, che per trentacinque anni è stato un grande professore del MIT e ha fatto un lavoro magnifico da tantissimi punti di vista in ambito accademico – era proprio un genio –, e poi sento chiedere: "Ma Donald Trump è un intellettuale?"... Be', fidatevi: io sono, cioè, sono una persona intelligente.»

Nelle sue intenzioni, lo strano giro di parole doveva essere un complimento rivolto a Mike Pompeo, il neodirettore della CIA che si era diplomato a West Point e che Trump aveva portato con sé facendolo sedere tra il pubblico, e che ora, come tutti gli altri, era rimasto interdetto.

«Insomma, sapete, quando ero giovane... Sia chiaro, io mi sento giovane. Mi sento come quando avevo trenta... trentacinque... trentanove anni. Qualcuno mi ha chiesto: "Sei giovane?" e io ho risposto: "Sì, secondo me sì". Negli ultimi mesi della campagna facevo quattro, cinque, sette tappe... discorsi, comizi davanti a venticinque, trentamila persone... quindicimila, diciannovemila. Mi sento giovane. Sono convinto che tutti noi siamo giovanissimi. Be', quando ero giovane, questo Paese vinceva di tutto. Vincevamo nel commercio, vincevamo le guerre. A una certa età ricordo di aver sentito dire da uno dei miei insegnanti che gli Stati Uniti non avevano mai perso una guerra. Invece poi è come se non avessimo più vinto niente. Conoscete il vecchio proverbio: il bottino spetta ai vincitori? Ecco, ricordate che io l'ho sempre detto: tieniti il petrolio.»

«*Chi* dovrebbe tenerselo, il petrolio?» domandò, smarrito, un dipendente della CIA all'orecchio di un collega in fondo alla sala.

«Io non ero un fan dell'Iraq, non volevo andarci. Ma vi dirò che, una volta là, abbiamo sbagliato a ritirarci, e ho anche sempre detto di tenere il petrolio. Ora, io lo dicevo per motivi economici, ma se ci pensi bene, Mike» disse rivolgendosi direttamente al nuovo capo della CIA, «se ci fossimo tenuti il petrolio non avremmo l'ISIS, perché è così che hanno cominciato ad arricchirsi, ed ecco perché avremmo dovuto tenercelo. D'accordo, magari avrete un'altra occasione, ma resta il fatto che avremmo dovuto tenerci il petrolio.»

Fece una pausa e sorrise, chiaramente soddisfatto di sé.

«Il motivo per cui questa è la mia prima tappa è che, come sapete, ho in corso una guerra con i media, che sono le persone più disoneste sulla faccia della terra, e hanno fatto credere che avessi una faida con la comunità dell'intelligence, quindi io voglio solo farvi sapere che il motivo per cui sono qui è proprio perché è vero il contrario, e loro lo sanno. Ieri stavo spiegando i numeri. Abbiamo... cioè, ieri c'è stato il mio discorso, no? A proposito, è piaciuto a tutti il discorso? Certo, per forza. Comunque, avevamo davanti un campo intero stipato di persone. Le avete viste anche voi. Erano tantissime, proprio. Stamattina mi alzo, accendo la televisione, vedo un campo vuoto e mi dico: "Ehi, un momento. Io c'ero al discorso. E l'ho visto con i miei occhi: ci sarà stato almeno un milione, un milione e mezzo di persone". E quelli invece vogliono dare a intendere che non c'era quasi nessuno. E dicono che Donald Trump non ha richiamato un grande pubblico, che io avevo detto che minacciava pioggia, e che forse era quello il motivo per cui la gente non era venuta. Ma Dio ha guardato giù e ha detto: "Non permetterò che piova sul tuo discorso". Anzi, appena ho cominciato a parlare mi sono detto: "Oooh, no!". Perché sulla prima pagina del discorso erano cadute un paio di gocce, ma ho pensato: "Oh, che peccato. Vabbè, ce la faremo comunque". Però in realtà ha subito smesso di piovere...»

«No che non ha smesso» disse di riflesso un'addetta del suo staff, salvo poi mordersi la lingua e guardarsi intorno con aria preoccupata, per timore che qualcuno l'avesse sentita.

«... è spuntato un sole magnifico e dopo che sono sceso dal podio e me ne sono andato è venuto giù un diluvio. Pioveva a dirotto, ma noi dobbiamo davvero avere qualcosa di speciale, perché, sul serio, secondo me c'era un milione, un milione e mezzo di persone, non so la cifra esatta, ma la folla arrivava fino al monumento a Washington, invece quando per caso ho acceso la tv stavano mostrando un campo vuoto e dicevano che siamo riusciti a radunare duecentocinquantamila persone. Non che sia male, eh, però è una menzogna... E anche ieri ce n'è stata un'altra piuttosto interessante. Nello Studio Ovale c'è una bellissima statua di Martin Luther King, ma a me piace anche Churchill. Winston Churchill. Credo che piaccia quasi a tutti. Certo, non è di qui, ma ha avuto molto a che fare con noi, ci ha aiutati, è stato un vero alleato e, come sapete, la statua di Churchill era stata spostata... Così un reporter di "Time"... Tra l'altro, io sono apparso sulla loro copertina tipo quattordici o quindici volte. Credo di avere il record assoluto di servizi di copertina nella storia della rivista. Per dire, persino a uno come Tom Brady sarà capitato al massimo una volta, e solo perché aveva vinto il Super Bowl o roba del genere. Io invece ci sono stato quindici volte quest'anno. Non credo che qualcuno potrà mai superare quel record. Sei d'accordo, Mike? Che ne pensi?»

«No» disse Pompeo, con un filo di voce.

«Quello che volevo dire è che si sono lamentati che Donald Trump avesse fatto togliere il busto di Martin Luther King, invece era ancora là, solo che non si vedeva perché davanti c'era un cameraman. Invece Zeke... Zeke... di "Time" scrive che l'ho fatto togliere, quando in realtà io non farei mai una cosa del genere. Ho un grande rispetto per il dottor Martin Luther King. Questo per dirvi quanto sono disonesti i media. L'articolo è sempre lunghissimo, mentre la smentita è grande così.» Indicò uno spazietto tra pollice e indice. «Se scrivi solo due righe, tanto vale non pubblicarle neanche. Cioè, a me piace l'onestà, mi piace il giornalismo onesto. Vi dirò un'ultima volta, anche se lo ripeterò quando lascerete entrare le migliaia di vostri colleghi che sono rimaste fuori, perché io qui ci torno, magari la prossima volta potremmo scegliere una sala più grande, sì, potrebbe essere necessaria una sala più grande, e forse, dico *forse*, sarà stata costruita da qualcuno che conosce il mestiere e sa che i pilastri sono un intralcio. Lo capite questo? Perciò eliminiamo i pilastri, ma comunque sappiate che sono molto legato a voi, vi rispetto. Al mondo non esiste nessuno che io stimi più di voi. Fate un lavoro fantastico, noi ricominceremo a vincere e voi sarete alla testa del cambiamento, quindi grazie mille.»

E qui scatta l'effetto *Rashomon* così tipico di Trump. Le testimonianze sulla reazione dei presenti sono completamente opposte: c'è chi parla di un'esplosione di affetto pari a quella dei fan dei Beatles, e chi invece descrive uno sconcerto e uno sbigottimento tali che al discorso seguì un silenzio di tomba.

4

Bannon

Steve Bannon fu il primo membro di vertice dello staff di Trump a entrare nella Casa Bianca dopo l'insediamento. Lui e Katie Walsh, appena nominata vice del capo di gabinetto Reince Priebus, che aveva già affiancato nella direzione del Comitato nazionale repubblicano, se l'erano filata dalla marcia inaugurale per correre a ispezionare la West Wing deserta. A parte la moquette appena lavata, non era cambiato molto da quando c'era insediata l'amministrazione precedente. Era un dedalo di minuscoli uffici che avrebbero avuto bisogno di un'imbiancata e una ripulita, arredati né più né meno come la segreteria di un'università statale. Bannon reclamò per sé un anonimo ufficetto di fronte alla più lussuosa suite del capo di gabinetto e subito requisì le lavagne bianche su cui avrebbe tracciato gli schemi dei primi cento giorni dell'amministrazione Trump. Poi si sbarazzò dei mobili. Il suo obiettivo era che nessuno, entrando nel suo ufficio, trovasse da sedersi. Non ci sarebbero state riunioni, o comunque non del genere in cui la gente può mettersi comoda. Discussioni e dibattiti andavano ridotti all'osso. La loro era una guerra e quell'ufficio la loro sala operativa.

Molti di quanti avevano lavorato con lui durante la campagna e nel periodo di transizione notarono un cambiamento. Conquistato il primo traguardo, Bannon era già passato a quello successivo. E, da uomo determinato qual era, cominciò a perseguirlo con un livello di concentrazione e abnegazione persino superiore a prima.

«Che gli è preso a Steve?» domandava Kushner. «Ha qualcosa che non va?» E cose del tipo: «Non capisco. Prima eravamo così in sintonia».

Fin dalla prima settimana Bannon sembrò aver messo da parte il cameratismo della Trump Tower, inclusa la disponibilità ad approfondire qualsiasi argomento e a qualsiasi ora. Diventò molto più distante, se non addirittura inaccessibile. Per usare le sue parole: «Sono concentrato sui cazzi miei». Aveva da fare. Ma molti ritennero che ciò che aveva da fare fosse ordire congiure contro di loro. E in effetti la sua natura di complottista era uno dei tratti fondamentali della sua personalità. Colpire prima di essere colpito, prevedere le mosse altrui e lanciare attacchi preventivi: per lui era questa la lungimiranza, la capacità di prefissarsi obiettivi precisi. Il primo era stato l'elezione di Donald Trump; il secondo nominare i membri del suo governo. Adesso bisognava catturare l'anima della sua Casa Bianca e Bannon, diversamente dagli altri, aveva già capito che sarebbe stata una lotta mortale.

Nei primi giorni della transizione, Bannon aveva suggerito alla squadra di Trump di leggere *Le teste d'uovo*, di David Halberstam (Jared Kushner era stato uno dei pochi a seguire il consiglio). «Leggere questo libro è un'esperienza davvero emozionante» aveva cercato di entusiasmarli. «Spiega com'è fatto il mondo, i personaggi sono strepitosi, ed è tutto vero.»

In parte era una questione di immagine: Bannon badava sempre a mettere il volume bene in vista quando corteggiava un giornalista liberal. Ma stava anche cercando di impartire una lezione, una lezione importante, considerate le procedure di selezione a dir poco approssimative della squadra di transizione. Il messaggio che voleva far passare era: Attenti a chi assumete.

Il libro di Halberstam, pubblicato nel 1972, è un tentativo tolstojano di comprendere come le migliori menti del mondo accademico, intellettuale e militare, che avevano servito sotto le amministrazioni Kennedy e Johnson, avessero frainteso così clamorosamente la natura della guerra del Vietnam, gestendola di conseguenza in modo catastrofico. Quella storia faceva capire molte cose sull'establishment degli anni Sessanta, precursore di quello che adesso Trump e Bannon stavano sfidando con tanta aggressività.

Al contempo il libro serviva anche da guida per entrare a far parte dell'establishment stesso. Per la generazione di futuri legislatori, aspiranti leader mondiali e ambiziosi giornalisti della Ivy League nata negli anni Settanta – quella di Bannon, che però era ben distante da quella sedicente élite –, *Le teste d'uovo* era un manuale sulle caratteristiche del potere americano e sulle vie per raggiungerlo. Non soltanto la formazione e le scuole giuste, ma anche gli atteggiamenti, i principi e il linguaggio più efficaci per guadagnarsi l'accesso alla stanza dei bottoni. Molti lo consideravano più un prontuario su cosa fare per conquistare la vetta, invece che – com'era in effetti nelle intenzioni dell'autore – su cosa *non* fare quando ci sei arrivato. Il libro descriveva persone che meritavano di stare al potere. Al college Barack Obama se n'era innamorato, come pure Bill Clinton, ai tempi in cui, insignito della prestigiosa borsa di studio Rhodes, frequentava l'università di Oxford.

Leggendolo sembrava di vedere e toccare il potere della Casa Bianca. Lo stile solenne, cadenzato e spesso pomposo di Halberstam si sarebbe riflettuto nel giornalismo presidenziale ufficiale per il successivo mezzo secolo. Persino gli inquilini più chiacchierati o meno dotati della Casa Bianca erano trattati come personalità uniche, giunte alla massima carica dopo una selezione politica darwiniana. Bob Woodward, il giornalista che aveva contribuito ad abbattere Nixon – e a sua volta diventato creatore di incontestati miti presidenziali –, scrisse un intero scaffale di libri in cui le azioni meno illuminate dei presidenti apparivano come tappe ineludibili di un'epocale assunzione di responsabilità, in virtù della quale bisognava prendere decisioni di vita e di morte. Solo il più cinico dei lettori non avrebbe sognato a occhi aperti di entrare a far parte di tutto questo.

Steve Bannon, per parte sua, lo sognava eccome.

Ma se Halberstam aveva definito il contegno presidenziale, Trump lo aveva sfidato e infangato. Nessuna delle sue qualità poteva collocarlo nella schiera riverita delle personalità dotate di carattere e autorevolezza presidenziali. E proprio questo, in un curioso capovolgimento delle premesse del libro, aveva creato l'opportunità colta da Steve Bannon.

Un improbabile candidato presidenziale sarà, per forza di cose, circondato da collaboratori improbabili e spesso inesperti: questo perché quelli credibili si saranno già schierati con il candidato più credibile. E quando un candidato improbabile vince – e le possibilità di quella vittoria aumentano, se un outsider riesce a conquistarsi una buona fetta di elettorato –, la Casa Bianca si riempie dei personaggi più bizzari. Certo, una delle tesi del libro di Halberstam, e della campagna di Trump, è che anche chi, all'apparenza, è più degno dell'incarico può commettere errori catastrofici. Da qui la conclusione di Trump che i veri geni si trovino ai margini dell'establishment.

Ciò detto, pochi sarebbero stati più improbabili di Steve Bannon.

Bannon non aveva mai lavorato in politica finché, a sessantatré anni suonati, si era unito alla campagna di Trump. L'incarico di «capo stratega» – il suo titolo nella nuova amministrazione – non era solo il suo primo nel governo federale, ma persino nel settore pubblico. («Stratega!» sbottò Roger Stone, che prima dell'avvento di Bannon era stato uno dei capo strateghi di Trump.) Senza contare lo stesso Trump, Bannon era senza alcun dubbio l'esordiente più vecchio ad aver mai messo piede dentro la Casa Bianca.

E la gavetta che ce lo aveva portato era a dir poco inconsistente.

Scuole cattoliche a Richmond, in Virginia; un college dello stesso Stato, la Virginia Tech; poi sette anni in marina, servendo con il grado di tenente prima sulle navi e poi al Pentagono. Durante il servizio aveva conseguito un master alla School of Foreign Service della Georgetown University, salvo poi rinunciare alla carriera navale in favore di un master in Business Administration alla Harvard Business School, cui erano seguiti quattro anni come consulente finanziario in Goldman Sachs

– gli ultimi due dedicati all'industria dei media a Los Angeles –, senza mai superare una posizione di medio livello.

Nel 1990, a trentanove anni, lanciò la Bannon & Co., una società di consulenza finanziaria per l'industria dell'intrattenimento. Di fatto si trattava di una sorta di società fantasma e improvvisata, una minuscola impresa in un settore caratterizzato da un piccolo nucleo di attività di successo intorno al quale ruotavano tutte le altre: le emergenti, le aspiranti, quelle in caduta libera e le fallite. La Bannon & Co. era riuscita a evitare la caduta libera e il fallimento e aveva raggiunto lo status di aspirante raccogliendo modesti finanziamenti per film indipendenti, nessuno dei quali era mai uscito dall'ombra.

Bannon stesso aveva qualcosa del personaggio cinematografico. Era un «tipo». Problemi di alcol. Pessimi matrimoni. A corto di soldi in un ambiente dove la misura del successo è il fasto più sfrenato. Costantemente impegnato nella ricerca – vana quanto ostinata – della sua occasione.

Per essere un uomo con un così spiccato senso del proprio destino, manteneva un profilo piuttosto basso. Prima di diventare senatore degli Stati Uniti e governatore del New Jersey, Jon Corzine era stato amministratore delegato di Goldman, dando la scalata alla banca d'affari proprio nel periodo in cui ci lavorava Bannon, eppure di lui non si era mai accorto. Quando Bannon fu messo a capo della campagna di Trump, diventando agli occhi della stampa una celebrità – o per meglio dire un'incognita –, d'un tratto al suo curriculum si aggiunse una storia contorta di come la Bannon & Co. avesse negoziato la vendita dei diritti di produzione di *Seinfeld*, una sitcom di grande successo, e fosse quindi partecipe dei suoi introiti ventennali. Eppure nessuno dei protagonisti, creatori o produttori l'aveva mai sentita nominare.

Mike Murphy, consulente repubblicano dei media che gestiva il comitato per l'azione politica di Jeb Bush ed era diventato una figura di punta del movimento anti-Trump, ricorda vagamente che, circa dieci anni prima, Bannon si era rivolto alla sua società di pubbliche relazioni per un film che stava producendo. «Mi hanno detto che era presente alla riunione, ma sinceramente non lo ricordo proprio.»

Il «New Yorker», incuriosito dal suo enigma – in sostanza riassumibile nell'interrogativo: com'è possibile che tutti i media ignorassero l'esistenza di un uomo di colpo tra i più potenti del governo? –, indagò sul suo conto a Hollywood, in pratica senza trovare traccia del suo passaggio. Il «Washington Post» fece lo stesso, risalendo ai suoi vari indirizzi, senza esiti chiari salvo una possibile denuncia per frode elettorale.

A metà degli anni Novanta Bannon si aggiudicò un ruolo significativo in Biosphere 2, un progetto copiosamente finanziato da Edward Bass, rampollo dell'omonima famiglia di petrolieri, con l'obiettivo di creare un habitat artificiale per gli esseri umani allo scopo di studiare la possibilità di colonizzare lo spazio («Time» lo definì una delle cento idee peggiori del secolo: nient'altro che il capriccio di un miliardario). Bannon, costretto a cercare le sue occasioni in situazioni già compromesse, scese in campo per salvare il progetto, ottenendo il solo risultato di aggravare la disorganizzazione e moltiplicare le dispute legali, comprese denunce per molestie e vandalismo.

Dopo il disastro di Biosphere 2, partecipò alla raccolta fondi per il lancio di una società di videogiochi online che andava sotto il nome di Internet Gaming Entertainment (IGE). Era nata dalle ceneri della Digital Entertainment Network (DEN), i cui titolari – compreso l'ex bambino prodigio Brock Pierce (star di *Stoffa da campioni*) – erano stati indagati per abuso sessuale su minori. Pierce fu esautorato dalla IGE e Bannon ne diventò amministratore delegato, dopodiché la società fu sepolta da una valanga di cause legali.

Quella di inserirsi in aziende già in affanno è una strategia di business opportunistica. Ma c'è affanno e affanno. Il tipo di situazioni alla portata di Bannon erano infestate da conflitti e nefandezze, erano casi pressoché disperati: in sostanza si trattava di assumere la gestione di fondi agli sgoccioli e tentare di trarne un piccolo profitto. Il che spesso significa vivere circondati da gente che se la passa molto meglio. Bannon non smetteva di cercare la sua occasione, ma continuava a sbagliare bersaglio.

Gli investitori come lui sono detti anche «in controtendenza», e fu proprio quell'aspetto del suo carattere – un misto di scontento personale, rancore generalizzato e istinto da giocatore d'azzardo – a diventare sempre più preponderante. In parte il suo anticonvenzionalismo era radicato nelle esperienze pregresse: la famiglia d'origine, irlandese, cattolica, operaia; le scuole cattoliche; i tre matrimoni sbagliati seguiti da divorzi acrimoniosi (i giornalisti avrebbero dato molto peso alle recriminazioni contenute nell'istanza di divorzio presentata dalla seconda moglie).

Non molto tempo fa, un uomo come lui avrebbe potuto imporsi come un personaggio tipicamente moderno, una sorta di antieroe romantico. L'ex militare emerso dal proletariato che aveva annaspato tra matrimoni infelici e carriere insoddisfacenti, sempre a disagio nel mondo dell'establishment che lo respingeva e che lui stesso voleva al contempo conquistare e distruggere: una figura uscita dai romanzi di Richard Ford, John Updike o Harry Crews. La storia dell'uomo americano. Che però, politicamente, si era spostato a destra. I modelli di Bannon erano i ribelli come Lee Atwater, Roger Ailes, Karl Rove: figure leggendarie in lotta con il conformismo e la modernità, che godevano a scandalizzare i liberal.

In più, per quanto intelligente e carismatico, e sebbene si spacciasse per un «tipo a posto», Bannon non era necessariamente una brava persona. È difficile che un imbroglione esca riformato da decenni di sforzi imprenditoriali privi di grandi soddisfazioni. Uno dei suoi concorrenti nel campo dei media conservatori, pur riconoscendo l'astuzia e l'ambizione delle sue idee, disse di lui: «È cattivo, disonesto e incapace di provare interesse per il prossimo. Si guarda sempre in giro come se stesse cercando un'arma con cui picchiarti o sgozzarti».

I media conservatori non soltanto si addicevano al suo lato rancoroso, controcorrente e cattolico, ma erano anche più accessibili. È ben più dura farsi strada in quelli liberal, con le loro gerarchie corporative. Inoltre, i media conservatori hanno un mercato di riferimento molto redditizio, con libri che spesso dominano la classifica dei bestseller, video e altri prodotti resi disponibili attraverso canali di vendita diretta e dunque aggirando le spese di distribuzione.

All'inizio del nuovo millennio, Bannon diventò un fornitore proprio di quel genere di libri e media. Il suo socio nell'impresa era David Bossie, libellista di estrema destra e capo delle indagini condotte dal Congresso sullo scandalo Whitewater dei Clinton, e che sarebbe diventato il suo vice nella campagna di Trump. Proprio alla proiezione di *In the Face of Evil*, un documentario prodotto in coppia con Bossie (e presentato in locandina come «la crociata di Ronald Reagan per distruggere il sistema politico più tirannico e depravato che il mondo abbia mai conosciuto»), Bannon conobbe Andrew Breitbart, fondatore di Breitbart News, contatto che gli permise di stringere un legame con l'uomo che gli avrebbe offerto l'occasione della vita: Robert Mercer.

Bannon non era un imprenditore visionario, e nemmeno disciplinato. Lui si limitava a inseguire il suo profitto, o a cercare di spillare soldi agli ingenui. E Bob e Rebekah Mercer, che dell'ingenuità avevano fatto un mestiere, facevano proprio al caso suo. Bannon incanalò tutti i suoi talenti imprenditoriali nel ruolo di cortigiano, Svengali e consulente di investimenti politici di padre e figlia.

La missione dei due era orgogliosamente donchisciottesca. Avrebbero profuso grosse somme di denaro – comunque risibili rispetto ai miliardi di Bob Mercer – nella creazione di un movimento americano radicale, liberista e antiliberal, favorevole a imporre limiti ai poteri del governo, propenso all'istruzione privata, al gold standard, alla pena di morte e alle chiese cristiane, antimusulmano e insofferente dei diritti civili.

Bob Mercer è un fine analista, un ingegnere che progetta algoritmi di investimento diventato coamministratore delegato della Renaissance Technologies, una delle società di speculazione finanziaria di maggior successo in assoluto. Con la figlia Rebekah fondò quello che era a tutti gli effetti un movimento Tea Party privato, finanziando qualsiasi iniziativa alt-right – di destra alternativa – o populista attirasse la loro attenzione. Entrambi sono personaggi eccentrici in massimo grado. Bob Mercer è un tipo anche troppo taciturno, che durante una conversazione si limita a fissare il suo interlocutore con sguardo vacuo, senza aprir bocca o reagire in alcun modo alle sue parole. Quando invitava ospiti sul suo yacht, passava tutto il tempo alla tastiera di uno Steinway a mezza coda, ignorandoli completamente. Tuttavia, per quanto era dato capirle, le sue convinzioni politiche erano di area Bush, e le sue dichiarazioni, ammesso di riuscire a estorcergli una parola, riguardavano la presenza sul territorio e la raccolta dati. Ben più incisiva era Rebekah Mercer, che aveva legato con Bannon e le cui posizioni politiche erano truci, inflessibili e dottrinarie. «È matta... matta da legare...» disse di lei un membro di vertice dello staff della Casa Bianca di Trump. «Di ideologie con lei è assurdo parlare.»

Alla morte di Andrew Breitbart, nel 2012, Bannon, che in sostanza deteneva la procura sull'investimento dei Mercer nel sito, gli succedette come capo della società. Facendo tesoro della sua esperienza nel campo dei videogiochi lanciò la campagna Gamergate, un movimento alt-right che faceva dell'odio – e delle molestie – verso le donne che lavorano nell'industria dei videogiochi la propria ragion d'essere, e che generò enormi quantità di traffico diffondendo meme politici virali. (Durante una conversazione a notte fonda, alla Casa Bianca, Bannon avrebbe sostenuto di sapere esattamente come costruire una Breitbart su misura per la sinistra, e con un vantaggio chiave, perché «quelli di sinistra vogliono vincere il Pulitzer, mentre io voglio *essere* Pulitzer!».)

Lavorando – e abitando – nella residenza affittata da Breitbart a Capitol Hill, Bannon diventò uno dei sempre più numerosi notabili del Tea Party a Washington: il consigliere dei Mercer. Ma restava una figura marginale. Il suo progetto principale era la carriera di Jeff Sessions – o «Beauregard», come lo chiamava confidenzialmente lui, usando il suo secondo nome in omaggio al generale confederato –, uno dei personaggi più controcorrente e originali del Senato, di cui cercò di promuovere la candidatura alle presidenziali nel 2012.

Donald Trump era un gradino più su e nel 2016, all'inizio della gara elettorale, diventò il totem di Breitbart. Molte delle affermazioni di Trump durante la campagna elettorale erano tratte da articoli di Breitbart News che gli venivano passati dallo stesso Bannon, e quest'ultimo cominciò a vantarsi di essere, come Ailes al tempo di Fox News, la vera forza dietro il candidato.

Quanto alle sue credenziali, al suo comportamento o alla sua eleggibilità, Bannon non li metteva in discussione, anche perché per lui Trump non era che l'ennesimo uomo ricco da spennare. E nel mondo imprenditoriale – almeno ai livelli infimi – un uomo ricco è un dato di fatto: non lo si contesta, lo si accetta e lo si manipola. E comunque, se Trump avesse avuto credenziali più solide, un comportamento migliore e un'eleggibilità incontestabile, non sarebbe stato alla portata di Bannon.

Da profittatore marginale, invisibile e di piccola tacca – nello stile dei personaggi di Elmore Leonard –, Bannon subì un'improvvisa metamorfosi al suo ingresso nella Trump Tower, dove entrò la prima volta il 15 agosto per non uscirne più (salvo, di tanto in tanto, la notte per andare a dormire qualche ora nella sua residenza provvisoria nel centro di Manhattan) fino al 17 gennaio, quando la squadra di transizione si trasferì a Washington. Alla Trump Tower non c'era nessuno a contendergli il ruolo di eminenza grigia. Tra le altre figure principali, né Kushner né Priebus né la Conway, e di certo non il presidente neoeletto, avevano la capacità di esprimere opinioni o tesi in modo coerente. Di default, dovevano tutti rivolgersi all'uomo volubile, aforistico, caotico, caustico e impulsivo che non soltanto era sempre disponibile, poiché in sostanza viveva in ufficio, ma per giunta vantava la caratteristica, rarissima nella Tower, di aver letto almeno un paio di libri.

E che, durante la campagna, si dimostrò capace di condurre l'operazione Trump e di imbrigliarne il caos filosofico convogliandolo in un unico obiettivo: per centrare la vittoria bisognava trasmettere un messaggio economico e culturale alla classe operaia bianca di Florida, Ohio, Michigan e Pennsylvania.

Bannon collezionava nemici. Tuttavia pochi sapevano gettare benzina sul fuoco del suo feroce rancore contro il mondo repubblicano convenzionale quanto Rupert Murdoch, se non altro perché a Murdoch Trump dava ascolto. Era una delle caratteristiche che ormai aveva imparato a conoscere del suo candidato: a esercitare l'influenza più grande su Trump era sempre l'ultima persona con cui aveva parlato. Trump si vantava che Murdoch gli telefonasse di continuo, e Murdoch, per parte sua, si lagnava della logorrea del tycoon.

«Non sa niente di politica americana e non ha la minima percezione di come ragiona l'elettorato statunitense» diceva Bannon a Trump, cogliendo ogni opportunità per sottolineare le origini australiane di Murdoch. Ma il suo capo lo adorava lo stesso. Con la sua passione per i «vincenti» – categoria di cui Murdoch rappresentava il paradigma –, Trump di punto in bianco cominciò a sparlare dell'amico Ailes, bollandolo come un «perdente».

E tuttavia, almeno per un aspetto, l'ascendente di Murdoch sul presidente tornò utile a Bannon. Avendo conosciuto tutti i presidenti da Harry Truman in poi – cosa di cui non faceva che pavoneggiarsi – e, secondo i suoi calcoli, più capi di Stato di qualsiasi altra persona al mondo, Murdoch era convinto di capire molto meglio degli uomini più giovani – compreso Trump, che pure di anni ne aveva settanta – che il potere politico è effimero. (Aveva ribadito la stessa cosa anche a Barack Obama.) Un presidente aveva al massimo sei mesi per esercitare un impatto sull'opinione pubblica e stabilire la sua agenda, e questo nei casi più fortunati. Il resto del mandato l'avrebbe speso a risolvere emergenze e a lottare con l'opposizione.

Era un messaggio che Bannon stesso aveva cercato di inculcare a Trump, e con una certa urgenza, data la proverbiale disattenzione del presidente. Già nelle prime settimane alla Casa Bianca Trump aveva cercato di ridurre il numero di riunioni quotidiane e di limitare le ore di lavoro per non vedersi costretto a sacrificare il tempo che per abitudine dedicava al golf.

La visione strategica del governo che aveva Bannon era assimilabile a quella di un'operazione militare: «dominio rapido». Imporsi anziché negoziare. Il suo sogno lo aveva portato dritto al cuore del potere burocratico più vasto del mondo, ma lui non si vedeva come un burocrate. Aveva una missione più alta, e apparteneva a un ordine morale superiore. Era un vendicatore. E, almeno ai suoi occhi, un uomo trasparente e diretto. Quelli come lui hanno il dovere etico di far seguire alle parole i fatti: se dici una cosa, dopo devi metterla in pratica.

E Bannon aveva già in mente una serie di azioni decisive che non solo avrebbero segnato i giorni inaugurali dell'amministrazione, ma chiarito in modo inequivocabile che niente sarebbe più stato come prima. Aveva sessantatré anni, non aveva tempo da perdere.

Bannon aveva studiato approfonditamente la natura degli ordini esecutivi. Negli Stati Uniti non si può governare per decreto, anche se in realtà si può eccome. Per ironia della sorte, era stata proprio l'amministrazione Obama, alle prese con un Congresso recalcitrante, a premere il pedale sugli ordini esecutivi. E adesso, come in un gioco a somma zero, quelli di Trump avrebbero annullato quelli di Obama.

Durante la transizione, Bannon e Stephen Miller, un ex assistente di Sessions poi passato alla campagna di Trump e diventato braccio destro di Bannon, compilarono un elenco di oltre duecento ordini esecutivi da emettere nei primi cento giorni.

Per Bannon però la priorità assoluta era l'immigrazione. Gli stranieri erano il cruccio numero uno nell'universo delle manie trumpiane. Il tema era spesso liquidato come una fissa delle frange estremiste – uno dei suoi paladini più accaniti era Jeff Sessions, tanto per fare un esempio –, ma Trump era fermamente convinto che molti americani ne avessero fin sopra i capelli degli stranieri, e Bannon, che già aveva condiviso la preoccupazione con Sessions, ora aveva la sua occasione di appurare se il nativismo potesse essere un cavallo vincente. L'esito delle elezioni era la prova che non bisognava più esitare a dichiararsi apertamente etnocentrici convinti.

Con il valore aggiunto che l'argomento faceva schiumare di rabbia i liberal.

Per quanto imposte con lassismo, le leggi sull'immigrazione arrivavano dritte al cuore della nuova filosofia liberal e, agli occhi di Bannon, ne smascheravano l'ipocrisia. Nella visione del mondo liberal, la diversità era un bene assoluto, mentre lui era convinto che qualsiasi persona ragionevole e non accecata dall'ideologia dovesse rendersi conto che le ondate di immigrati si portavano dietro un enorme carico di problemi: bastava guardare l'esempio europeo. E quei problemi non finivano sulle spalle dei liberal, che vivevano nella bambagia, ma su quelle dei cittadini più vulnerabili, all'estremo opposto dello spettro economico.

Guidato dall'istinto o da un intuito politico da *idiot savant*, Trump aveva fatto sua la questione, osservando di frequente: «Ma americani veri non ce ne sono più?». In alcune delle sue prime esternazioni politiche, persino precedenti l'elezione di Obama nel 2008, aveva parlato con stupore e risentimento delle rigorose quote imposte in Europa all'immigrazione, in contrasto con l'alluvione che, dall'«Asia e altri posti», aveva investito l'America (alluvione che, per quanto in crescita, si rivelava, a una semplice verifica dei dati, un flusso piuttosto modesto). La sua ossessione per il certificato di nascita di Obama era un corollario della sua tesi sulla piaga degli stranieri non europei, un'autentica calamita per razzisti: chi era quella gente? E cosa ci faceva a casa nostra?

A volte, durante la campagna, Trump aveva fatto riferimento a un dato demografico di notevole impatto. Sfoderava una mappa del Paese in cui erano illustrate le origini maggioritarie, Stato per Stato, della popolazione immigrata. Cinquant'anni fa la provenienza era mista e in gran parte europea. Ora la stessa mappa mostrava che, in tutti e cinquanta gli Stati, l'origine dominante era sempre la stessa: il Messico. Dal punto di vista di Bannon, era questa la realtà con cui un operaio americano si trovava a confrontarsi ogni giorno: la concorrenza crescente di una manodopera alternativa e a basso costo.

Per quanto scarsa, l'intera carriera politica di Bannon aveva riguardato i media. E in particolare internet, cioè un mezzo di comunicazione caratterizzato da tempi di risposta istantanei. La formula Breitbart consisteva nel far inorridire i liberal, generando una raffica di clic sia di disgusto sia di approvazione. La definizione di sé dipendeva dalla reazione del nemico. Il conflitto era il pane quotidiano dei media, e dunque la pastura della politica. Che per Bannon non era più l'arte del compromesso: nella nuova visione era l'arte del conflitto.

Il vero obiettivo era smascherare l'ipocrisia della tesi liberal. Chissà come, a dispetto di leggi, normative e dogane, i globalisti avevano venduto il mito di un'immigrazione pressoché libera. E l'ipocrisia era duplice perché, sottobanco, l'amministrazione Obama era stata piuttosto aggressiva nella deportazione degli immigrati clandestini, ma questo ai liberal non lo si poteva dire.

«La gente vuole tornare padrona a casa sua» diceva Bannon. «Tutto qui.»

Nei piani di Bannon, gli ordini esecutivi dovevano scrostare la vernice liberale da un processo di fatto illiberale. E invece di conseguire i suoi obiettivi con il minor clamore possibile, lui puntò a sollevare il massimo del polverone.

La domanda ovvia di chiunque ritenesse che la prima funzione di un governo fosse evitare i conflitti era: ma perché provocare una controversia?

A chiederselo erano, per esempio, i funzionari. Quelli freschi di nomina, appena arrivati nelle agenzie e nei dipartimenti coinvolti, tra cui quello della Sicurezza interna – l'allora ministro, il generale John Kelly, l'avrebbe giurata a Trump per il caos scatenato dall'ordine esecutivo sull'immigrazione –, avevano sperato di avere almeno il tempo di orientarsi prima di dover gestire politiche nuove, traumatiche e contestate. E i funzionari che erano rimasti al loro posto – molte delle cariche esecutive erano ancora occupate da persone nominate da Obama – non riuscivano a spiegarsi per quale motivo la nuova amministrazione si fosse messa a sbandierare procedure per la gran parte già in vigore, riformulandole in termini provocatori solo per scatenare l'opposizione dei liberal.

Ma l'obiettivo era proprio questo. La missione di Bannon era far scoppiare la bolla del mondialismo liberal, rivelando che il re era nudo, con l'arma a suo avviso più ovvia: il loro rifiuto di ammettere i problemi colossali e i costi insostenibili di un'immigrazione incontrollata. Voleva costringerli a riconoscere che anche i governi liberal, compreso quello di Obama, avevano cercato di contenere i flussi migratori, e che il loro impegno era stato intralciato dal rifiuto di ammetterlo da parte dei liberal.

L'ordine esecutivo avrebbe espresso a chiare lettere la visione spietata della nuova amministrazione (o di Bannon). Il problema era che lui non sapeva di preciso come si fa a cambiare una legge o una normativa. Un ostacolo non indifferente, e Bannon ne era ben consapevole. Come al solito, le procedure gli remavano contro. Ma anche solo promulgare il decreto – infischiandosene del come – e farlo subito poteva rappresentare una misura di grande impatto.

«Fare, a prescindere» diventò il suo principio guida, l'antidoto universale all'*ennui* e alla resistenza burocratica e dell'establishment. Era l'impeto caotico del fare a portare ai risultati. Peccato che, anche partendo dalla premessa che non contava saper fare qualcosa per farla, restasse il problema di chi se ne sarebbe occupato. E dal momento che nessuno, nell'amministrazione di Trump, sapeva fare alcunché, non era chiaro che cosa facessero, di preciso.

Sean Spicer, che aveva proprio il compito di spiegare alla nazione cosa facesse ciascuno di loro, e con quali finalità, spesso si trovava in seria difficoltà, perché nessuno aveva un incarico preciso, e anche se l'avesse avuto non avrebbe saputo svolgerlo.

In qualità di capo di gabinetto, Priebus doveva occuparsi di organizzare le riunioni, stabilire la scaletta degli impegni e assumere il personale; doveva anche supervisionare il funzionamento dei vari uffici interni all'esecutivo. Ma Bannon, Kushner, la Conway e la figlia del presidente di fatto non avevano funzioni specifiche, se le inventavano strada facendo. Erano liberi di seguire la propria ispirazione. Avevano delle idee e, se se ne fosse presentata la possibilità, le avrebbero messe in pratica, solo che non sapevano come.

Bannon, per esempio, che pure predicava l'imperativo dell'efficienza a tutti i costi, non usava il computer. E come fa a lavorare? si domandava Katie Walsh. Ma era questa la differenza tra i grandi visionari e i semplici esecutori. Le procedure erano una stronzata. La competenza era l'ultimo rifugio dei liberal, sempre sconfitti dalla pochezza della loro visione. Per compiere le grandi imprese serve forza di volontà, non tecnica. «Non preoccuparti dei dettagli» era una buona sintesi della Weltanschauung di Trump e di Steve Bannon. O, nelle parole della Walsh, «la strategia di Steve era il caos».

Bannon incaricò Stephen Miller di scrivere l'ordine esecutivo sull'immigrazione. Miller, un cinquantacinquenne intrappolato nel corpo di un trentaduenne, era stato assunto nello staff di Trump in virtù della sua esperienza politica. Ma, a parte l'indiscussa dedizione al conservatorismo di estrema destra, non era chiaro per quali capacità l'avessero segnalato a Bannon. Ufficialmente scriveva discorsi, ma il suo stile consisteva in frasette da presentazione in PowerPoint: sembrava incapace di costruire un periodo complesso. Avrebbe dovuto fungere da consigliere sulle politiche, ma di politica non sapeva niente. Era considerato l'intellettuale di riferimento ma, da militante duro e puro, aveva letto pochissimo. Si spacciava per un esperto di comunicazione, ma nei fatti si inimicava quasi tutti. In ogni caso fu a lui che, durante la transizione, Bannon ordinò di fare una ricerca su internet, per impratichirsi nella stesura di un ordine esecutivo.

Perciò, al suo arrivo alla Casa Bianca, Bannon aveva pronti un abbozzo dell'ordine esecutivo sull'immigrazione e il *Muslim ban*, in origine il divieto tassativo e assoluto, in perfetto stile trumpiano, ai cittadini provenienti da molti Paesi musulmani di arrivare negli Stati Uniti, e che poi, su insistenza di Priebus, si era dovuto ammorbidire a un livello solo draconiano.

Nella foga di cogliere l'occasione e in un clima di incompetenza pressoché totale, alla bizzarria del numero di spettatori presenti alla cerimonia di insediamento e al delirante discorso al quartier generale della CIA fece seguito, senza che quasi nessuno nel governo federale lo avesse letto o ne sapesse alcunché, un ordine esecutivo che ribaltava la politica di immigrazione degli Stati Uniti. Scavalcando avvocati e legislatori, oltre alle agenzie e al personale cui sarebbe spettato metterlo in pratica, il presidente Trump – incalzato dalla voce bassa e insistente di Bannon, che alle sue spalle faceva da suggeritore – firmò il documento che gli era stato messo davanti.

Venerdì 27 gennaio, il *travel ban* fu siglato ed entrò immediatamente in vigore. Il risultato fu un fiume in piena di orrore e indignazione da parte dei media liberal, il terrore nelle comunità di immigrati, proteste e disordini in tutti gli aeroporti principali, la confusione in tutti gli organi di governo, mentre la Casa Bianca veniva subissata di sermoni, avvertimenti e insultata da amici e parenti: Ma cos'hai fatto? Te ne rendi conto? Devi ingranare subito la retromarcia! Ti sei fregato con le tue stesse mani, e prima ancora di cominciare! Chi è che comanda davvero lì?

Steve Bannon invece era soddisfatto. Nemmeno nei suoi sogni più rosei avrebbe potuto scavare una trincea più netta tra le due Americhe – quella di Trump e quella liberal –, nonché tra la sua Casa Bianca e quella abitata da quanti ancora non si sentivano pronti ad appiccarle il fuoco.

Perché farlo entrare in vigore proprio di venerdì, chiese allibita la quasi totalità dello staff, il giorno che avrebbe creato maggiori problemi per gli aeroporti e scatenato più contestazioni?

«Be', appunto per questo» replicò Bannon. «Così si precipiteranno tutti negli aeroporti a manifestare.» Era quella la tecnica giusta per schiacciare i liberal: farli impazzire istigandoli a spostarsi a sinistra.

5

Jarvanka

La domenica dopo la firma dell'ordine esecutivo sull'immigrazione, Joe Scarborough e Mika Brzezinski, che lo affiancava alla conduzione di *Morning Joe*, furono invitati a pranzo alla Casa Bianca.

Scarborough è un ex membro repubblicano del Congresso, e Mika Brzezinski è la figlia di Zbigniew Brzezinski, consulente di vertice dell'amministrazione Johnson e consigliere per la Sicurezza nazionale di Jimmy Carter. Il loro talk show aveva debuttato nel 2007 e aveva conquistato un discreto seguito negli ambienti politici e dei media newyorkesi. Trump lo seguiva fedelmente da anni.

Nel 2016, quando la campagna del tycoon era agli inizi, *Morning Joe* toccò il fondo negli indici di gradimento, e un avvicendamento nella dirigenza della NBC News ne minacciò la sopravvivenza nel palinsesto. Finché Scarborough e la Brzezinski si accodarono alla marcia di Trump, tornando in auge come due delle rare voci giornalistiche disposte a pronunciarsi in suo favore, e soprattutto a sembrare in grado di capirlo. I collegamenti in studio con Trump diventarono una prassi e la trasmissione si trasformò in un canale più o meno diretto per parlare con lui.

Era il tipo di relazione con i media che Trump sognava da sempre: quei due giornalisti lo prendevano sul serio, lo menzionavano spesso, chiedevano il suo parere, lo aggiornavano sugli ultimi pettegolezzi e davano peso a quelli che riferiva lui. La collaborazione rendeva tutti e tre degli insider, proprio lo status cui Trump aspirava. Per quanto si vantasse della sua estraneità all'establishment, in realtà lo feriva sentirsi tagliato fuori.

Poiché faceva notizia (nel caso di Scarborough e della Brzezinski al punto di salvarli dal licenziamento), Trump era convinto che i media gli dovessero qualcosa, mentre questi, vista la quantità di pubblicità gratuita che gli offrivano, ritenevano che fosse lui a essere in debito. Scarborough e la Brzezinski finirono per considerarsi suoi consiglieri semiufficiali, se non addirittura i mediatori politici che lo avevano elevato alla carica.

In agosto il terzetto fu protagonista di un diverbio pubblico, e Trump twittò: «Un giorno di questi, quando il polverone si sarà depositato, racconterò la vera storia di @JoeNBC e di quella complessata della sua compagna, @morningmika. Che pagliacci!». Ma gli scontri sfociavano spesso nella tacita ammissione che andare d'accordo conveniva a entrambe le parti e nel giro di poco il trio si riconciliò.

All'arrivo dei due alla Casa Bianca, nel nono giorno della sua presidenza, Trump li accompagnò tutto tronfio nello Studio Ovale, e ci restò malissimo quando la Brzezinski disse di esserci già stata parecchie volte insieme a suo padre, fin da quando aveva nove anni. Il presidente mostrò loro qualche cimelio storico tra gli oggetti d'arredo e, con fierezza, il nuovo ritratto di Andrew Jackson, il predecessore che Steve Bannon aveva adottato come modello della nuova amministrazione.

«Allora, come me la sono cavata in questa prima settimana?» domandò poi alla coppia. Per quanto lo riguardava, lui era soddisfattissimo dei risultati ottenuti finora ed era impaziente di sentirlo dire anche agli altri.

Scarborough, sorpreso di vederlo tanto spensierato mentre nel Paese dilagavano le proteste, cercò di schermirsi. «Be', ho molto apprezzato la tua decisione in merito alla US Steel e l'invito dei sindacalisti nello Studio Ovale.» Trump aveva dichiarato che d'ora in avanti l'acciaio impiegato negli oleodotti sarebbe stato rigorosamente *made in USA* e, con una piccola esibizione «alla Donald», aveva invitato alla Casa Bianca i rappresentanti dei sindacati del settore edile e siderurgico, ricevendoli nello Studio Ovale, cosa che, a detta sua, Obama non aveva mai fatto.

La risposta di Scarborough però era stata troppo cauta per risultare soddisfacente, quindi lui insistette. Il giornalista era incredulo. Trump recitava o davvero non si rendeva conto che il suo esordio alla presidenza era stato un disastro? Poi, vedendo Bannon e Priebus che andavano e venivano dallo Studio Ovale, Scarborough si domandò se non fossero stati loro a mettergli in testa che era stato un successo.

Messo alle strette, azzardò il parere che forse la questione dell'immigrazione si sarebbe potuta gestire un po' meglio e che, a occhio, la nuova amministrazione sembrava attraversare un periodo difficile.

Trump, sorpreso, si lanciò in un soliloquio. Macché periodo difficile! Scarborough si sbagliava di grosso. Nella sua Casa Bianca andava tutto a gonfie vele. Al passaggio successivo di Bannon e Priebus coinvolse anche loro. «Ehi, sentite questa!» disse, scoppiando a ridere di gusto. «Secondo Joe non abbiamo avuto una buona settimana.» E poi, tornando a rivolgersi a Scarborough: «Avrei fatto meglio a invitare Hannity!». Sean Hannity è un conduttore e commentatore televisivo ancora più schierato a favore di Trump.

A pranzo – a base di pesce, che la Brzezinski detesta – anche Jared e Ivanka si unirono al consesso. Kushner era entrato parecchio in confidenza con Scarborough, e avrebbe continuato a fornirgli una visione dall'interno della Casa Bianca – in sostanza facendogli da informatore segreto –, favore che il giornalista avrebbe ricambiato diventando un fautore del suo ruolo nell'amministrazione e un aperto sostenitore delle sue opinioni. A tavola, però, il genero e la figlia di Trump conservarono un contegno riservato e deferente mentre i due conduttori televisivi si intrattenevano con il presidente, che, dimostrando un protagonismo persino più spiccato del solito, pontificava.

Poiché non la finiva più di sollecitare giudizi positivi sulla sua prima settimana in carica, Scarborough tornò a lodare l'apertura dimostrata verso i vertici sindacali. A quel punto

Jared provò a inserirsi, commentando che l'idea di aprire un dialogo con i sindacati, un territorio tradizionalmente democratico, era stata di Bannon: era «la strategia di Bannon».

«Bannon?» sbottò il presidente. «Ma per favore! L'idea è stata mia. Questa è la strategia di Trump, mica di Bannon.»

Kushner tornò nell'angolo.

A quel punto il presidente cambiò argomento, chiedendo ai suoi ospiti: «E voi cosa mi raccontate? Come vanno le cose?». Si riferiva al segreto, nient'affatto segreto, della loro storia.

I due risposero che la situazione era complicata, e la relazione ancora ufficiosa, ma che comunque le cose andavano bene e presto si sarebbe risolto tutto.

«Perché non la fate finita e vi sposate?» ribatté Trump.

«Posso officiare io la cerimonia!» saltò su Kushner, che peraltro è un ebreo ortodosso. «Sono pastore ordinato della chiesa unitariana.»

«Che *cosa*?» obiettò il presidente. «Ma che dici? Perché dovresti farlo tu quando ci sono qui io? Nessuno si accontenterebbe di te, se ha la possibilità di farsi sposare dal *presidente*! A Mar-a-Lago!»

Quasi tutti avevano sconsigliato a Jared di accettare un incarico alla Casa Bianca. Essendo un parente stretto del presidente avrebbe esercitato un'influenza notevole anche restandosene al sicuro nell'ombra. Come membro dello staff non soltanto rischiava di vedersi sbattere in faccia la sua inesperienza, ma per giunta gli oppositori e i detrattori del presidente, al momento impossibilitati a colpirlo direttamente, avrebbero potuto decidere di rivalersi prendendo di mira lui. Senza contare che, nella West Wing di Trump, qualsiasi titolo – a parte quello di genero – gli sarebbe stato strenuamente conteso.

Sia Jared sia Ivanka avevano preso nota delle argomentazioni di amici e parenti – compreso il fratello di Jared, Josh, che aveva insistito parecchio, non soltanto per senso di protezione nei suoi confronti ma anche per l'avversione personale a Trump –, ma poi, soppesati pro e contro, avevano fatto di testa loro. Trump aveva inizialmente appoggiato le ambizioni della figlia e del genero, salvo poi esprimere un certo scetticismo davanti al loro straripante entusiasmo, anche se con tutti gli altri si dichiarava impotente ad arginarlo.

Per Jared e Ivanka, come per chiunque nella nuova amministrazione, presidente compreso, la svolta dell'elezione era stata così impensata, e uniche le opportunità che di colpo si ritrovarono a portata di mano, che trattenersi dall'afferrarle al volo sembrava un controsenso. I due avevano preso la decisione insieme, stipulando una sorta di alleanza: quando, in futuro, fosse venuto il momento, sarebbe stata Ivanka a candidarsi alla presidenza (o comunque la prima dei due a tentarci). Nei sogni di Ivanka Trump la prima donna presidente della storia americana non sarebbe stata Hillary Clinton, ma lei.

Bannon, che aveva coniato la crasi «Jarvanka», ormai di uso corrente per indicare la coppia, inorridì quando qualcuno lo mise a parte dei loro piani. «Impossibile. No, dev'essere uno scherzo. Non possono crederci davvero. Ti prego, dimmi che mi stai prendendo in giro. Oh, mio Dio.»

In realtà il coinvolgimento nell'amministrazione del padre avrebbe offerto a Ivanka un nettissimo vantaggio in una futura campagna elettorale: nessun altro candidato avrebbe potuto vantare una maggiore esperienza nella gestione della Casa Bianca. Lei e Jared, o più esattamente Jared ma, per estensione, anche lei, godevano dell'autorità di un capo di gabinetto, almeno alla pari di Priebus o Bannon, e tutti loro rispondevano direttamente al presidente. Inoltre, cosa ancora più rilevante, l'uno e l'altra avevano un ruolo dominante anche fuori dalla West Wing, il che conferiva loro un ben più ampio margine di manovra. Sommati, i due aspetti equivalevano a un ascendente enorme. Ogni volta che Priebus o Bannon tentavano, nel modo più diplomatico possibile, di rammentare alla coppia le norme e le procedure che limitavano i poteri dello staff, loro rispondevano appellandosi alle proprie superiori prerogative in quanto membri della First Family. Come se non bastasse, il presidente aveva subito conferito a Jared la responsabilità dei rapporti con il Medio Oriente, trasformandolo in uno degli esponenti di punta dell'amministrazione a livello di politica estera. Nelle prime settimane, la delega finì per comprendere pressoché tutti gli affari internazionali, tra l'altro un ambito in cui Jared non aveva competenze di sorta.

Il suo motivo più cogente per entrare nello staff della Casa Bianca era il «potere», e collaborare con il suocero gliene avrebbe dato parecchio. I familiari del presidente gli erano vicini per definizione, ma di fatto chiunque gli stesse accanto esercitava potere, e in misura direttamente proporzionale alla vicinanza. Trump era una sorta di oracolo di Delfi: sparava di continuo pronunciamenti per i quali urgeva un interprete. Somigliava anche a un bambino iperattivo: chiunque riuscisse ad accontentarlo o distrarlo entrava subito nelle sue grazie. Oppure si poteva paragonarlo al Dio Sole (di certo lui si vedeva così): al centro assoluto dell'attenzione, dispensava favori e poteri a piene mani, ma con la stessa facilità poteva riprenderseli. Con l'aggiunta che quel Dio Sole, in particolare, non aveva l'indole del pianificatore. Le sue decisioni scaturivano dall'ispirazione del momento: motivo in più per restare nei paraggi. Bannon, per esempio, cenava con lui ogni sera, o quantomeno si rendeva disponibile, offrendo la sua spalla di scapolo a un uomo che, pur non essendo scapolo, viveva come tale. (Priebus avrebbe osservato che quelle cene, eventi cui all'inizio tutti bramavano di essere invitati, si sarebbero tramutate in un supplizio che tutti facevano il possibile per evitare.)

Tra i fattori di cui Jared e Ivanka avevano tenuto conto nel calcolare i vantaggi di un incarico ufficiale nella West Wing rispetto alla funzione di consulenti esterni c'era la consapevolezza che per avere ascendente su Trump era essenziale non perderlo di vista. Di telefonata in telefonata – e, a parte le riunioni inevitabili, il presidente passava quasi tutta la sua giornata al telefono – si rischiava sempre che un altro ti soffiasse il primato. E serviva un'immensa sottigliezza perché, anche se in genere Trump si lasciava condizionare dall'ultima persona con cui aveva parlato, in realtà non ascoltava nessuno. A smuoverlo non era tanto il merito specifico di una tesi o di una richiesta, quanto la mera presenza dell'interlocutore, e la coincidenza tra le opinioni di chi aveva davanti e quelle che gli passavano per la testa. E, per quanto lui fosse ossessionato da certi temi ricorrenti, ciò che gli passava per la testa restava sempre imprevedibile.

In ultima analisi il suo fondamentale solipsismo è quello tipico delle persone molto ricche, la cui esistenza trascorre in gran parte entro i confini di un ambiente rigorosamente controllato. Ma con una differenza sostanziale. Nel suo caso, l'ambiente privilegiato non gli aveva trasmesso la minima disciplina sociale: Trump è incapace persino di *imitare* il decoro. Per esempio non sa intrattenere una conversazione intesa come una condivisione di informazioni o uno scambio alla pari. Non ascolta ciò che gli viene detto e nemmeno presta un'attenzione particolare a ciò che dice lui (motivo per cui è tanto ripetitivo). Non è gentile con nessuno, o per meglio dire lo è in modo volubile. Se vuole qualcosa, sa dedicare all'interlocutore un interesse assoluto, focalizzandosi su di lui con totale esclusività, ma se invece è lui a chiedergli qualcosa, finisce per irritarsi e distrarsi. Dagli altri esige una devozione indefessa, salvo poi giudicarli deboli per essersi prostrati ai suoi piedi. In un certo senso è come una grande star, impulsiva e vezzeggiata. Il suo mondo è popolato soltanto di ossequiosi lacchè o di dirigenti d'azienda il cui compito è trattarlo con i guanti di velluto, per convincerlo a concentrarsi sul copione o sulla performance senza rischiare che si indispettisca e metta il broncio.

La faccia positiva della medaglia è il suo entusiasmo, la prontezza, la spontaneità e – quando riesce per un momento a pensare ad altri che a se stesso – un fiuto sensibilissimo per le fragilità e i desideri più profondi dei suoi avversari. La politica è dominata da gente che sa troppo e che risulta frenata, fino all'impotenza, proprio dalla consapevolezza della complessità dei problemi e del groviglio di interessi contrastanti. Trump, che invece non è particolarmente erudito in materia, può rianimare il sistema imprimendogli un impulso nuovo, per quanto stravagante. O almeno i suoi sostenitori si sforzano di vederla così.

Jared Kushner aveva avuto a disposizione una brevissima parentesi di tempo – meno di un anno – per convertirsi da democratico, posizione standard nell'ambiente in cui era cresciuto, a seguace del trumpismo: una trasmutazione che aveva lasciato allibiti parecchi, nella sua cerchia, e più di tutti il fratello Josh, la cui compagnia assicurativa, la Oscar, fondata con il patrimonio di famiglia, sarebbe stata spazzata via da un'eventuale revoca dell'Obamacare.

La conversione era, almeno in parte, il risultato dell'indottrinamento perseverante e carismatico di Bannon, una sorta di corso full immersion in idee rivoluzionarie che a Harvard non si insegnavano di certo. All'ascendente di Bannon aveva contribuito il rancore nutrito anche da Kushner nei confronti delle élite liberal, che aveva cercato di corteggiare con la sventata iniziativa di acquistare il «New York Observer». Infine, una volta avviata la sua partecipazione alla campagna elettorale, Kushner aveva dovuto convincersi che, visto da vicino, l'assurdo aveva una sua logica inoppugnabile: il trumpismo gli era parso come una variante particolarmente pragmatica di Realpolitik senz'altro destinata a prevalere. Infatti era accaduto e, come si suol dire, a caval donato non si guarda in bocca. Certo, alcuni aspetti del trumpismo continuavano a sembrargli negativi, ma proprio il fatto di partecipare in prima persona gli avrebbe permesso di contribuire a correggerli. O almeno così si ripeteva lui.

Lui stesso si sarebbe sorpreso di sentirselo dire – per anni aveva più assecondato che davvero apprezzato Trump –, ma in realtà Kushner era molto simile a suo suocero. E ancora più inquietante era la somiglianza tra suo padre Charlie e quello di Donald, Fred. Tutti e due avevano usato ricchezza e potere per dominare e sottomettere i figli, ottenendone la devozione assoluta, a dispetto delle loro pretese. In entrambi i casi due uomini aggressivi, inflessibili, spietati e amorali avevano cresciuto figli pazienti e docili, animati da un bisogno disperato dell'approvazione paterna. (Il fratello maggiore di Trump, Freddy, a detta di molti omosessuale, quell'approvazione non era mai riuscito a guadagnarsela, e aveva annegato la disperazione nell'alcol, morendone a quarantatré anni, nel 1981.) Gli astanti restavano stralunati quando, alle riunioni di lavoro, Charlie e Jared Kushner si salutavano con un bacio e il figlio si rivolgeva al padre chiamandolo «Daddy».

Per quanto schiacciati dai rispettivi genitori, né Donald né Jared avevano affrontato il mondo con umiltà, placando invece le insicurezze con il senso della propria importanza. Venuti entrambi dalla periferia – Kushner dal New Jersey, Trump dal Queens –, erano impazienti di dar prova di sé imponendosi a Manhattan, ma la foga di emergere li faceva percepire come presuntuosi, saccenti e arroganti. Cercavano di darsi un tono, adottando un atteggiamento disinvolto che pareva più una caricatura che autentico savoir-faire. Per scelta o per inconsapevolezza, nessuno dei due sembrava in grado di sfuggire ai propri privilegi. «Ci sono persone privilegiate che sanno di esserlo e non sentono il bisogno di ostentarlo; Kushner non soltanto lo rimarcava di continuo, ma al tempo stesso pareva non rendersene conto affatto» disse di lui un dirigente dei media newyorkesi che lo aveva conosciuto. Nessuno dei due era mai uscito dalla propria cerchia di ricchi e famosi, semmai la missione di entrambi era di penetrarla ancora più a fondo. Erano arrampicatori sociali di professione.

Spesso Jared si concentrava su uomini più anziani. Deciso a sfondare nel mondo dei media, si era rivolto a Rupert Murdoch, che avrebbe dedicato un'impressionante quantità del suo tempo a prestargli ascolto e impartirgli consigli. Dopo un lungo corteggiamento, Kushner aveva conquistato anche il finanziere miliardario Ronald Perelman, nella cui sinagoga privata lui e Ivanka celebravano le festività ebraiche più solenni. E, naturalmente, Kushner si era fatto benvolere da Trump, al punto che il tycoon si era dimostrato stranamente indulgente quando, prima delle nozze, sua figlia aveva dovuto convertirsi all'ebraismo ortodosso. Dopotutto, da giovane, anche lui si era comportato come Kushner, coltivando uno stuolo di mentori più anziani, compreso Roy Cohn, il pirotecnico avvocato e faccendiere che fungeva da braccio destro del senatore anticomunista Joe McCarthy.

Entrambi erano accomunati anche dall'aver dovuto ammettere che il mondo di Manhattan, e in particolare la sua voce – i media –, non voleva saperne di loro. Già a prima vista, la stampa aveva bollato Donald Trump come un *parvenu* e un uomo di scarso valore, condannandolo poi senza appello per il peccato mortale – almeno nella sua religione – di aver esagerato nel tentativo di ingraziarsela. La modesta celebrità di cui godeva Trump era in realtà una celebrità al contrario: era più famigerato che famoso, la parodia vivente di una celebrità.

Il caso emblematico per comprendere quest'ostracismo e le sue molte ironie è quello del «New York Observer», settimanale di cronaca mondana e dei media di Manhattan che Kushner comprò nel 2006 per dieci milioni di dollari, cifra che, secondo la stragrande maggioranza delle stime, superava di dieci milioni il valore reale del periodico.

Come spesso accade nelle imprese che si rivelano fallimentari nel comparto dei media, il «New York Observer» era stato lanciato nel 1987 per il capriccio di un ricco. In sostanza si trattava di un'insipida cronaca settimanale dell'Upper East Side, il quartiere più benestante di Manhattan, basata sulla premessa di considerarlo come una piccola città (trovata di cui tuttavia non si accorse nessuno). Poi il suo finanziatore, Arthur Carter, che si era arricchito nei tempi d'oro di Wall Street, conobbe Graydon Carter (nessuna parentela), fondatore della rivista «Spy», imitazione newyorkese del periodico satirico inglese «Private Eye». «Spy» rientrava nel novero delle riviste – «Manhattan, Inc.», la rilanciata «Vanity Fair» e «New York» – nate negli anni Ottanta per soddisfare la nuova mania del gossip sui ricchi e documentare quello che appariva come un momento di trasformazione a New York. Trump era insieme il simbolo e la barzelletta di quell'era di eccessi e celebrità, e della loro epopea giornalistica. Nel 1991, diventato direttore del «New York Observer», Graydon Carter non soltanto incentrò il settimanale sullo stile di vita dei super-ricchi, ma in sostanza ne fece un prontuario per i media che scrivevano dei media e per i super-ricchi che volevano entrare nel giro dei media. Il suo era il giornale più egocentrico e autoreferenziale della storia.

Donald Trump e gli altri *nouveaux riches* come lui si facevano in quattro per attirare l'attenzione della stampa – il cronista di corte di questa nuova aristocrazia affamata di pubblicità era il «New York Post» di Murdoch – e sulle pagine del «New York Observer» Trump trovava molto spesso spazio. La sua storia, quella di un aspirante numero uno, era spregiudicata e sopra le righe. Inoltre insegnava che, se eri disposto a rischiare l'umiliazione, potevi conquistare il mondo. Trump diventò il correlativo oggettivo dell'appetito crescente di fama e notorietà. Lui stesso si convinse di sapere tutto dei media: le conoscenze giuste, le maschere da indossare, le informazioni potenzialmente redditizie, le menzogne con cui potevi farla franca o che dovevi dare in pasto alla stampa. E i media, da parte loro, si convinsero di sapere tutto di lui: le sue vanità, illusioni e bugie, e i livelli senza precedenti cui era disposto ad abbassarsi pur di apparire sotto i riflettori.

Nel giro di poco Graydon Carter abbandonò il «New York Observer» per «Vanity Fair», la cui attrattiva ai suoi occhi consisteva nell'accesso a celebrità ben superiori a Donald Trump, e nel 1994 alla direzione dell'«Observer» gli succedette Peter Kaplan, giornalista con un alto senso dell'ironia e del disincanto postmoderni.

Ora, osservato attraverso la lente di Kaplan, il personaggio di Trump cambiò improvvisamente vesti. Se prima era stato il simbolo del successo, motivo per cui era oggetto di scherno, di colpo, mutato lo Zeitgeist (e la sua fortuna: Trump annegava nei debiti), divenne il simbolo del fallimento, e per questo ancora una volta sbeffeggiato. Era un capovolgimento complesso, che non riguardava soltanto lui, ma anche il modo in cui i media vedevano se stessi. Donald Trump diventò l'emblema dell'odio di sé dei media: la reclamizzazione e la promozione di Trump erano un apologo morale su di loro. E l'ultima parola fu Kaplan a pronunciarla: di Trump non bisognava più parlare, perché ogni notizia sul suo conto si era trasformata in un cliché.

Un aspetto importante del «New York Observer» di Kaplan era che il giornale aveva fatto scuola per la nuova generazione di osservatori dei media che aveva invaso le redazioni di New York man mano che il giornalismo stesso si faceva più autoreferenziale e consapevole di sé. E per tutti loro, Donald Trump era giunto a rappresentare l'aspetto più disdicevole del mestiere: il fatto che, lavorando da giornalista a New York, poteva toccarti l'onta di dover scrivere di lui. Non farlo, o quantomeno farlo senza prenderlo sul serio, diventò un imperativo morale.

Nel 2006 Arthur Carter vendette l'«Observer» – in perdita da sempre – all'allora venticinquenne Kushner, lo sconosciuto erede di un patrimonio immobiliare interessato a farsi un nome e una reputazione in città. Kaplan, direttore da quindici anni, si ritrovò a lavorare per un pivello di gran lunga più giovane di lui e che, per ironia della sorte, era proprio il tipo di arrivista fustigato nei suoi articoli.

Per Kushner, in un susseguirsi di paradossi di cui lui stesso non era consapevole fino in fondo, l'acquisto del giornale si rivelò redditizio, perché gli aprì le porte dell'ambiente sociale in cui avrebbe incontrato la figlia di Donald Trump, Ivanka, poi sposata nel 2009. Ma quanto al profitto finanziario, l'«Observer» non ne generava proprio, aggiungendo il dispetto della scarsa redditività alle tensioni già esistenti tra lui e Kaplan. Quest'ultimo reagì cominciando a divulgare aneddoti arguti e infamanti sulla presunzione e la mancanza di scrupoli del suo nuovo capo che, volati di bocca in bocca tra i suoi molti *protégés* nei media, rimbalzavano regolarmente sugli organi di stampa.

Nel 2009 Kaplan si dimise e Kushner – commettendo l'errore caratteristico degli uomini ricchi che hanno acquistato un mezzo d'informazione per pura vanità – cercò di massimizzare le entrate tagliando i costi. Nel giro di poco, il mondo dei media finì per vederlo non soltanto come l'uomo che aveva usurpato il giornale di Peter Kaplan, ma che per giunta lo aveva mandato in rovina con la sua grossolanità e incompetenza. Peggio ancora: nel 2013 il cinquantanovenne Kaplan morì di cancro. Adesso era come se Kushner l'avesse pure ammazzato.

Nell'ambiente dei media si prende tutto sul personale. Le faide e le vendette si sprecano. Con la loro mente spesso collettiva, i media decidono chi merita di emergere e chi di decadere, chi vive e chi muore. E a quelli che restano troppo a lungo al centro della loro attenzione tocca spesso la sciagurata parabola dei despoti delle repubbliche delle banane. È una legge che nemmeno Hillary Clinton è riuscita a eludere: i media hanno sempre l'ultima parola.

Molto prima della campagna per la presidenza, Trump e il suo genero e spalla erano stati condannati non soltanto all'ignominia, ma a un lento supplizio di scherno, disprezzo e ridicolo. Quei due non sono nessuno. Sono scarti dei media. Come si fa a prenderli sul serio?

Poi Trump aveva avuto l'astuzia di trasferire la sua reputazione mediatica dall'ipercritica New York alla più permissiva Hollywood, diventando la star di un proprio reality show, *The Apprentice*, e abbracciando una teoria che gli sarebbe tornata molto utile durante le presidenziali: negli Stati centrali del Paese, l'immensa periferia della costa est e ovest, la celebrità è un efficacissimo specchietto per le allodole. Basta essere famoso perché ti amino, o quantomeno ti adulino.

Il fatto che la famiglia Trump, pur essendo aborrita dai media, e a dispetto di tutto ciò che i media sapevano, capivano e avevano detto di loro, si fosse elevata al rango di massima autorità della nazione, aggiudicandosi persino il diritto all'immortalità, segnò il passaggio dall'incubo del peggiore dei mondi possibili al territorio dell'ironia cosmica. Era una circostanza intollerabile, perciò Trump e il genero, che, pur non spiegandosene bene il motivo, erano già da un pezzo la barzelletta dei media, a quel punto furono investiti da tutta la ferocia del loro sbigottito risentimento.

Il fatto che i due avessero molto in comune non significava che giocassero in squadra. Per quanto in confidenza con il suocero, Kushner era anche un membro del suo entourage, e su Trump esercitava lo stesso grado di controllo di chiunque altro fosse incaricato di tenerlo a briglia: cioè zero.

Ma proprio questo era stato parte del ragionamento con cui Kushner aveva tentato di giustificare o razionalizzare con se stesso la decisione di andare oltre il ruolo di parente per accettare una carica di vertice alla Casa Bianca: la sua missione era controllare il suocero e – impresa parecchio ambiziosa per un ragazzo tanto inesperto – contribuire a prestargli una certa *gravitas*.

Per lasciare la sua prima impronta sulla nuova Casa Bianca,

Bannon aveva perseguito e ottenuto l'ordine esecutivo sull'immigrazione e il *travel ban*. Ora Kushner ci avrebbe provato orchestrando un incontro con il presidente messicano, bersaglio prediletto delle minacce e degli insulti del suocero per tutta la campagna elettorale.

Kushner decise di chiedere consiglio al novantatreenne Kissinger. La mossa doveva servire sia a lusingare l'insigne statista sia a permettere al giovane aspirante di vantare un rapporto privilegiato con lui, ma Kushner aveva anche un reale bisogno di aiuto. Al presidente messicano Trump non aveva causato altro che guai. Riuscire a invitarlo alla Casa Bianca, per giunta a dispetto della politica di non distensione di Bannon, determinato a non abbassare i toni rispetto alla campagna elettorale, sarebbe stato un notevole cambio di rotta di cui attribuirsi il merito (a patto di non parlare mai di distensione o cambio di rotta). Era questo che Kushner credeva di dover fare: seguire il presidente come un'ombra discreta e chiarire al mondo le sue vere intenzioni, smussate nei toni, se non addirittura revisionarle del tutto.

Le trattative per condurre a Washington il presidente messicano Enrique Peña Nieto cominciarono nel periodo di transizione. Kushner intravide l'opportunità di tramutare la controversia sul muro in un accordo bilaterale sull'immigrazione: una forzatura notevole della politica trumpiana. I negoziati raggiunsero l'apogeo il mercoledì successivo alla cerimonia di insediamento, con l'arrivo dal Messico di una delegazione di personalità di governo – la prima visita di leader stranieri alla Casa Bianca di Trump – per un incontro con Kushner e Reince Priebus. A riunione conclusa, Kushner riferì al suocero che Peña Nieto aveva aderito alla proposta di una visita ufficiale e aveva già avviato i preparativi.

Il giorno dopo Trump twittò: «Gli Stati Uniti hanno un disavanzo commerciale di sessanta miliardi di dollari con il Messico. L'accordo NAFTA è stato a senso unico fin dall'inizio, con un numero massiccio di...». Poi proseguì nel tweet successivo: «... posti di lavoro persi e aziende chiuse. Il muro urge, e se il Messico non è disposto a pagarlo, allora tanto vale annullare la visita imminente...».

Peña Nieto non se lo fece ripetere due volte, e tutti gli sforzi di negoziazione e diplomazia di Kushner andarono in fumo.

La mattina di venerdì 3 febbraio, Ivanka Trump entrò trafelata nella sala da pranzo del Four Seasons di Georgetown, epicentro della palude, parlando ad alta voce al cellulare: «È un casino totale, non so neanche da che parte cominciare per risolverlo...».

L'intera settimana era stata un vortice di disastri causati dall'ordine esecutivo sull'immigrazione – il decreto era al vaglio delle corti federali e veleggiava verso un secco «no» – e dall'imbarazzante fuga di notizie in merito a due telefonate presidenziali che in teoria avrebbero dovuto essere di distensione: invece nella prima Trump aveva minacciato il presidente messicano di mandare l'esercito a occuparsi dei *bad hombres*, e nell'altra aveva detto al primo ministro australiano che il fatto di dovergli parlare era stato «il compito peggiore della giornata». Come se non bastasse, il giorno prima la Nordstrom aveva annunciato la decisione di interrompere la distribuzione della linea di abbigliamento di Ivanka Trump.

La figlia trentacinquenne del presidente era in affanno. Aveva dovuto delegare su due piedi il controllo della sua azienda, e trasferire i tre figli in una nuova città, gestendo gran parte del trasloco senza l'aiuto del marito. Quando, parecchie settimane dopo, un giornalista chiese a Jared come si trovassero i suoi bambini nella nuova scuola, lui rispose che sì, frequentavano una scuola, ma al momento non ricordava quale.

Nonostante tutto, in un certo senso Ivanka stava cadendo in piedi. Fare colazione al Four Seasons era l'avverarsi di un sogno. La sala da pranzo riuniva il Gotha di Washington: la leader della minoranza della Camera dei Rappresentanti, Nancy Pelosi; l'amministratore delegato della Blackstone, Stephen Schwarzman; il noto faccendiere e lobbista nonché confidente di Clinton, Vernon Jordan; il neonominato ministro del Commercio, Wilbur Ross; l'amministratore delegato di Bloomberg Media, Justin Smith; il giornalista politico del «Washington

Post» Mark Berman; e una tavolata intera di lobbiste e insider, comprese la rappresentante storica dell'industria musicale nella capitale, Hilary Rosen, la consulente di Elon Musk, Juleanna Glover, la direttrice politica ed esecutiva di Uber, Niki Christoff, e la responsabile per le relazioni politiche della Time Warner, Carol Melton.

In un certo senso – a eccezione dell'arrivo di suo padre alla Casa Bianca e delle sue sfuriate contro la palude, di cui in sostanza facevano parte tutti i presenti – quella sala era proprio il posto adatto a lei. Sulle orme del padre, Ivanka stava trasformando se stessa e il suo nome in un marchio poliedrico per attività e prodotti, ma aveva anche scelto modelli diversi da quelli del tycoon, abbandonando i golfisti e gli uomini d'affari da lui ammirati per rivolgersi alle madri e alle imprenditrici. Prima ancora che la presidenza di suo padre fosse anche solo immaginabile, Ivanka aveva già firmato un libro, *Women Who Work: Rewriting the Rules for Success* (Donne che lavorano. Le nuove regole per il successo), per un anticipo di un milione di dollari.

Da molti punti di vista il suo era stato un viaggio sorprendente, in cui la giovane aveva dato prova di una dose di disciplina ben superiore alle ereditiere sue pari, in genere già appagate dal proprio ruolo e poco propense a impegnarsi. A ventun anni aveva recitato in un film realizzato dall'allora fidanzato Jamie Johnson, erede della Johnson & Johnson: una pellicola curiosa, persino inquietante, in cui un gruppo di ragazzini ricchi, ispirati alla cerchia di Johnson, esprime apertamente la propria infelicità, la mancanza di ambizioni e il disprezzo per la propria famiglia. (Un amico lo avrebbe querelato per quel ritratto, impegnandolo in un lunghissimo processo.) Nel film, con un accento da ricca ragazzina californiana – che anni dopo si sarebbe trasformato nella voce di una principessa Disney –, Ivanka appare superficiale e sfaccendata come tutti gli altri, ma molto meno rancorosa nei confronti dei genitori.

Aveva sempre trattato il padre con leggerezza, persino con ironia, e in almeno un'intervista televisiva aveva fatto una battuta sul suo riporto. Ne descriveva spesso la tecnica agli amici: la sommità completamente calva – resa meno evidente da un intervento di riduzione dello scalpo – veniva nascosta prendendo i ciuffi dai lati e dalla fronte, pettinandoli all'indietro e fissandoli con la lacca. La definitiva stoccata comica riguardava il colore. La tinta – marca *Just for Men* – aveva la caratteristica di scurirsi progressivamente con la durata della posa. Il biondo-arancione di Trump è il risultato diretto della sua impazienza.

L'armonia del suo rapporto con il padre era quasi sospetta. Era Ivanka la vera mini-Trump (un titolo cui un sacco di gente sembrava aspirare). Lei accettava Donald così com'era. Lo aveva aiutato non soltanto nelle trattative d'affari, ma anche nei suoi vari riassetti matrimoniali, facilitando gli ingressi e le uscite di scena. Se hai un padre canaglia e lo ammetti apertamente, invece che tragica la cosa diventa buffa e quasi tenera, come una commedia romantica. Più o meno.

Ivanka avrebbe avuto tutti i motivi per nutrire rancore. La famiglia in cui era cresciuta non era soltanto problematica, finiva anche regolarmente sbattuta in prima pagina. Ma lei era riuscita a rimuovere gli aspetti negativi di quella realtà isolandosi in un ambiente in cui il nome Trump, per quanto spesso infangato, era comunque tollerato con piglio bonario. Viveva all'interno di una bolla con altri ricchi che si frequentavano solo tra pari livello, prima gli amici delle scuole private e dell'Upper East Side di Manhattan, poi le celebrità mondane, della moda e dei media. Inoltre poteva trovare protezione e riscatto facendosi «adottare» dalle famiglie dei fidanzati, legandosi a doppio filo ai genitori dei suoi vari corteggiatori facoltosi, compresi Jamie Johnson e Kushner.

A favorire la relazione tra Ivanka e Jared era stata Wendi Murdoch, lei stessa un personaggio piuttosto bizzarro (soprattutto agli occhi del marito dell'epoca, Rupert). La nuova generazione di donne ricche stava cercando di riscrivere il ruolo dell'ereditiera, trasformandone i tratti tipici, i capricci e il *noblesse oblige* in strumenti di potere: un'ereditiera postfemminista, per così dire. Le donne che avevano aderito alla nuova dottrina si impegnavano a fare amicizia con altre persone facoltose, le migliori della categoria, e a diventare parte integrante e preziosa di una rete di ricchi, finché il loro stesso nome diventasse sinonimo di... be', di ricchezza. Non si accontentavano di ciò che avevano già: volevano di più. Il che richiedeva uno sforzo non indifferente. Il prodotto del loro impegno erano loro stesse. Erano delle startup viventi.

In fondo il padre di Ivanka si era comportato allo stesso modo: era questa l'attività di famiglia, più ancora che il settore immobiliare.

Poi Ivanka e Kushner avevano unito le forze per diventare una coppia di potere, presentandosi come emblemi del successo, dell'ambizione e della realizzazione nel nuovo mondo globalizzato, e ambasciatori di una nuova sensibilità eco-filantropico-artistica. Per questo Ivanka si era legata a Wendi Murdoch e a Daša Žukova, al tempo moglie dell'oligarca russo Roman Abramovič e presenza fissa nel mondo dell'arte internazionale; per questo, pochi mesi prima delle elezioni, aveva frequentato insieme al marito un seminario di meditazione tenuto da Deepak Chopra. Stava cercando il senso della vita, e l'aveva trovato. La trasformazione si manifestò non soltanto nella creazione di linee di abbigliamento, gioielli e calzature, o nei progetti televisivi, ma in un'attenta presenza sui social network. Infine, dopo aver imparato a padroneggiare il ruolo di impeccabile supermamma, Ivanka se ne trovò un altro: con la vittoria elettorale del padre diventò membro della famiglia reale.

Tuttavia, e a dispetto delle apparenze, il rapporto padre-figlia era tutt'altro che convenzionale. Se non basato su puro opportunismo, di certo aveva un che di mercantile. Era una questione di affari. Costruire il marchio, partecipare alla campagna elettorale e ora alla gestione della Casa Bianca: tutto rientrava nel business.

Ma che cosa pensavano *davvero* Ivanka e Jared del padre e suocero?

«C'è un grande, grande, grande affetto tra loro... Lo si vede a occhio nudo» rispose Kellyanne Conway, in buona sostanza eludendo la domanda.

«Non sono due ingenui» fu la risposta di Rupert Murdoch.

«Credo che loro lo capiscano davvero» rifletté Joe Scarborough. «E ammirano la sua energia. Ma sono obiettivi.» Cioè, precisò: lo tollerano, ma senza farsi illusioni.

La commensale di Ivanka a quella colazione del venerdì al Four Seasons era Dina Powell, una dirigente di Goldman Sachs reclutata dalla Casa Bianca.

All'indomani dell'elezione, Ivanka e Jared si erano consultati con una sfilza di avvocati ed esperti di pubbliche relazioni, molti dei quali piuttosto restii a lasciarsi coinvolgere, anche perché la coppia non sembrava tanto interessata ad ascoltare consigli quanto a trovare qualcuno disposto a confermare il loro giudizio di se stessi. Invece si sentirono dire proprio l'opposto. Circondatevi – o quantomeno cercate di familiarizzare – con figure che godono della massima credibilità nell'establishment: era questo il suggerimento reiterato da quasi tutti. In parole povere, vi serve l'aiuto di professionisti veri, perché voialtri siete dilettanti.

E il nome citato più di frequente era quello della Powell. Consigliera repubblicana poi assurta ai vertici di Goldman Sachs, Dina Habib Powell è l'esatto contrario di una conservatrice in stile Trump. Nata in Egitto ed emigrata da piccola con la famiglia, parla correntemente l'arabo. Si era fatta un nome collaborando con una serie di repubblicani di ineccepibile reputazione, compresi la senatrice texana Kay Bailey Hutchison e lo speaker della Camera dei Rappresentanti, Dick Armey. Aveva servito le amministrazioni precedenti nel ruolo di capo dell'ufficio personale e assistente della segreteria di Stato per l'istruzione e la cultura. Assunta in Goldman Sachs nel 2007, nel giro di tre anni ne era diventata socia, e responsabile del ramo filantropico dell'azienda, la Fondazione Goldman Sachs. Seguendo la tendenza comune alle carriere di molti consiglieri politici, era una regina del networking, oltre che consulente di pubbliche relazioni per le aziende, con tutte le conoscenze giuste nei palazzi del potere, e il talento di usarle.

La tavolata di lobbiste e professioniste della comunicazione presente quella mattina al Four Seasons era senz'altro più interessata a lei e al suo coinvolgimento nella nuova amministrazione che alla figlia del presidente. Ivanka Trump veniva più guardata con curiosità che presa sul serio, ma il fatto che avesse contribuito a inserire la Powell alla Casa Bianca, e che ora si incontrasse in pubblico con lei, le dava maggiore credibilità. La figlia del presidente lasciava intravedere lo spiraglio di una via alternativa al trumpismo intransigente degli altri collaboratori del padre. L'impressione degli esperti presenti in sala era di una possibile Casa Bianca ombra: magari la famiglia di Trump non stava dando l'assalto alla struttura di potere, ma di certo ne manifestava un certo entusiasmo.

Dopo il lungo colloquio a colazione, Ivanka fece il giro dei tavoli. Con il cellulare incollato all'orecchio, impartiva ordini perentori a chissà chi, ma intanto dispensava saluti calorosi, e faceva incetta di biglietti da visita.

6

La vita alla Casa Bianca

Poche settimane dopo l'elezione, gli amici di Trump si fecero un'idea: non aveva assunto il giusto contegno presidenziale o, per l'esattezza, non prendeva affatto in considerazione il nuovo ruolo e l'ipotesi di cambiare abitudini – dai tweet di primo mattino al rifiuto di attenersi al copione alle incessanti telefonate per lagnarsi di questo e quello, tutti comportamenti i cui dettagli stavano già dilagando sulla stampa – perché per lui il cambiamento non era stato tanto epocale. La gran parte dei presidenti era giunta all'investitura in seguito a una carriera politica piuttosto ordinaria, perciò il fatto stesso di trovarsi catapultati negli ambienti solenni della Casa Bianca, serviti e riveriti dai domestici, con un aereo e un'intera corte di sottoposti e consulenti a disposizione, non poteva che generare in automatico la consapevolezza reverenziale di una rivoluzione radicale nella loro vita. Ma niente di tutto ciò differiva dall'esistenza di Trump nella sua Tower, tra l'altro più lussuosa e rispondente ai suoi gusti, con servitù, guardie del corpo, cortigiani e consiglieri sempre pronti al suo comando, nonché un jet privato. Insomma, ai suoi occhi, diventare presidente non era stato chissà quale miglioramento.

Ma esisteva anche una teoria esattamente opposta: che Trump fosse frastornato dal ribaltamento improvviso di tutto il suo mondo, fino a quel momento perfettamente prevedibile e ordinato. Secondo questa versione, il settantenne Trump era abitudinario a livelli inimmaginabili. Aveva vissuto nella stessa casa, l'immenso appartamento su tre piani della Trump Tower, fin dall'inaugurazione del palazzo, nel 1983. Ogni mattina, per andare al lavoro, scendeva in ascensore i pochi piani che lo separavano dal suo ufficio, una specie di capsula del tempo rimasta inalterata dagli anni Ottanta, con gli stessi specchi dorati e le stesse, sbiadite copertine di «Time» ai muri. L'unico cambiamento sostanziale aveva riguardato la palla da football esposta in bella mostra, prima autografata da Joe Namath e adesso da Tom Brady. E, oltre le porte del suo ufficio, persino le facce erano sempre le stesse: nessuno dei suoi domestici, agenti di sicurezza, dipendenti e lacchè era mai cambiato dal tempo dell'assunzione.

«L'effetto di ritrovarsi alla Casa Bianca dopo decenni di vita sempre uguale dev'essere stato a dir poco dirompente» osservò un amico di vecchia data, con un gran sorriso al pensiero di quello scherzo – per non dire castigo – del destino.

Trump era esasperato e anche un po' spaventato dalla quantità di scarafaggi e topi che notoriamente infesta la Casa Bianca, edificio antico e sottoposto soltanto a una sporadica manutenzione e a ristrutturazioni sbrigative. Gli amici, che ammiravano le sue favolistiche proprietà immobiliari, si meravigliavano che non avesse rimesso a nuovo la residenza, ma lui sembrava intimidito dal fatto di sentirsi sempre osservato e sorvegliato.

Kellyanne Conway, la cui famiglia era rimasta nel New Jersey, e che aveva accettato l'incarico contando su un pendolarismo gestibile, dato che presto il presidente sarebbe tornato a New York, restò sorpresa quando l'ipotesi di un rientro alla Trump Tower fu di colpo depennata dai piani. A suo avviso, oltre che dall'ostilità dei newyorkesi, la decisione era motivata dall'impegno sincero del presidente a diventare «parte di questa grande casa», salvo poi precisare, menzionando la spartana e rustica residenza presidenziale nel Catoctin Mountain Park, nel Maryland: «Però a Camp David non metterà mai piede», ammettendo implicitamente le difficoltà di un adeguamento di Trump allo stile presidenziale.

La strategia del neoeletto fu di crearsi un nido nella sua

stanza privata: per la prima volta dai tempi di Kennedy, presidente e First Lady dormivano in stanze separate, anche se quella di Melania era più spesso a New York che a Washington. Già poco dopo l'insediamento Trump fece installare due schermi televisivi, in aggiunta a quello già disponibile, e una serratura sulla porta, scatenando un piccolo duello con i servizi segreti, che per motivi di sicurezza esigevano pieno accesso alla stanza. Rimproverò i domestici per aver raccolto da terra la sua camicia: «Se è sul pavimento significa che la voglio lì». Dopodiché impose una nuova regola tassativa: nessuno doveva toccare niente, soprattutto il suo spazzolino. (Da molto tempo temeva di venire avvelenato, uno dei motivi per cui amava mangiare da McDonald's: nessuno sapeva del suo arrivo e il cibo era precotto, perciò sicuro al cento per cento.) Inoltre sarebbe stato lui ad avvertire la lavanderia quando era il momento di cambiare le lenzuola e le avrebbe tolte dal letto con le sue mani.

Eccezion fatta per le serate che passava con Steve Bannon, alle sei e trenta in punto si buttava a letto con un cheeseburger, telecomandi e telefono – questi ultimi i suoi veri canali di comunicazione con il mondo – e cenava guardando i suoi tre schermi televisivi e telefonando alla sua piccola cerchia di amici, in particolare Tom Barrack, che per parte loro prendevano nota dei suoi alti e bassi umorali e poi confrontavano gli appunti.

Dopo l'avvio burrascoso, però, le cose cominciarono ad apparire più stabili, persino «presidenziali», a detta di alcuni.

Martedì 31 gennaio, durante una cerimonia accuratamente coreografata e trasmessa in prima serata, il presidente annunciò in toni ottimistici e sicuri la nomina del giudice Neil Gorsuch alla Corte suprema. Gorsuch era una combinazione perfetta: conservatore di impeccabile credibilità, uomo di esemplare probità e avvocato e giudice dalle credenziali inattaccabili. Non soltanto la nomina manteneva la promessa fatta da Trump in campagna elettorale all'establishment conservatore, ma appariva anche indiscutibilmente presidenziale.

E, come se ciò non bastasse, rappresentava una vittoria per il suo staff, che aveva visto Trump sventolare il prestigioso e remunerativo incarico sotto il naso di questo e quel candidato, per poi tentennare e cambiare idea. Compiaciuto dell'accoglienza riservata all'annuncio, e soprattutto della quasi impossibilità dei media di trovarci da ridire, Trump si spacciò per un convinto sostenitore di Gorsuch. Ma prima di prendere la decisione definitiva, si era domandato a lungo se non fosse meglio affidare l'incarico a un amico o a un fedelissimo. Ai suoi occhi, era un peccato sprecarlo su un uomo che non conosceva nemmeno.

Nel corso del processo decisionale, aveva proposto il nome di quasi tutti i suoi amici avvocati: candidati improbabili, per non dire bizzarri, nella quasi totalità dei casi, e la cui nomina non sarebbe mai e poi mai stata approvata. Uno dei nomi ricorrenti – e che riuniva in un colpo solo improbabilità, eccentricità e la certezza di una sonora bocciatura – era quello di Rudolph Giuliani.

Trump era in debito con lui. Non che in genere si preoccupasse troppo dei suoi debiti, ma quello con Giuliani era particolarmente gravoso. Non soltanto Rudy era un amico di vecchia data ma, al tempo in cui gran parte dei repubblicani – e tutti quelli di rango nazionale – gli avevano rifiutato ogni sostegno, l'ex sindaco di New York era rimasto al suo fianco: combattivo, feroce, instancabile. Soprattutto gli aveva dimostrato una lealtà indefettibile nei giorni durissimi dopo l'affaire Billy Bush: quando il mondo intero, compresi il candidato stesso, i suoi figli, Bannon e la Conway, si era convinto che la campagna fosse al tracollo, Giuliani non aveva manifestato il minimo ravvedimento, sgolandosi imperterrito in sua difesa.

Giuliani voleva la carica di segretario di Stato, e Trump gliel'aveva promessa, ma il suo staff si era opposto, per lo stesso motivo per cui il presidente ne aveva suggerito la nomina: di Giuliani Trump si fidava, perciò per tutti gli altri rappresentava un rischio. Cominciarono a insinuare dubbi sul suo stato di salute, fisica e mentale. Tramutarono persino la sua appassionata difesa di Trump nel Pussygate in una controindicazione. Gli fu offerto l'incarico di ministro della Giustizia, di consigliere della Sicurezza interna, di direttore dell'Intelligence nazionale, ma lui declinò ogni volta: o segretario di Stato o niente. Al massimo, un seggio alla Corte suprema. Lo staff interpretò quest'ultima proposta come la manifestazione di un ego spropositato, oppure la mossa di uno scacchista geniale: dato che Trump non poteva candidare un uomo apertamente favorevole all'aborto senza inimicarsi i suoi stessi sostenitori e rischiare una bocciatura della nomina, a quel punto non gli sarebbe rimasto che nominare Giuliani segretario di Stato.

Fallita anche quella strategia – la carica toccò a Rex Tillerson –, la faccenda sembrava chiusa, ma Trump continuò a tornare sull'ipotesi della Corte suprema. L'8 febbraio, nell'imminenza delle audizioni di conferma della nomina, tuttavia, il prescelto Gorsuch contestò lo scarso rispetto dimostrato da Trump nei confronti dei giudici. Per ripicca, il presidente avrebbe voluto ritirare la nomina e, nel corso delle solite telefonate serali, riprese a rimpiangere di non aver favorito il suo amico Rudy, l'unico ad avergli dimostrato una vera lealtà. Toccò a Bannon e Priebus continuare a rammentargli, ripetendolo all'infinito, che, in uno dei loro rari colpi da maestri per disinnescare potenziali controversie e conquistare i conservatori, in campagna elettorale avevano lasciato filtrare l'elenco dei papabili alla Corte suprema. E avevano promesso di attenersi a quella lista, sulla quale, manco a dirlo, Giuliani non compariva affatto.

Insomma, bisognava restare su Gorsuch. E a breve Trump avrebbe giurato di non aver mai voluto altri che lui.

Il 3 febbraio la Casa Bianca ospitò la riunione accuratamente orchestrata di uno dei neonati consigli commerciali del presidente, il Forum strategico e politico. Il gruppo comprendeva direttori di aziende di primo piano e pezzi grossi del mondo degli affari radunati dal capo della Blackstone, Stephen Schwarzman, che si occupò persino della pianificazione – stesura di un'agenda precisa, ordine delle presentazioni e assegnazione dei posti, gadget di lusso – ben più della Casa Bianca. In ogni caso era il genere di evento in cui Trump se la cavava meglio, e in cui si trovava più a suo agio. Kellyanne Conway lo avrebbe citato spesso, nel contesto di un ricorrente motivo di lagnanza: eventi di quel tipo, in cui Trump si riuniva con gente seria e capace per discutere i problemi della nazione e trovare soluzioni, erano l'anima stessa della sua Casa Bianca, e i media non ne parlavano mai.

L'idea di ospitare in situ le riunioni dei consigli commerciali era una strategia di Kushner, un approccio illuminato per distrarre Trump da quella che il genero giudicava la piattaforma oscurantista della destra. Ma, per la rabbia crescente di Bannon, il vero scopo diventò permettere a Kushner stesso di entrare in contatto con uomini d'affari di altissimo calibro.

Schwarzman rispecchiava quella che per molti era un'improvvisa e sorprendente affinità tra mondo degli affari e di Wall Street e Trump. In campagna elettorale quasi nessuno, all'interno di quell'élite, lo aveva sostenuto. Molti, se non addirittura tutti, si erano preparati a una vittoria di Hillary Clinton, assumendo squadre di consulenti per le politiche statali di area clintoniana e aderendo alla convinzione unanime dei media che un eventuale successo di Trump avrebbe garantito un crollo del mercato. Poi, di punto in bianco, sembrarono cambiare idea. Una Casa Bianca pro-deregulation e la promessa di riforme fiscali controbilanciavano di gran lunga la prospettiva di tweet scandalosi e altre manifestazioni del caos trumpiano; e quanto al mercato, dal 9 novembre, il giorno dopo l'elezione, gli indici azionari non avevano più smesso di crescere. In più, i dirigenti uscivano rinfrancati dagli incontri a quattr'occhi con Trump, ammorbiditi dalla sua arte della lusinga, e dal sollievo di aver scampato l'implacabile pressione dei Clinton (del tipo: Cosa potete fare per noi oggi? Non potremmo usare noi il vostro piano?).

Dunque sì, negli elevati consessi dirigenziali era in atto un disgelo nei confronti di Trump, ma al tempo stesso crescevano le preoccupazioni di alcuni grandi marchi sul fronte dei consumi. All'improvviso il brand Trump era diventato il più grande del mondo, una sorta di nuovo Apple, ma al contrario: un brand universalmente noto e altrettanto universalmente disprezzato (almeno presso i clienti che i grandi marchi cercavano di accaparrarsi).

Un esempio su tutti. Contattato da Schwarzman, Travis Kalanick, direttore della società di trasporto automobilistico privato Uber, aveva accettato di partecipare al consiglio. La mattina della cerimonia di insediamento del presidente, arrivando al lavoro nella sede di San Francisco, i suoi dipendenti si trovarono davanti un picchetto di gente incatenata ai cancelli. A motivare la protesta era stata l'accusa che Uber e Kalanick stessero «collaborando», un termine che non evocava esattamente l'idea di un'azienda che conduce incontri sobri con il presidente per discutere di politiche commerciali. Convinti di interpretare in termini politici il rapporto di Uber con Trump, in realtà i contestatori vedevano la situazione in termini di marchio, concentrandosi su una contraddizione sostanziale. La base degli utenti di Uber è perlopiù giovane, urbana e progressista, e perciò in diretto contrasto con il conservatorismo trumpiano. Con la loro acuta sensibilità ai marchi, i millennial consideravano il connubio come qualcosa che andava ben al di là dei tentativi di influire sulle decisioni concrete di un'amministrazione: era uno scontro epico tra identità inconciliabili. La Casa Bianca di Trump rappresentava ai loro occhi non tanto il governo e le contrattazioni tra interessi contrastanti normali in politica, quanto il simbolo per eccellenza di una cultura retriva e impopolare.

Kalanick si dimise dal consiglio. Bob Iger, amministratore delegato della Disney, si limitò ad accampare un impegno precedente, astenendosi dalla riunione inaugurale.

Ma gran parte degli altri membri – a parte Elon Musk, inventore, fondatore e finanziatore di Tesla (che in seguito si sarebbe defilato) – non proveniva da società dei settori delle comunicazioni e della tecnologia. Erano: l'amministratrice delegata di General Motors Mary Barra, Ginni Rometty di IBM, l'ex amministratore delegato di General Electric Jack Welch; l'ex amministratore delegato di Boeing Jim McNerney e Indra Nooyi di PepsiCo. Trump era stato eletto dalla nuova destra, ma preferiva i dirigenti più vecchio stampo della classifica di «Fortune».

Alla riunione si presentò con tutto il suo seguito – che sembrava accompagnarlo ovunque, camminando in sincrono con lui, e che comprendeva Bannon, Priebus, Kushner, Stephen Miller e il direttore del Consiglio economico nazionale, Gary Cohn – ma gestì i lavori senza il loro aiuto. Ciascuno dei capi d'impresa seduti intorno al tavolo affrontava un tema in agenda con un intervento di cinque minuti, dopodiché Trump si incaricava delle domande. Non sembrava essersi preparato molto – anzi, niente affatto – sui diversi argomenti, ma l'interesse e il coinvolgimento dimostrati dalle domande resero la conversazione fluida e proficua. Uno dei dirigenti osservò che era quello il suo modo preferito di raccogliere informazioni: parlare di ciò che gli interessava e indurre gli altri a fare lo stesso.

L'incontro si protrasse per due ore. Dal punto di vista della Casa Bianca, il presidente aveva dato il meglio di sé. Trump si sentiva soprattutto a suo agio con persone che rispettava, e i presenti erano, a detta sua, «i più rispettati del Paese» e loro stessi sembravano rispettare lui.

Visto il risultato, lo staff si prodigò a creare situazioni congeniali a Trump, costruendogli intorno una sorta di bolla, un muro per proteggerlo dalla cattiveria del mondo. Si sforzò di replicare la formula, organizzando udienze nello Studio Ovale o in una delle sale più formali della West Wing, con Trump in veste di protagonista di fronte a un pubblico attento, e con tanto di foto ufficiali. Spesso in quelle occasioni il presidente si comportava da direttore di scena di se stesso, indicando chi e quando poteva posare per lo scatto insieme a lui.

I media hanno un filtro diligente ma selettivo quando si tratta di descrivere la quotidianità della Casa Bianca. Il presidente e la First Family non sono – almeno di norma – soggetti alla persecuzione dei paparazzi, con i loro irriverenti scatti rubati e gli interminabili dibattiti sulla vita privata, tipici del trattamento riservato alle celebrità. Persino ai presidenti investiti dai peggiori scandali viene accordato un certo riguardo. Gli sketch presidenziali del *Saturday Night Live* risultano divertenti perché fanno leva sulla convinzione del pubblico che anche in privato i presidenti siano persone estremamente contenute e contegnose, e le loro famiglie, che li seguono da vicino, incolori e disciplinate. L'aspetto comico di Nixon consisteva proprio nella rigidità del suo puritanesimo. Persino al culmine del Watergate, e in genere ubriaco, lo si vedeva in giacca e cravatta, inginocchiato in preghiera. Nel caso di Gerald Ford il massimo del ridicolo era stato un istante di scollamento dal contegno presidenziale, quando inciampò sulla scaletta dell'Air Force One. Ronald Reagan, che con ogni probabilità manifestava già i primi sintomi dell'Alzheimer, conservò un'immagine calibratissima di calma e sicurezza. Bill Clinton, nel bel mezzo del più grande tracollo del decoro presidenziale, veniva comunque ritratto come un uomo nel pieno controllo di sé. George W. Bush, a dispetto del profondo qualunquismo, fu presentato dai media come un condottiero. In parte è l'effetto di un rigoroso controllo d'immagine, ma in parte dipende dalla percezione del presidente come leader assoluto, almeno secondo il mito nazionale.

Donald Trump si era impegnato una vita intera a proiettare quel tipo di immagine. Il suo ideale era l'uomo d'affari in stile anni Cinquanta. Aspirava a somigliare a suo padre, o perlomeno a non deluderne le aspettative. Tranne che sul campo da golf, è difficile immaginarlo con un abbigliamento diverso dal completo da ufficio, perché di fatto non indossa altro. Il decoro – cioè un'aria di rettitudine e rispettabilità – è una delle sue fisse. Si sente a disagio quando gli uomini che lo circondano non sono in giacca e cravatta. La formalità e le convenzioni – prima che diventasse presidente, chiunque non vantasse uno status di celebrità o un patrimonio miliardario doveva chiamarlo «signor Trump» – sono un aspetto cruciale della sua identità. Il casual è nemico dell'affettazione. E l'affettazione di Trump consisteva nell'atteggiarsi a uomo potente, ricco, arrivato.

Il 5 febbraio il «New York Times» pubblicò un servizio sulla vita nella Casa Bianca in cui si raccontava che di notte il presidente vagava per la residenza, smarrito e in vestaglia: erano passate due settimane dall'insediamento e lui non aveva ancora imparato a usare gli interruttori. Trump diede di matto.

Disse – e non sbagliava di molto – che lo si ritraeva come una persona instabile, una Norma Desmond in *Viale del tramonto*, una star al capolinea intrappolata in un mondo immaginario. (L'interpretazione dell'articolo del «Times» era opera di Steve Bannon, ma gli altri non persero tempo a adottarla.) Inutile dire che, ancora una volta, i cattivi erano i media, che si permettevano nei suoi confronti una licenza impensabile per qualsiasi altro presidente.

Non che avesse torto. Il «New York Times», in difficoltà a trattare una presidenza che giudicava apertamente aberrante, aveva aggiunto ai suoi reportage dalla Casa Bianca una nuova forma di cronaca. Oltre a riferire le esternazioni del presidente – sceverando il superfluo dal rilevante –, tendeva a evidenziarne, spesso addirittura in prima pagina, gli aspetti assurdi, penosi, fin troppo umani. I due reporter della testata più spesso presenti alla Casa Bianca, Maggie Haberman e Glenn Thrush, sarebbero diventati parte della costante litania di Trump sul fatto che i media gliel'avevano giurata. Thrush sarebbe addirittura diventato protagonista degli sketch in cui il *Saturday Night Live* si prendeva gioco del presidente, dei suoi figli, dell'addetto stampa Sean Spicer e dei suoi consiglieri Bannon e Conway.

Spesso fantasioso nella sua descrizione del mondo, Trump era molto obiettivo in merito all'idea che aveva di sé. Perciò confutò il ritratto che lo raffigurava come un semidemente, o quantomeno un uomo profondamente confuso, che vagava di notte nella Casa Bianca, dichiarando di non aver mai indossato una vestaglia.

«Sul serio, ti sembro il tipo da averne una?» domandò, con aria divertita, a quasi chiunque si trovasse davanti per le successive quarantotto ore. «Davvero, riesci a immaginarmi in vestaglia?»

Chi era la fonte occulta dell'informazione? Per Trump, la divulgazione di dettagli della sua vita privata diventò d'un tratto più importante della fuga di qualsiasi altro genere di notizie.

La redazione di Washington del «New York Times», piuttosto preoccupata per l'assenza della prova regina, la vestaglia, rispose con un outing: la fonte dell'informazione era Steve Bannon.

Bannon, che si spacciava per una tomba, era di fatto diventato un loquacissimo informatore segreto, la gola profonda universale. La sua indole era arguta, intensa, affabulatrice e traboccante, e la discrezione teorica aveva lasciato il posto a una cronaca costante e semipubblica delle affettazioni, della frivolezza e dell'irreparabile mancanza di serietà di tutti gli altri alla Casa Bianca. Già alla seconda settimana di presidenza, chiunque lavorasse lì pareva aver stilato un proprio elenco degli informatori più probabili e faceva del suo meglio per batterli sul tempo.

Ma un'altra probabile fonte di informazioni sulle angosce che attanagliavano l'inquilino numero uno della Casa Bianca era lui stesso. Nelle telefonate dalla camera da letto, che si susseguivano giorno e notte, Trump parlava spesso con persone che non avevano alcun motivo di rispettare il riserbo. Era un fiume di lamentele – comprese quelle sul fatto che, vista da vicino, la Casa Bianca era proprio una topaia – e molti destinatari di quelle chiamate divulgarono i dettagli delle sue rimostranze al sempre vigile e spietato mondo del gossip.

Il 6 febbraio Trump fece appunto una di quelle telefonate impulsive e non sollecitate, riversando senza alcun vincolo di confidenzialità il suo fiume di rabbia e autocommiserazione all'orecchio di una conoscenza superficiale nei media newyorkesi. La telefonata non aveva altro scopo plausibile se non quello di sfogare la sua esasperazione per il disprezzo implacabile dei media e la slealtà del suo staff.

In cima alla lista c'erano il «New York Times» e la sua reporter, Maggie Haberman, definita «una sciroccata». Gail Collins del «Times», che aveva scritto un articolo in cui confrontava sfavorevolmente Trump con il vicepresidente Pence, era «una deficiente». Poi, sempre alla voce dei media più detestabili, Trump passò alla CNN e all'assoluta slealtà del suo presidente, Jeff Zucker. Dichiarò che era stato «Trump a creare Zucker», parlando di sé in terza persona e riferendosi al successo di *The Apprentice*. Di più: Trump gli aveva ottenuto «di persona» il lavoro alla CNN. «Proprio così, sono stato io» affermò.

Così ripeté una storia che raccontava ossessivamente a qualsiasi interlocutore. A una cena, non ricordava quando, il suo vicino a tavola era un «galantuomo di nome Kent», senz'altro Phil Kent, ex amministratore delegato di Turner Broadcasting, la divisione della Time Warner responsabile della CNN. Il galantuomo in questione aveva «un elenco di quattro nomi», tre dei quali sconosciuti a Trump, che però aveva riconosciuto il quarto, Jeff Zucker, per via di *The Apprentice*. «Era l'ultimo della lista e ho convinto io quel Kent a piazzarlo al primo posto. Non avrei dovuto, perché Zucker non è poi tanto intelligente, ma mi piace dimostrare che ho il potere di fare certe cose.» E una volta ottenuto l'incarico, Zucker – peraltro «un vero disastro, che ha combinato un casino con gli ascolti» – aveva cambiato atteggiamento, e aveva giudicato «incredibilmente disgustoso» il contenuto del dossier russo, compresa la pratica delle piogge dorate, alla quale, secondo la CNN, Trump aveva partecipato con varie prostitute.

Liquidato Zucker, il presidente degli Stati Uniti si addentrò in dettagli sulle piogge dorate. Dopodiché definì l'intero dossier parte di una campagna diffamatoria con cui i media cercavano – invano, peraltro – di sfrattarlo dalla Casa Bianca. Quella era gente che non sapeva perdere e, siccome lo odiava per aver vinto, si era messa a diffondere balle assurde, cose inventate al cento per cento, falsità totali, per esempio l'articolo di copertina di «Time» di quella settimana – a proposito, rammentò al suo interlocutore, lui sulla copertina di «Time» era apparso più volte di qualsiasi altro personaggio nella storia – in cui si attribuiva a Steve Bannon, che invece era un bravissimo ragazzo, la dichiarazione di essere lui il vero presidente. «Quanta influenza credi che abbia Steve Bannon su di me?» chiese, imbufalito, ripetendo la domanda e poi anche la risposta: «Zero! Zero!». Il che valeva anche per suo genero, che aveva ancora un sacco da imparare.

I media non stavano danneggiando soltanto lui, disse – non cercava né conferme né alcun tipo di risposta –, ma anche il suo potere negoziale, e di conseguenza l'intera nazione. Valeva anche per il *Saturday Night Live*, che forse si credeva spiritoso, ma in realtà remava contro tutta la popolazione del Paese. E, d'accordo, magari era inevitabile che un programma come il *Saturday Night Live* si prendesse gioco di lui, ma adesso stavano proprio esagerando: erano davvero in malafede. Per giunta la loro satira rientrava nella categoria delle fake news, perché lui aveva esaminato di persona tutti gli sketch sugli altri presidenti e non aveva visto nulla di paragonabile alle caricature toccate a lui, per quanto anche Nixon venisse trattato in modo molto ingiusto. «Kellyanne, che è una a posto, ha documentato tutto. Puoi vederlo con i tuoi occhi, se vuoi.»

Il punto, disse, era che quel giorno lui aveva salvato settecento milioni annui, trattenendo negli Stati Uniti posti di lavoro che senza il suo intervento sarebbero finiti in Messico, e, invece di parlarne, i media lo descrivevano in vestaglia, «che io non ho, perché non ho mai avuto una vestaglia in vita mia. Non le uso, non sono quel tipo di uomo». I media stavano minando la dignità della Casa Bianca, quando invece «la dignità è una cosa così importante». Però Murdoch, «che prima non mi aveva mai telefonato, manco una volta», adesso lo chiamava di continuo. Già solo questo la diceva tutta.

Il monologo durò ventisei minuti.

7

Russia

Iniziarono a sospettare di Sally Yates ancora prima che ce ne fosse motivo. Secondo la relazione sulla transizione, Trump non avrebbe apprezzato la cinquantaseienne di Atlanta, laureata alla University of Georgia e con una carriera nel Dipartimento di Giustizia, proposta per fare le funzioni di attorney general. Era qualcosa che aveva a che fare con un certo tipo di gente legata a Obama. Il modo in cui camminavano e si comportavano. Un'aria di superiorità. Un atteggiamento tipico di donne che avrebbero immediatamente dato sui nervi a Trump: le donne intorno a Obama, per esempio, e anche quelle intorno a Hillary. E in seguito la cortesia sarebbe stata estesa anche alle «donne del Dipartimento di Giustizia».

Fra Trump e i funzionari governativi esisteva un divario incolmabile. Lui arrivava a comprendere i politici, ma faceva molta fatica a gestire questo tipo di burocrati, il loro temperamento e le loro motivazioni. Non riusciva a capire cosa volessero. Perché mai si dovrebbe desiderare un posto fisso nel governo? «Qual è il massimo a cui possono aspirare? Duecentomila dollari?» chiese stupito.

L'assegnazione del ruolo di «facente funzione» a Sally Yates, nell'attesa che il ministro della Giustizia designato, Jeff Sessions, ricevesse la conferma del Senato, si sarebbe potuta evitare. E Trump si sarebbe infuriato perché ciò non era accaduto. Ma la Yates era la vice in carica, e il ruolo di attorney general dev'essere ricoperto da qualcuno che abbia ricevuto l'approvazione del Senato. Così, malgrado si sentisse prigioniera in un territorio ostile, la Yates aveva accettato l'incarico.

Tenendo conto di questo contesto, le curiose informazioni da lei riferite al consigliere della Casa Bianca Don McGahn durante la prima settimana dell'amministrazione – questo prima che, nella seconda settimana, si rifiutasse di applicare l'ordine esecutivo sull'immigrazione e fosse prontamente rimossa – sembrarono non soltanto sgradite, ma persino sospette.

Il nuovo consigliere per la Sicurezza nazionale, Michael Flynn, aveva liquidato gli articoli del «Washington Post» su una sua conversazione privata con l'ambasciatore russo Sergej Kisljak affermando che si era trattato solo di una chiacchierata amichevole. Aveva assicurato alla squadra di transizione – di cui faceva parte il vicepresidente Pence – di non aver discusso con il diplomatico le sanzioni dell'amministrazione Obama contro la Russia, e Pence aveva ribadito pubblicamente quella smentita.

La Yates adesso stava dicendo alla Casa Bianca che la conversazione di Flynn con Kisljak era stata «raccolta casualmente» nell'ambito di un programma autorizzato. In pratica la Foreign Intelligence Surveillance Court – la corte che interviene sulla sorveglianza dei servizi di intelligence stranieri – aveva autorizzato un'intercettazione telefonica dell'ambasciatore russo e, per caso, aveva registrato il dialogo con Flynn.

La FISA Court aveva vissuto il suo momento di notorietà quando le rivelazioni di Edward Snowden l'avevano trasformata nella bestia nera dei liberal, furiosi per le intrusioni nella privacy dei cittadini, e adesso poteva godersi un altro momento di gloria, questa volta da amica dei liberal, che speravano di utilizzare quelle intercettazioni telefoniche «casuali» per provare il coinvolgimento della campagna di Trump in una cospirazione di vasta portata con la Russia.

Poco dopo McGahn, Priebus e Bannon, che già nutrivano dubbi sull'affidabilità e il buonsenso di Flynn – «un cazzone», per usare l'espressione di Bannon –, si consultarono sulla comunicazione della Yates. A Flynn fu chiesto di nuovo della sua telefonata con Kisljak e gli fu detto che probabilmente era stata registrata. Ma lui continuò a negare di aver affrontato temi rilevanti con l'ambasciatore russo.

Alcuni alla Casa Bianca definirono così la soffiata della Yates: «È come se avesse sorpreso il marito della sua migliore amica a flirtare con un'altra donna e avesse deciso di fare la spia per una questione di principio».

In realtà, ciò che più allarmava la Casa Bianca era come avesse fatto la Yates a procurarsi così facilmente il nome di Flynn, quando nelle intercettazioni raccolte in maniera casuale i nomi dei cittadini americani dovrebbero essere «camuffati» e dovrebbero essere necessarie complesse procedure per «smascherarli». La sua denuncia, inoltre, sembrava confermare che la soffiata al «Washington Post» su quelle registrazioni provenisse da fonti dell'FBI, del Dipartimento di Giustizia e dell'amministrazione Obama. E questa era soltanto parte di una fuga sempre più fuori controllo di notizie e informazioni riservate che finivano al «Post» e al «New York Times».

Nel valutare la situazione, la Casa Bianca finì per considerare Flynn – che diventava sempre più difficile da gestire – un problema minore e la Yates una vera e propria minaccia: il Dipartimento di Giustizia, con il suo esercito di funzionari e procuratori vicini a Obama, teneva nel mirino la squadra di Trump.

«È scorretto» disse Kellyanne Conway, seduta nel suo ufficio non ancora arredato al secondo piano, interpretando i sentimenti feriti del presidente. «È palesemente scorretto. Scorrettissimo. Hanno perso. Non hanno vinto. È così ingiusto. Il presidente non vuole parlarne.»

Nessuno voleva parlare della Russia, e nessuno era stato incaricato di farlo, sebbene quella storia, come tutti sapevano prima ancora di mettere piede alla Casa Bianca, avrebbe sicuramente segnato il primo anno dell'amministrazione Trump. Nessuno era preparato ad affrontarla.

«Non c'è motivo di parlarne» disse Sean Spicer, seduto sul divano nel suo ufficio, incrociando le braccia. «Non ce n'è motivo» ribadì.

Per parte sua, il presidente non usò il termine «kafkiano»,

anche se avrebbe potuto farlo. Riteneva la polemica sulla Russia insensata, inspiegabile e priva di qualsiasi fondamento. Se ne stavano solo lasciando irretire.

Durante la campagna elettorale erano sopravvissuti a uno scandalo – quello di Billy Bush – da cui nessuno della cerchia ristretta di Trump credeva di uscire vivo, solo per ritrovarsi travolti dall'affare russo. Paragonato al Pussygate, il Russiagate sembrava una specie di ultima spiaggia per i detrattori del presidente. Il fatto era che il problema non accennava a scomparire e, incomprensibilmente, la gente pareva prendere la faccenda sul serio, benché fosse a dir poco irrilevante.

Tutta colpa dei media.

La Casa Bianca si era abituata agli scandali denunciati dai media, ma anche a vederli dissolversi in fretta. Questo, però, non accennava a sgonfiarsi. Era una cosa frustrante.

Secondo la cerchia di Trump quello che il «Washington Post» definiva «l'attacco della Russia al nostro sistema politico» era la prova schiacciante non soltanto dei pregiudizi dei media nei confronti del presidente, ma anche della loro chiara intenzione di ricorrere a qualsiasi mezzo per indebolirlo. («È terribilmente ingiusto, soprattutto in assenza di prove che anche un solo voto sia stato modificato» dichiarò la Conway). La questione era insidiosa. Per la squadra di Trump, sebbene nessuno l'abbia messa in questi termini, era simile a quelle oscure cospirazioni contro i Clinton che i repubblicani avevano usato per accusare i democratici: gli scandali Whitewater, Bengasi, Emailgate. In altre parole, un interesse ossessivo che dà luogo a indagini, che a loro volta conducono ad altre indagini, e a una copertura mediatica sempre più stringente e senza scampo. Era la politica moderna: complotti senza esclusione di colpi per distruggere le persone e le loro carriere.

La reazione della Conway quando le venne suggerito il paragone con lo scandalo Whitewater confermò l'ipotesi dell'ossessione: iniziò subito a discutere i particolari del coinvolgimento di Webster Hubbell, una figura quasi dimenticata, e le colpe dello studio legale Rose in Arkansas, del quale Hillary Clinton era socia. Tutti credevano ai complotti denunciati dal proprio schieramento, respingendo con decisione quelli attribuiti a loro. Definire qualcosa un complotto equivaleva a rifiutarlo.

Dal canto suo, Steve Bannon, che aveva personalmente promosso molte cospirazioni, liquidò la storia della Russia con un intervento da manuale: «È puro complottismo». E, aggiunse, la squadra di Trump non era in grado di macchinare nulla di simile.

A due sole settimane dall'insediamento del nuovo presidente, lo scandalo russo aveva tracciato una linea di demarcazione, con le due parti che si accusavano a vicenda di diffondere notizie false.

La maggioranza della Casa Bianca credeva fermamente che la storia fosse inventata di sana pianta e basata su argomenti deboli se non completamente folli: cospirare con i russi per truccare le elezioni, che idiozia! Il mondo anti-Trump, invece, e in particolare i suoi media, ovvero i media in generale, ritenevano che ci fossero elevate probabilità di scovare qualcosa di molto interessante.

Se i media, con una certa supponenza, vedevano nello scandalo russo il proiettile d'argento per distruggere il presidente, e la Casa Bianca di Trump lo considerava, con una punta di autocommiserazione, un disperato tentativo di architettare uno scandalo, c'erano anche altre posizioni di cui tener conto.

I democratici del Congresso – come era successo a loro con lo scandalo Bengasi – avevano tutto da guadagnare nell'insistere che dove c'era fumo (benché si stessero dando da fare con i mantici) doveva esserci fuoco, e usarono le indagini per sostenere la loro opinione minoritaria (e i singoli membri del Congresso per promuovere se stessi).

Per i repubblicani, invece, le indagini erano una carta da giocare contro il carattere vendicativo e volubile di Trump. Difenderlo – o *non* difenderlo e, anzi, possibilmente perseguirlo – avrebbe garantito loro una nuova merce di scambio nei rapporti con il presidente.

L'intelligence, con la sua miriade di piccoli feudi sospettosi nei confronti di Trump come di qualsiasi altro presidente neoeletto, avrebbe potuto minacciare di lasciar trapelare informazioni per proteggere i propri interessi.

L'FBI e il Dipartimento di Giustizia avrebbero valutato le prove e le opportunità a loro disposizione attraverso le consuete lenti di rettitudine e carrierismo. («Il Dipartimento di Giustizia è pieno di procuratori donne, come la Yates, che lo odiano» dichiarò un assistente di Trump, in una singolare interpretazione di genere del problema.)

Se la politica consiste nel mettere alla prova la forza, l'intelligenza e la pazienza del proprio avversario, il caso russo, a prescindere dalle prove empiriche, è stato un test piuttosto ingegnoso, disseminato di trappole insidiose. In effetti, per molti versi la questione non era tanto la Russia quanto l'esercizio di forza, intelligenza e pazienza, qualità di cui Trump sembrava del tutto sprovvisto. La continua insistenza su un possibile reato sebbene non ci fosse un vero reato e nessuno avesse ancora accennato a un atto esplicito di complicità o a qualsiasi altra chiara violazione della legge – rischiava di spingere a un tentativo di insabbiamento che si sarebbe davvero trasformato in un crimine. O di causare una tempesta perfetta di stupidità e cupidigia.

«Prendono tutto quello che dico e lo esagerano» si lamentò il presidente durante una telefonata a notte fonda nella sua prima settimana alla Casa Bianca. «Esagerano tutto. Persino le mie esagerazioni.»

Franklin Foer, ex direttore di «New Republic», con sede a Washington, aveva sostenuto la tesi di un complotto Trump-Putin mesi prima, in un articolo pubblicato il 4 luglio 2016 su «Slate». Il suo pezzo rifletteva il clima di incredulità che si era improvvisamente diffuso tra i media e l'intellighenzia politica: Trump, il candidato non serio, per motivi incomprensibili, stava diventando più o meno serio. E in qualche modo, a causa della sua precedente mancanza di serietà e della sua natura ispirata allo slogan «Ciò che vedi è ciò che avrai» – l'uomo d'affari spaccone, con i suoi fallimenti, i casinò e i concorsi di bellezza –, era riuscito a eludere i controlli. Per chi aveva studiato il caso Trump – e dopo trent'anni di attenzione morbosa che gli era stata dedicata ormai ce n'erano parecchi – gli affari immobiliari di New York erano sporchi, le speculazioni di Atlantic City erano sporche, la sua compagnia aerea era sporca, Mar-a-Lago, con i suoi campi da golf e gli alberghi, era sporca. Sarebbe bastata una sola di queste rivelazioni per distruggere un candidato ragionevole. Ma, per qualche strano motivo, nella candidatura di Trump era stato accettato un livello inaudito di corruzione. D'altra parte, era quello il piano su cui si muoveva: «Farò per tutti voi quello che un uomo d'affari di successo fa per se stesso».

Per vedere davvero la corruzione, bisognava spostarla su un palcoscenico più grande, e Foer ne stava suggerendo uno spettacolare.

Assemblando una dettagliata tabella di marcia per uno scandalo che non esisteva ancora e senza avere in mano alcuna prova concreta, Foer riuscì già a luglio a mettere insieme tutti gli argomenti fondamentali, compresi le circostanze e molti dei vari personaggi che avrebbero giocato un ruolo importante nei successivi diciotto mesi. (All'insaputa del pubblico e anche di molti addetti ai lavori della politica e dei media, a quel punto la Fusion GPS aveva assunto l'ex spia inglese Christopher Steele per indagare su un legame fra Trump e il Cremlino.)

Putin mirava alla rinascita del potere russo e, allo stesso tempo, a mettere fine alle intromissioni da parte dell'Unione Europea e della NATO. Il rifiuto di considerare il presidente russo come una specie di fuorilegge – per non parlare di quella che sembrava una vera e propria ammirazione per lui – significava che Trump vedeva di buon occhio le sue ambizioni e avrebbe potuto a tutti gli effetti promuoverle.

Perché? Perché un politico americano avrebbe dovuto abbracciare pubblicamente, e con un certo servilismo, Vladimir Putin e incoraggiare quello che l'Occidente considerava l'avventurismo russo?

Teoria 1: Trump è attratto dagli uomini forti e autoritari. Secondo Foer, il tycoon era da tempo affascinato dalla Russia, tanto da essersi fatto abbindolare da un sosia di Gorbačëv che era stato in visita alla Trump Tower negli anni Ottanta. Per non parlare delle sue esagerate e inutili «odi a Putin». Questo suggerirebbe una vulnerabilità del tipo «chi va con lo zoppo impara a zoppicare»: frequentare o guardare con favore i politici il cui potere risiede in parte nella loro tolleranza della corruzione ti avvicina alla corruzione. Allo stesso modo, Putin è sempre stato attratto da uomini forti con tendenze populistiche come lui. Di conseguenza, si chiedeva Foer: «Perché i russi non dovrebbero garantirgli gli stessi aiuti sottobanco offerti alla Le Pen, a Berlusconi e altri?».

Teoria 2: Donald Trump era inserito in un contesto internazionale di imprese non considerate al top dell'affidabilità (anzi molto lontane dall'esserlo), che si alimentavano grazie a fiumi di ricchezze dubbie generate dai tentativi di spostare denaro, soprattutto dalla Russia e dalla Cina, per metterlo fuori dalla portata della politica. Questo denaro o almeno le voci su di esso potevano rappresentare una possibile spiegazione, per quanto circostanziale, riguardo gli affari di Trump che in gran parte rimanevano segreti. (A questo proposito c'erano due teorie contraddittorie: Trump aveva nascosto questi affari o perché non voleva ammettere la loro portata irrisoria, o per celarne la natura illecita.) Vista la sua scarsa affidabilità creditizia, Foer è stato tra i molti ad aver ipotizzato che il tycoon sia stato costretto a cercare altre fonti: denaro più o meno sporco o denaro con altri tipi di vincoli. (Uno dei modi in cui questo procedimento può funzionare, in parole povere, è il seguente: un oligarca investe in un fondo di investimento di terze parti più o meno legittimo, che, in cambio, investe su Trump.) Lui ha negato categoricamente di aver accettato prestiti o investimenti dalla Russia, ma, d'altra parte, nessuno dichiarerebbe ufficialmente il denaro sporco tra i propri redditi.

Inoltre Trump, da sempre poco scrupoloso nel valutare i suoi collaboratori, si circondò di imbroglioni che agivano per il proprio tornaconto, aiutando di tanto in tanto anche i suoi affari. Foer ha identificato i seguenti personaggi come protagonisti di un possibile complotto russo:

- Tevfik Arif, ex ufficiale russo che gestiva il Bayrock Group, un intermediario finanziario di Trump con un ufficio nella Trump Tower.
- Felix Sater (a volte scritto Satter), di origini russe, immigrato a Brighton Beach, Brooklyn. Prima di iniziare a lavorare per il Bayrock Group era stato in carcere per frode in relazione a una società di brokeraggio gestita dalla mafia. Il suo biglietto da visita lo identificava come consigliere senior di Donald Trump. (Nel prosieguo della vicenda, il nome di Sater sarebbe emerso diverse volte, ma a Bannon Trump disse di non conoscerlo.)
- Carter Page, un banchiere con dei trascorsi in Russia che si vantava di aver lavorato come consulente per la società petrolifera statale Gazprom. Il suo nome compariva su un elenco abbozzato di consiglieri per la politica estera di Trump e, a quanto sarebbe poi emerso, l'FBI lo stava tenendo d'occhio perché sospettava che fosse stato ingaggiato dall'intelligence russa. (Trump avrebbe in seguito negato ogni incontro con Page, e l'FBI avrebbe confermato che i servizi russi avevano messo gli occhi sul banchiere.)
- Michael Flynn, ex capo della Defense Intelligence Agency, allontanato da Obama per ragioni non chiare, non era ancora ufficialmente consigliere di Trump per la politica estera e consigliere per la Sicurezza nazionale, ma aveva accompagnato il tycoon in diverse tappe della campagna elettorale. Nel 2016 aveva ricevuto un onorario di 45.000 dollari per un discorso tenuto a Mosca ed era stato fotografato a cena in compagnia di Putin.
- Paul Manafort, che, oltre a ricoprire il ruolo di direttore della campagna elettorale di Trump, era stato, come ricorda Foer, consulente di Viktor Janukovyč, il candidato sostenuto dal Cremlino nella sua corsa vittoriosa alla presidenza dell'Ucraina nel 2010 (era stato destituito nel 2014). Manafort aveva inoltre lavorato per l'oligarca russo Oleg Deripaska, considerato molto vicino a Putin.

A distanza di un anno, ciascuno di questi uomini sarebbe stato protagonista dell'incessante ciclo di notizie dedicato quasi ogni giorno al caso Russia-Trump.

Teoria 3: Il nocciolo dell'articolo era la supposizione che Trump e i russi, forse persino Putin in persona, si fossero alleati per colpire il Comitato nazionale democratico.

Teoria 4: Infine c'era la teoria di quelli che lo conoscono meglio e che gran parte dei sostenitori di Trump avrebbe in qualche modo finito per abbracciare. Era stata solo una mossa da ruffiano: Trump aveva portato il suo concorso di bellezza in Russia perché pensava che Putin sarebbe diventato suo amico. Ma a Putin non sarebbe potuto importare di meno, e alla fine Trump si era ritrovato alla cena di gala tra un tizio che sembrava non aver mai tenuto in mano una forchetta e una specie di Jabba the Hutt con la polo. In altre parole, Trump – per quanto sciocco potesse sembrare il suo essersi fatto abbindolare, e per quanto sospetto apparisse in retrospettiva – cercava solo un minimo di riconoscimento.

Teoria 5: I russi, in possesso di informazioni compromettenti su Trump, lo stavano ricattando.

Il 6 gennaio 2017, circa sei mesi dopo la pubblicazione dell'articolo di Foer, CIA, FBI e NSA annunciarono di essere giunti alla seguente conclusione: «Nel 2016 Vladimir Putin ha ordito una campagna per influenzare le elezioni presidenziali americane». La circostanza era confermata dal dossier Steele, dalle continue fughe di notizie dai servizi segreti statunitensi, oltre che da testimonianze e dichiarazioni dei vertici delle agenzie di intelligence americane. C'era stato, e forse c'era ancora, un patto scellerato tra la campagna elettorale di Trump e il governo russo.

Tutto questo, però, poteva ancora essere interpretato come una pia illusione dagli avversari di Trump. «Il presupposto fondamentale di questo caso è che le spie dicano la verità» dichiarò il giornalista investigativo Edward Jay Epstein. «Chi l'avrebbe mai detto?» E, in effetti, la maggiore preoccupazione della Casa Bianca non era l'accusa di collusione – che sembrava poco plausibile, se non farsesca –, ma la possibilità che, se le rivelazioni avessero avuto inizio, sarebbero emersi i loschi affari di Trump (e di Kushner). Su questo argomento i vertici dello staff presidenziale mantenevano il più assoluto riserbo, chiudendo occhi, orecchie e bocca.

L'opinione diffusa (e del tutto sui generis) non era che Trump fosse colpevole di ciò di cui era accusato, ma che lo fosse di molto altro. E il rischio era che il torbido venisse a galla.

Il 13 febbraio, dopo poco più di venti giorni di attività della nuova amministrazione, il consigliere per la Sicurezza nazionale Michael Flynn diventò il primo collegamento reale tra la Russia e la Casa Bianca.

A ben guardare, Flynn aveva un solo sostenitore nell'amministrazione Trump: il presidente. Durante la campagna elettorale avevano avuto una buona intesa e dopo l'insediamento il rapporto di amicizia si era trasformato in una relazione di completa fiducia. Vista dalla parte di Flynn, questa circostanza fu all'origine di una serie di malintesi comuni nella cerchia del presidente: il sostegno da parte di Trump era un indice del tuo status alla Casa Bianca e il suo livello di adulazione – la dimostrazione di un legame profondo – significava che per lui, quindi per la sua Casa Bianca, eri quasi onnipotente. Trump, sull'onda della propria predilezione per i generali, aveva persino preso in considerazione la possibilità di nominare Flynn suo vice.

Inebriato dalle lusinghe di Trump durante la campagna elettorale, Flynn – un generale di livello inferiore e anche piuttosto inaffidabile – si era trasformato in un burattino del presidente. Quando gli ex generali stringono alleanze con candidati politici, di solito si ritagliano un posto di dispensatori di esperienza caratterizzati da una speciale maturità. Flynn, invece, era diventato un sostenitore fanatico, parte essenziale dello show itinerante di Trump, uno degli urlatori che sproloquiavano in apertura di comizio. Il suo inesauribile entusiasmo e la sua cieca lealtà gli erano serviti per avvicinarsi all'orecchio di Trump, al quale adesso poteva sussurrare le sue teorie anti-intelligence.

Durante la prima fase della transizione, quando Bannon e Kushner sembravano gemelli siamesi, uno dei loro scopi era stato arginare Flynn e il suo messaggio spesso problematico.

Come maliziosamente insinuato da Bannon, il sottotesto nella valutazione di Flynn da parte della Casa Bianca era che il ministro della Difesa Mattis fosse un generale a quattro stelle, mentre lui uno a tre.

«Mi piace Flynn, mi ricorda i miei zii» diceva Bannon. «Ma è proprio questo il problema: mi ricorda i miei zii.»

Bannon sfruttò con tutti, tranne che con il presidente, la nomea di cui godeva Flynn per assicurarsi un posto nel Consiglio per la Sicurezza nazionale. Per molti nell'ambiente, fu una delle tappe significative della scalata al potere della destra nazionalista. Ma la presenza di Bannon nel Consiglio era motivata anche dalla necessità di tenere sotto controllo l'impetuoso Flynn, incline a inimicarsi quasi tutti gli altri funzionari. (Flynn, secondo un veterano dell'intelligence, era «un colonnello con l'uniforme da generale».)

Dopo aver conquistato, contro ogni aspettativa, la Casa Bianca, Flynn, come tutti coloro che circondavano Trump, era rimasto ammaliato dalla sensazione quasi mistica del potere. E, inevitabilmente, le circostanze lo avevano reso ancora più arrogante.

Nel 2014 Flynn era stato bruscamente allontanato dal governo e ne attribuiva la colpa ai suoi numerosi nemici nella CIA. Ma non si era fatto abbattere e si era rimesso in piedi nel mondo degli affari, unendosi alle file di ex funzionari governativi che approfittavano delle reti politico-affaristiche in cui, su scala globale, si intrecciano gli interessi di finanza, imprese e governi. Poi, dopo aver flirtato con una serie di altri candidati repubblicani, si era legato a Trump. Sia lui sia il tycoon erano antiglobalisti, o quantomeno credevano che il mercato globale fosse una fregatura per gli Stati Uniti. Ma i soldi erano soldi, e Flynn – che con la sua pensione da generale incassava appena qualche centinaio di migliaia di dollari all'anno – non disdegnava alcuna fonte di guadagno. Vari amici e consulenti, tra cui Michael Ledeen – la cui figlia lavorava ora per lui –, conoscenza di vecchia data con posizioni anti-Iran e anti-CIA, coautore del suo libro, gli avevano suggerito di non accettare incarichi dalla Russia e di rifiutare anche le più importanti «consulenze» offerte dalla Turchia.

Era il genere di negligenza di cui si macchiavano quasi tutti nella cerchia di Trump, compresi il presidente stesso e la sua famiglia. Era come se si fossero sdoppiati in due dimensioni e, pur proseguendo nella campagna presidenziale, continuavano anche a comportarsi come se – cosa di cui erano quasi certi – Trump non sarebbe mai diventato presidente. Il che significava che dovevano mandare avanti anche gli affari di altra natura.

All'inizio di febbraio, un avvocato dell'amministrazione Obama, amico di Sally Yates, osservò con un certo piacere e notevole acume: «È strano vivere la propria vita senza prendere in seria considerazione l'eventualità di essere eletti e poi invece vincere le elezioni. Senza dubbio è una grande opportunità per gli avversari».

Da questo punto di vista, non era soltanto lo scandalo russo a incombere sull'amministrazione, ma anche la sensazione che l'intera comunità dei servizi segreti diffidasse di Flynn e, in un certo senso, lo ritenesse responsabile del fatto che tra il presidente e i servizi segreti non corresse buon sangue. Era Flynn il vero bersaglio. All'interno della Casa Bianca c'era anche il sospetto che qualcuno stesse offrendo un tacito accordo: Flynn in cambio della benevolenza dei servizi segreti.

Allo stesso tempo, in quella che alcuni consideravano una conseguenza diretta della rabbia del presidente a proposito delle insinuazioni sulla Russia – in particolare quelle sulle piogge dorate –, Trump sembrava essersi avvicinato ancora di più a Flynn, gli garantiva la sua protezione e sosteneva che le accuse del caso russo, sia quelle legate a Flynn sia quelle che lo riguardavano direttamente, fossero «spazzatura». Dopo l'allontanamento del generale, la spiegazione offerta alla stampa menzionava i crescenti dubbi di Trump sul suo consigliere, ma in realtà era vero il contrario: più i dubbi su Flynn si moltiplicavano, più il presidente era certo che fosse lui il suo alleato più importante.

La letale fuga di notizie che mise fine al breve mandato di Michael Flynn potrebbe essere partita tanto dai nemici del consigliere per la Sicurezza nazionale all'interno della Casa Bianca, quanto dal Dipartimento di Giustizia.

Mercoledì 8 febbraio Karen DeYoung del «Washington Post» fece visita a Flynn per quella che era stata annunciata come un'intervista «non ufficiale». L'incontro non avvenne nell'ufficio del consigliere, ma nella stanza più elegante dell'Eisenhower Executive Office Building: la stessa in cui i diplomatici giapponesi avevano aspettato di incontrare il segretario di Stato Cordell Hull quando fu informato dell'attacco a Pearl Harbor.

In apparenza si trattava di un'intervista di routine e la DeYoung, con un piglio da tenente Colombo, cercò di non destare sospetti quando affrontò la questione fondamentale: «I miei colleghi mi hanno chiesto di farle una domanda. Ha mai parlato con i russi delle sanzioni?».

Flynn confermò di non aver mai avuto conversazioni di quel tipo, e l'intervista, alla quale partecipò il portavoce e alto funzionario del Consiglio per la Sicurezza nazionale Michael Anton, si concluse poco dopo.

Più tardi, quello stesso giorno, la DeYoung telefonò ad Anton e gli chiese di poter divulgare la dichiarazione di Flynn. Anton disse che non ci sarebbe stato alcun problema – in fondo, la Casa Bianca voleva che la smentita fosse chiara – e informò Flynn della cosa.

Poche ore dopo il generale lo richiamò, preoccupato. L'altro gli pose una semplice domanda: «Se sapessi che potrebbe esistere una registrazione di quella conversazione, saresti comunque sicuro al cento per cento?».

Flynn rispose in modo ambiguo. Allarmato, Anton gli consigliò di «fare marcia indietro».

L'articolo del «Post», dal quale appariva evidente che l'intervista della DeYoung non aveva messo il punto finale alla vicenda, conteneva nuovi dettagli a proposito della telefonata con Kisljak, nella quale secondo il giornale era stata indubbiamente affrontata la questione delle sanzioni. L'articolo citava anche la smentita di Flynn – «Ha negato due volte» – e il suo tentativo di fare marcia indietro: «Giovedì Flynn ha ritrattato la sua versione tramite il suo portavoce. Quest'ultimo ha affermato che Flynn "non ricorda di aver parlato delle sanzioni, ma non è certo che l'argomento non sia mai stato affrontato"».

Dopo l'articolo del «Post», Priebus e Bannon interrogarono di nuovo Flynn, che dichiarò di non essere sicuro di cos'avesse detto. Se l'argomento delle sanzioni è venuto fuori, si giustificò, è stato al massimo di passaggio. Stranamente, nessuno sembrava aver ascoltato la conversazione con Kisljak o letto una trascrizione.

Nel frattempo, la squadra del vicepresidente, colta alla sprovvista da quell'improvvisa polemica, iniziava a risentirsi: non tanto per le possibili false dichiarazioni di Flynn, ma per il fatto di essere stata tenuta fuori. Il presidente, invece, era tranquillo – o, in un'altra versione dei fatti, «sulla difensiva» – e, sotto lo sguardo di disapprovazione della Casa Bianca, decise di portare Flynn con sé a Mar-a-Lago per il suo appuntamento del fine settimana con Shinzō Abe, il primo ministro giapponese.

Sabato sera, in uno spettacolo quantomeno bizzarro, la terrazza di Mar-a-Lago si trasformò in una Situation Room a cielo aperto, dove il presidente Trump e il primo ministro Abe discussero apertamente di come rispondere al lancio di un missile a trecento miglia dal Mar del Giappone da parte della Corea del Nord. In piedi alle spalle del presidente c'era Michael Flynn. Se Bannon, Priebus e Kushner erano convinti che il destino del generale fosse in bilico, Trump sembrava di tutt'altro parere.

Per lo stato maggiore della Casa Bianca, la preoccupazione di fondo non era tanto sbarazzarsi di Flynn, ma il rapporto di quest'ultimo con il presidente. In cosa Flynn – in pratica una spia vestita da soldato – poteva aver coinvolto Trump? Cosa potevano aver combinato insieme?

Il lunedì mattina, Kellyanne Conway apparve sulla MSNBC per pronunciare un convinto discorso in difesa del consigliere per la Sicurezza nazionale. «Sì» affermò, «il generale Flynn gode della piena fiducia del presidente.» Alcuni pensarono che quella dichiarazione fosse una prova che la Conway fosse fuori dai giochi, invece era molto più probabile che avesse parlato direttamente con Trump.

Quella mattina una riunione alla Casa Bianca aveva fallito nell'impresa di convincere Trump ad allontanare Flynn. Il presidente temeva di dare una cattiva impressione licenziando il suo consigliere per la Sicurezza nazionale dopo appena ventiquattro giorni. Ed era stato categorico nel non voler incolpare Flynn per aver parlato con i russi, nemmeno se si fosse scoperto che aveva davvero affrontato la questione delle sanzioni. Secondo Trump, stigmatizzare il suo consigliere avrebbe finito per coinvolgerlo in un complotto inesistente. La sua furia non era diretta contro Flynn, ma contro l'intercettazione «casuale» che aveva registrato la conversazione. Chiarendo la fiducia che nutriva per lui, Trump insistette affinché Flynn lo accompagnasse al pranzo con il primo ministro canadese, Justin Trudeau.

Il pranzo fu seguito da un altro incontro. Nel frattempo erano emersi ulteriori dettagli della telefonata e si iniziava a speculare sugli onorari pagati a Flynn da diversi enti russi. Si stava inoltre diffondendo la teoria che le fughe di notizie da parte della comunità dell'intelligence, ovvero l'intero scandalo russo, fossero state orchestrate ad arte per colpire il consigliere per la Sicurezza nazionale. Infine, qualcuno iniziava a insinuare che l'allontanamento di Flynn fosse necessario, non tanto per i suoi contatti con i russi, ma per aver mentito su di essi al vicepresidente. In realtà, tuttavia, quella gerarchia di comando sembrava inventata su due piedi, per convenienza: Flynn, infatti, non faceva rapporto al vicepresidente Pence e, con ogni probabilità, era molto più potente di lui.

Trump, in ogni caso, trovò di suo gradimento la nuova motivazione e alla fine si vide costretto ad avallare la sua rimozione dall'incarico.

Ciononostante, il presidente non smise di riporre la sua fiducia in Flynn: anzi, i nemici di Flynn erano i suoi nemici. E la Russia restava una pistola puntata contro la sua tempia. Per quanto controvoglia, era stato costretto ad allontanarlo, ma il generale rimaneva il suo uomo.

Flynn, espulso dalla Casa Bianca, era diventato il primo collegamento diretto fra Trump e la Russia. E, a seconda di cosa avesse scelto di dire e a chi, era potenzialmente la persona più potente di Washington.

8

L'organigramma

All'ex ufficiale di marina Steve Bannon erano bastate due settimane per capire che la Casa Bianca assomigliava in tutto e per tutto a una base militare: un ufficio governativo con la facciata di una villa e alcune stanze cerimoniali protette da un complesso sistema di sicurezza. Il contrasto era sorprendente: sullo sfondo l'ordine della gerarchia militare e in primo piano il caos degli occupanti civili di passaggio.

È difficile immaginare qualcosa che sia più in disaccordo con la disciplina militare dell'organizzazione di Trump. Non c'è una vera e propria gerarchia: la piramide si riduce a una sola persona al comando e una folla alla base che sgomita per attirare la sua attenzione. Il lavoro non è organizzato in base a una precisa divisione dei compiti: qualunque cosa possa attirare l'attenzione del capo diventa l'obiettivo su cui si focalizzano tutti. Funzionava così nella Trump Tower e il modello adesso viene replicato anche alla Casa Bianca.

In passato lo Studio Ovale era stato usato dai presidenti come simbolo del potere supremo: l'apice del cerimoniale. Appena arrivato, Trump aveva portato nella stanza una collezione di bandiere da sistemare intorno alla sua scrivania, trasformandola di fatto nel teatro dei suoi disastri quotidiani. Probabilmente avvicinarsi a un presidente non è mai stato tanto facile come con lui. Quasi tutte le riunioni ospitate nello Studio Ovale erano affollatissime, oppure interrotte da una lunga fila di fedeli servitori ansiosi di partecipare: tutti si sforzavano di essere sempre presenti. Individui circospetti si aggiravano nella stanza senza uno scopo preciso: Bannon trovava sempre una scusa per restare in un angolo a studiare una pila di documenti e intervenire poi con un'ultima parola, Priebus teneva d'occhio Bannon, Kushner teneva costantemente sotto controllo gli altri. Trump apprezzava la presenza fissa della Hicks, della Conway e, spesso, di Omarosa Manigault, sua ex partner in *The Apprentice*, insignita di un titolo ad hoc per poter essere presente alla Casa Bianca. Come sempre, Trump voleva un pubblico appassionato e non si lasciava sfuggire l'occasione per incoraggiare i presenti ad avvicinarsi a lui. Con il tempo, tuttavia, avrebbe preso nota di coloro che sembravano più ansiosi di ingraziarselo.

Una buona gestione aiuta a ridimensionare l'ego. Ma nella Casa Bianca di Trump l'impressione era che, se qualcosa non succedeva in presenza del presidente, era come se non fosse mai accaduta: a Trump non importava e la riconosceva a malapena, limitandosi spesso a uno sguardo vacuo. Questa circostanza spiegherebbe anche perché le assunzioni nella West Wing e nel ramo esecutivo si muovessero a rilento: l'immensa macchina burocratica era nascosta alla vista del presidente e, di conseguenza, per lui del tutto priva di interesse. Nel frattempo, i visitatori restavano disorientati dalla mancanza di personale: dopo essere stati accolti con un saluto militare dall'ufficiale di marina in divisa all'ingresso, infatti, scoprivano che non c'era nessun addetto all'accoglienza e gli ospiti vagavano confusi attraverso il labirinto di corridoi della vetta del potere occidentale.

Trump, ex cadetto – per quanto poco entusiasta – dell'accademia militare, aveva promosso un ritorno ai valori e alle competenze militari. In realtà, però, cercava soprattutto di preservare il suo personale diritto di sfidare o ignorare la sua stessa organizzazione. Anche questo, naturalmente, aveva un senso: non avere alcuna struttura gerarchica era il modo più efficace per aggirare e tiranneggiare i sottoposti. Era solo uno dei risvolti paradossali del corteggiamento di Trump nei confronti di personalità militari del calibro di James Mattis,

H.R. McMaster e John Kelly: questi ultimi, infatti, si ritrovarono a lavorare per un'amministrazione del tutto refrattaria al rispetto delle regole base dell'autorità.

Praticamente fin da subito, la West Wing fu costretta ad affrontare il susseguirsi quasi quotidiano delle voci che davano la persona incaricata di gestirla – il capo di gabinetto Reince Priebus – sul punto di perdere il lavoro, in alcuni casi specificando che se era ancora al suo posto era solo perché era stato assunto da troppo poco tempo per giustificarne il licenziamento. Ma nessuno nella ristretta cerchia di Trump dubitava, per dirlo in parole povere, che, appena il suo allontanamento non avesse causato troppo imbarazzo al presidente, Priebus sarebbe stato rimosso. La conseguenza logica che ne derivava era una sola: nessuno si sentiva tenuto a prestargli attenzione. Priebus, che durante la transizione aveva dubitato di poter resistere fino all'insediamento, adesso si chiedeva se sarebbe riuscito a sopportare quello stillicidio per almeno un anno, periodo tutto sommato decoroso, ma in breve si vide obbligato a ridurre il suo obiettivo a sei mesi.

In assenza di qualsiasi rigore organizzativo, spesso era il presidente stesso a farsi da capo di gabinetto e anche – elevandone il lavoro a compito primario dello staff – da addetto stampa di se stesso: rivedeva i comunicati, dettava dichiarazioni, rispondeva ai giornalisti al telefono, con il risultato che il vero addetto stampa fungeva unicamente da parafulmine. Come se non bastasse, i suoi parenti facevano da direttori generali ad hoc in qualsiasi settore per il quale nutrissero un minimo di interesse. Nel frattempo Bannon viveva in una specie di universo parallelo, gestendo operazioni o lanciando imprese di cui nessun altro era a conoscenza. Così a Priebus, al centro di un ingranaggio che un centro non ce l'aveva, veniva spontaneo pensare che non avesse alcun motivo per essere lì.

D'altra parte, proprio per il fatto di sembrare una pedina del tutto sacrificabile, il presidente pareva apprezzarlo sempre di più. Priebus sopportava gli abusi verbali sulla sua statura in modo affabile, o quantomeno stoico: era come un sacco da boxe da prendere a pugni quando le cose andavano male. E, con grande piacere e disgusto di Trump, non reagiva mai.

«Adoro Reince» disse il presidente. «Chi altri potrebbe svolgere il suo lavoro?»

Soltanto il disprezzo reciproco impediva ai tre uomini di pari livello della West Wing – Priebus, Bannon e Kushner – di azzannarsi l'un l'altro.

Agli albori della presidenza, la situazione sembrava chiara a tutti: tre uomini stavano lottando per il potere alla Casa Bianca, per diventare il vero capo di gabinetto e lavorare alle spalle del trono di Trump. Ma bisognava anche tener conto che il presidente non voleva cedere il potere a nessuno.

La trentaduenne Katie Walsh si trovava nel bel mezzo di questo intreccio.

Katie Walsh, vicecapo di gabinetto della Casa Bianca, rappresentava, almeno ai suoi stessi occhi, un certo ideale repubblicano: era semplice, vivace, ordinata ed efficiente. Una vera burocrate, graziosa ma con un'espressione eternamente accigliata, la Walsh era un buon esempio di quei professionisti della politica le cui competenze e capacità organizzative trascendono l'ideologia. (Vale a dire: «Preferirei lavorare per un'organizzazione con una gerarchia ben definita di cui non condivido i valori, che per una caotica che in teoria riflette meglio i miei ideali».) La Walsh era il classico colletto bianco, una creatura della palude. Le sue specialità erano organizzare gli obiettivi in base alle priorità, coordinare il personale, gestire le risorse. Si vedeva come una persona concreta e affidabile. E senza grilli per la testa.

«Prima che qualcuno incontri il presidente dovrebbero succedere almeno una sessantina di cose» spiegò. «A seconda della persona in questione si decide quale segreteria di gabinetto avvertire; il presidente dovrebbe ricevere un briefing sulle procedure da un "addetto ai lavori" che deve poi ragguagliare i membri dello staff di competenza e, oh, il tizio va controllato... Dopodiché ci si occupa della comunicazione: per prima cosa bisogna appurare se è una faccenda di rilevanza nazionale o locale e di conseguenza se rivolgersi alle testate giornalistiche o organizzare una diretta televisiva nazionale... Il tutto prima anche solo di arrivare a sfiorare questioni politiche o di pubbliche relazioni... Inoltre, per ogni persona che il presidente incontra ce ne sono altre alle quali c'è da spiegare perché non ha tempo di riceverle, altrimenti andranno lì fuori a spalare merda sull'ultima persona ammessa...»

La Walsh rappresentava ciò che la politica dovrebbe essere, o ciò che era stata. Un'attività gestita – e tendenzialmente nobilitata – da seri professionisti. La politica – come dimostra la triste monotonia degli abiti che si indossano a Washington – è una questione di metodo e temperamento. Le meteore abbagliano ma non durano.

Dopo gli studi in una scuola cattolica femminile di St. Louis (porta ancora al collo una croce di diamanti) e l'opera di volontaria nelle campagne elettorali locali, la Walsh frequentò la George Washington University. I college di Washington e dintorni, in fondo, sono tra i principali vivai di talenti della palude (il governo non è una professione da Ivy League). Nel bene e nel male, la maggior parte delle organizzazioni governative e politiche non è gestita da manager con un master in Business Administration, ma dai giovani che si sono distinti solo per la loro serietà, ambizione e idealismo nel settore pubblico. (È un'anomalia della politica repubblicana che i giovani motivati a lavorare nel settore pubblico si ritrovino a dover cercare di limitarlo.) Gli avanzamenti di carriera dipendono dalla tua capacità di apprendere e di andare d'accordo con il resto della palude e stare al suo gioco.

Nel 2007 la Walsh diventò direttrice finanziaria della campagna elettorale di McCain per il Midwest: dal momento che era laureata in marketing e finanza, le affidarono il libretto degli assegni. Poi passò a ricoprire il ruolo di vicedirettrice finanziaria del Comitato nazionale dei senatori repubblicani, poi di vice e in seguito direttrice finanziaria del Comitato nazionale repubblicano. Infine, prima di approdare alla Casa Bianca, fu nominata capo dello staff del Comitato nazionale repubblicano e del suo presidente, Reince Priebus.

A ben vedere, la sopravvivenza della campagna elettorale

di Trump potrebbe essere dipesa non tanto dall'intervento dei Mercer – e dalla conseguente imposizione di Bannon e della Conway a metà agosto –, quanto dalla rassegnazione all'idea di doversi affidare alla generosità del Comitato nazionale repubblicano. Quest'ultimo, infatti, conosceva le regole del gioco e disponeva dei mezzi necessari per vincere. Altri candidati forse non avrebbero accettato di dipendere da quel covo di serpenti del Comitato, ma la campagna di Trump aveva scelto di darsi una struttura organizzativa diversa. Alla fine di agosto Bannon e la Conway, con il consenso di Kushner, stipularono un accordo con il Comitato, nonostante le resistenze di Trump, il quale riteneva che, se erano arrivati da soli fino a quel punto, non era il caso di mettersi in ginocchio a un passo dal traguardo.

La Walsh diventò fin da subito un personaggio chiave della campagna elettorale: una coordinatrice efficientissima senza la quale poche organizzazioni riescono a funzionare. Facendo la spola tra il quartier generale del Comitato nazionale repubblicano a Washington e la Trump Tower, fu il timoniere che mise a disposizione della campagna le risorse politiche nazionali.

Se negli ultimi mesi della corsa alla presidenza e durante la transizione Trump fu spesso un disastro, la sua squadra – in parte perché non aveva altra scelta se non collaborare con il Comitato senza creare problemi – si mostrò molto più reattiva e compatta di quella di Hillary Clinton, nonostante quest'ultima potesse contare su risorse molto più ampie. Di fronte alla catastrofe e alla prospettiva di un'umiliazione apparentemente certa, lo staff di Trump fece fronte comune, con Priebus, Bannon e Kushner che andavano d'amore e d'accordo.

Ma quel cameratismo sopravvisse appena qualche giorno nella West Wing.

Katie Walsh capì quasi subito che l'obiettivo condiviso della campagna e l'urgenza del periodo di transizione si erano dileguati appena i membri del team di Trump avevano messo piede alla Casa Bianca. Erano passati dalla prospettiva di gestire Donald Trump a quella di essere gestiti da lui, o quantomeno per suo tramite e quasi esclusivamente per i suoi scopi. Ciononostante il presidente, pur proponendo un allontanamento radicale dai consueti modi di fare politica, aveva poche idee concrete su come trasformare i suoi slogan e le sue battute al vetriolo in una vera strategia, e non poteva contare sull'aiuto di una squadra unita.

Di solito, alla Casa Bianca, politica e azione si muovono dall'alto verso il basso, con lo staff che cerca di mettere in pratica ciò che il presidente vuole. O quantomeno ciò che il capo di gabinetto dice che il presidente vuole. Con il nuovo governo, fin dalla prima occasione – l'ordine esecutivo sull'immigrazione voluto da Bannon –, il processo decisionale compiva il percorso inverso e consisteva nel suggerire, procedendo per tentativi, ciò che si credeva corrispondesse ai desideri del presidente, e nello sperare che Trump si convincesse di averci pensato lui (un risultato al quale spesso si contribuiva suggerendo che fosse stata una sua idea).

Trump, osservò la Walsh, ha un suo bagaglio di convinzioni e istinti, molti dei quali saldamente radicati nella sua mente, alcuni piuttosto contraddittori, ben pochi compatibili con le convenzioni della politica. In buona sostanza, il lavoro della Walsh e degli altri membri dello staff consisteva nel tradurre una serie di desideri e impulsi in un programma politico, un processo che richiedeva molte congetture e ipotesi. Era, come ammise lei stessa, «un po' come cercare di capire cosa vuole un bambino».

Ma dare suggerimenti non è affatto semplice. Si tratta, senza dubbio, di una delle questioni centrali della presidenza di Trump, un elemento che permea ogni aspetto della sua politica e della sua leadership: il presidente non elabora le informazioni in modo razionale, anzi, in un certo senso non le elabora affatto.

Trump non legge, non si sforza nemmeno di dare una rapida scorsa. Qualsiasi cosa sia stampata per lui non esiste. Alcuni erano convinti che fosse a tutti gli effetti un semianalfabeta. (C'erano state discussioni al riguardo, perché aveva dimostrato di saper leggere i titoli dei giornali e gli articoli a lui dedicati, oltre alla sezione gossip del «New York Post».) Secondo altri è dislessico. Di certo la sua capacità di comprensione è limitata. Altri ancora giunsero alla conclusione che non leggeva perché non ne aveva bisogno. In effetti, in quanto populista, questa è una delle sue caratteristiche chiave. Poiché tiene in considerazione solo la televisione, è l'incarnazione stessa della post-alfabetizzazione.

Ma Trump non si limita a non leggere: non ascolta nemmeno. Preferisce essere lui a parlare. Più di chiunque altro, si fida della sua esperienza, non importa quanto sia misera o insignificante. Come se non bastasse, la sua soglia di attenzione è estremamente bassa, anche nei rari casi in cui pensa che il suo interlocutore sia degno di essere ascoltato.

I vari membri dello staff, quindi, avevano bisogno di darsi delle giustificazioni razionali per potersi fidare di un uomo che, pur sapendo poco, si affidava al cento per cento al proprio istinto e alle proprie convinzioni, per di più volubili.

Questo era il principio fondamentale della Casa Bianca di Trump: la competenza, quella virtù tanto osannata dai liberal, era sopravvalutata. In fondo, anche le persone che avevano lavorato sodo per acquisire le proprie conoscenze spesso prendevano decisioni sbagliate. Quindi, per arrivare al nocciolo dei problemi, forse la pancia era altrettanto utile – se non di più – dell'atteggiamento da secchioni fissati con i dati, incapaci di vedere a un palmo dal proprio naso, che sembrava funestare la politica americana. Forse. *Magari.*

Naturalmente, a parte il presidente, nessuno ci credeva davvero.

Alla base di tutto c'era una convinzione incrollabile, che in qualche modo riusciva a prevalere sull'impulsività, eccentricità e incompetenza di Trump: nessuno diventa presidente degli Stati Uniti – la classica eventualità da cammello che passa attraverso la cruna dell'ago – senza possedere una scaltrezza e un'astuzia fuori dal comune, no? Nei primi giorni della sua presidenza, questo era l'assunto fondamentale del suo più stretto entourage, condiviso dalla Walsh e da tutti gli altri: Trump sapeva esattamente cosa stava facendo, sotto la superficie era senza dubbio un uomo profondo e perspicace.

Ma la sua presunta perspicacia e il suo grande intuito avevano un'altra faccia, difficile da ignorare: spesso Trump si mostrava sicuro di sé, certo, ma altrettanto spesso si sentiva come paralizzato e la sua reazione era quella di seguire con convinzione il suo istinto, che avrebbe sempre saputo consigliargli la cosa giusta da fare. Durante la campagna elettorale, Trump era diventato una specie di soldatino. Il suo staff era ammirato dalla sua energia, dal suo costante desiderio di non stare fermo un attimo: saliva sull'aereo, scendeva e poi saliva su un altro, passando di comizio in comizio orgoglioso di aver partecipato a più eventi di chiunque altro – il doppio di Hillary! – senza mai rinunciare a mettere in ridicolo il ritmo lento della sua avversaria. «Quest'uomo non smette mai di fare il Donald Trump» osservò Bannon con quello che poteva sembrare un elogio, poco prima di unirsi alla campagna elettorale a tempo pieno.

Fu durante le prime riunioni di Trump con l'intelligence, che si svolsero poco dopo la sua conquista della nomination, che tra i membri del suo staff risuonarono i primi campanelli d'allarme: il candidato pareva completamente incapace di acquisire informazioni da terze parti. O forse gliene mancava l'interesse. Quale che fosse la ragione, sembrava allergico all'idea di dover prestare attenzione a qualcosa. Boicottava ogni pagina stampata e si tirava indietro davanti alle spiegazioni. «Ha sempre odiato la scuola» disse Bannon. «E non comincerà ad amarla adesso.»

Per quanto allarmante, la condotta di Trump offriva anche un'opportunità alle persone a lui più vicine: se fossero riuscite a capirlo, osservando le abitudini e le reazioni istintive che i suoi avversari in affari avevano imparato a volgere a proprio vantaggio, sarebbero state in grado di controllarlo, di *manovrarlo.* Tuttavia, se anche la strategia avesse funzionato una volta, nessuno sottovalutava la difficoltà di riuscire a mantenere la barra nella stessa direzione anche il giorno successivo.

Uno dei modi per stabilire cosa Trump volesse, quali fossero la sua posizione e i suoi obiettivi politici di base – o almeno quelli che potevano vendergli come suoi –, fu l'improbabile tentativo di analizzare i suoi discorsi improvvisati, i commenti casuali e i tweet pubblicati durante la campagna.

Bannon esaminò scrupolosamente le dichiarazioni di Trump, cercando di evidenziarne possibili intuizioni e punti programmatici. Parte dell'autorità di Bannon nella nuova Casa Bianca dipendeva dal suo ruolo di custode degli impegni elettorali del presidente, meticolosamente annotati su una delle lavagne bianche nel suo ufficio. Trump ricordava alcune di quelle promesse, e ne era entusiasta. Di altre aveva poca memoria, ma era comunque felice di averle fatte. Bannon interpretava il ruolo del discepolo ed elevò Trump a proprio guru, o meglio, a divinità imperscrutabile.

Ciò si tradusse in un ulteriore tentativo di giustificare Trump, o di cogliere la sua verità. «Il presidente è stato molto chiaro su quello che intende comunicare agli americani» dichiarò Katie Walsh. Ed era «eccellente nel trasmettere il suo messaggio». Al tempo stesso, tuttavia, era costretta ad ammettere che non fosse affatto lapalissiano il modo in cui aveva intenzione di portarlo a compimento. Trump era un «ispiratore non operativo».

Kushner, avendo compreso che quella lavagna rappresentava non tanto il programma del presidente quanto quello di Bannon, si chiese quanti punti fossero stati modificati. Fece diversi tentativi per interpretare da solo i desideri di suo suocero, ma alla fine dovette gettare la spugna.

Anche Mick Mulvaney, ex rappresentante della Carolina del Sud alla Camera, ora a capo dell'ufficio per la gestione e il bilancio e incaricato di individuare i fondi che avrebbero sovvenzionato il programma della presidenza Trump, fu costretto a fare affidamento sui suoi discorsi. Il libro di Bob Woodward del 1994, *La Casa Bianca dei Clinton*, è un resoconto dettagliato dei primi diciotto mesi della presidenza Clinton, durante i quali la definizione del budget era stata uno dei punti più importanti. Il presidente, all'epoca, sembrava aver investito la maggior parte del proprio tempo in un'analisi accurata per decidere come stanziare le risorse. Nel caso di Trump, però, questo genere di impegno fisso e continuativo era inconcepibile. Le questioni di bilancio erano troppo irrilevanti per lui.

«Le prime due volte che sono stato alla Casa Bianca un membro dello staff ha dovuto presentarmi: "Questo è Mick Mulvaney, il direttore del bilancio".» Secondo Mulvaney, Trump era troppo sconclusionato per essere di aiuto e tendeva a interrompere la pianificazione con domande che sembravano ispirate dalla recente visita di un lobbista o da improvvise associazioni di idee. Se al presidente interessava qualcosa, di solito aveva già un'opinione precisa sull'argomento, basata su informazioni limitate. In caso contrario, non aveva né opinioni né informazioni al riguardo. Di conseguenza, il team del bilancio fu costretto ad affidarsi ai discorsi tenuti da Trump durante la campagna elettorale e tentare di cavarne fuori i temi di politica generale da inserire nella pianificazione.

La Walsh, con il suo ufficio nei pressi dello Studio Ovale, occupava l'epicentro in cui avveniva lo scambio di informazioni tra il presidente e il suo staff. In qualità di principale assistente di Trump, aveva il compito di scandire il suo tempo e organizzare il flusso di informazioni che gli venivano trasmesse sulla base delle priorità stabilite dalla Casa Bianca. Per questo motivo la Walsh si ritrovò tra i piedi i tre uomini più impegnati nell'impresa di manovrare il presidente: Bannon, Kushner e Priebus.

Ognuno dei tre considerava Trump come una sorta di pagina bianca. E ciascuno di loro – la Walsh se ne rese conto con crescente incredulità – aveva un'idea diversa su come riempire o riscrivere quella pagina. Bannon era un militante di estrema destra, Kushner un democratico di New York e Priebus rappresentava l'establishment repubblicano. «Steve vuole espellere un milione di persone dal Paese, revocare l'Obamacare e imporre una caterva di tariffe doganali che metteranno in ginocchio i nostri commerci, mentre Jared vuole inserire nell'ordine del giorno il problema della tratta di esseri umani e sostenere Planned Parenthood.» Priebus, invece, voleva che Donald Trump fosse un tipo di repubblicano del tutto diverso.

Per come la vedeva la Walsh, Steve Bannon stava dirigendo la Casa Bianca di Steve Bannon, Jared Kushner quella di Michael Bloomberg e Reince Priebus quella di Paul Ryan. Sembrava un videogioco degli anni Settanta, con la pallina bianca che rimbalzava avanti e indietro in un triangolo nero.

Priebus – che in teoria era l'anello debole, lasciando liberi Bannon e Kushner di alternarsi, a vario titolo, nel ruolo di capo di gabinetto – si rivelò essere come quei cani di piccola taglia che non fanno altro che abbaiare. Per Bannon e Kushner, il trumpismo rappresentava una politica del tutto slegata dalle tendenze repubblicane predominanti, con il primo che le screditava apertamente e il secondo che, di fatto, agiva come un democratico. Priebus, nel frattempo, aveva assunto il ruolo di difensore dell'establishment repubblicano.

Fu quindi con somma irritazione che Bannon e Kushner scoprirono che Priebus aveva un suo programma personale: seguire il precetto del leader della maggioranza del Senato Mitch McConnell, secondo il quale «questo presidente firmerà qualunque cosa gli venga messa sotto il naso», approfittando inoltre dell'inesperienza politica e legislativa della nuova presidenza per appaltare il maggior numero di decisioni possibile al Congresso.

Nelle prime settimane della nuova amministrazione, Priebus organizzò alla Casa Bianca un incontro tra lo speaker della Camera dei Rappresentanti Paul Ryan, malgrado quest'ultimo fosse stato una spina nel fianco per la maggior parte della campagna elettorale, e i presidenti delle principali commissioni. Nel corso della riunione, Trump annunciò spensieratamente di non aver mai avuto molta pazienza per le commissioni e di essere felice di sapere che altri volessero occuparsene. Da quel momento in poi Ryan diventò un'altra figura con accesso illimitato al presidente alla quale Trump, per niente interessato alle strategie legislative o alle procedure, concesse una virtuale carta bianca.

Era difficile immaginare qualcuno che incarnasse meglio di Paul Ryan tutto ciò a cui Bannon si opponeva. L'essenza del «bannonismo» (e del «mercerismo») era un isolazionismo radicale, un protezionismo proteiforme e un deciso keynesianismo. Tali principi, che Bannon attribuiva al suo trumpismo, erano quanto di più lontano si potesse immaginare dall'ideologia repubblicana. Inoltre Bannon considerava Ryan, in teoria un mago della politica, ottuso e persino incompetente, e ne fece il bersaglio costante delle battute di scherno che sussurrava nei corridoi. Tuttavia, benché il presidente avesse inspiegabilmente accolto la coppia Priebus-Ryan, non poteva fare a meno di Bannon.

L'abilità straordinaria di Bannon – sviluppata in parte perché sembrava capire e interpretare le parole del presidente meglio del presidente stesso e in parte attraverso la scaltra determinazione a mantenere un basso profilo (messa a dura prova dalle sue manie di protagonismo) – consistette nel convincere Trump che le opinioni del suo consigliere fossero in tutto e per tutto derivate da lui. Bannon non si occupava di promuovere il dibattito interno, né di fornire criteri razionali per il programma politico o realizzare presentazioni in PowerPoint. Era piuttosto l'equivalente della radio personale di Trump. Il presidente poteva attivarlo in qualsiasi momento, e apprezzava che le dichiarazioni e le opinioni di Bannon fossero costantemente coerenti e sempre a sua disposizione. Inoltre, proprio come una radio, Trump poteva metterlo a tacere quando voleva, e lui sarebbe rimasto strategicamente in silenzio fino alla successiva accensione.

Kushner non aveva né l'immaginazione politica di Bannon né i legami istituzionali di Priebus: era il suo rapporto con la famiglia Trump a garantirgli una certa autorità. E in più, essendo miliardario, poteva contare su una vasta cerchia di potenti newyorkesi e ricconi internazionali, conoscenti e amici di Trump ai quali il presidente sarebbe voluto piacere più di quanto non piacesse in realtà. In questo, Kushner diventò il rappresentante dell'establishment liberal alla Casa Bianca. Era qualcosa di simile a quello che un tempo veniva chiamato «repubblicano Rockefeller» e che ora si sarebbe potuto invece definire «democratico Goldman Sachs». Kushner – e, forse ancora di più, Ivanka – era lontano sia da Priebus, il repubblicano evangelico sostenuto dalla Sun Belt, sia da Bannon, il sovvertitore antipartitico e populista di estrema destra.

Chiusi nel proprio angolo, i tre perseguivano strategie diverse. Bannon fece tutto il possibile per scavalcare Priebus e Kushner nel tentativo di portare avanti la guerra per il trumpismo/bannonismo il più rapidamente possibile. Priebus, lamentandosi dei «neofiti della politica e parenti del capo», subappaltò il suo ordine dei lavori a Ryan e al Senato. E Kushner, su una delle curve di apprendimento più ripide della storia della politica (non che gli altri alla Casa Bianca non fossero su una curva ripida, ma la sua forse lo era più di tutte), dimostrando una certa ingenuità mentre aspirava a ricoprire uno dei ruoli più importanti al mondo, sosteneva di agire con calma e moderazione. Ciascuno poteva contare su gruppi di riferimento opposti gli uni agli altri: i bannonisti perseguivano il loro obiettivo di rottamare tutto in breve tempo, il Comitato nazionale repubblicano di Priebus si concentrava sulle opportunità per il programma repubblicano, Kushner e sua moglie facevano del proprio meglio per far sembrare il loro imprevedibile parente misurato e razionale.

E nel mezzo c'era Trump.

«I tre gentiluomini che gestiscono le cose», come li aveva freddamente definiti Katie Walsh, servivano a Trump per motivi diversi. La Walsh capì che Bannon era la sua fonte di ispirazione, gli dava uno scopo, mentre la coppia Priebus-Ryan prometteva di svolgere quello che gli sembrava il lavoro specifico del governo. Per parte sua, Kushner coordinava al meglio i ricchi che parlavano con il presidente di notte, invitandoli spesso a metterlo in guardia da Bannon e Priebus.

I tre consiglieri entrarono in aperto conflitto alla fine della seconda settimana, in seguito alla débâcle dell'ordine esecutivo sull'immigrazione e del *travel ban*. La rivalità interna era il risultato di divergenze stilistiche, filosofiche e caratteriali; ma era anche una conseguenza diretta della mancanza di un organigramma o di una struttura gerarchica. Per la Walsh, questa situazione significava portare a termine ogni giorno un'impresa impossibile: appena ricevuto un ordine da uno dei tre, poteva essere certa che sarebbe stato ricusato da uno degli altri due.

«Di solito prendo per buona una conversazione e vado avanti con il da farsi» spiegò. «Metto in programma quello che si è deciso, contatto i media e preparo un piano per la stampa, poi coinvolgo gli uffici di pubbliche relazioni. A quel punto arriva Jared e mi chiede perché l'ho fatto. Allora io rispondo: "Perché in una riunione di tre giorni fa con te, Reince e Steve tu hai detto di essere d'accordo". E lui ribatte: "Ma questo non significa che volevo inserirlo nel programma. Non era quello lo scopo della conversazione". Non importa mai cosa è stato detto: Jared è d'accordo, ma poi la cosa viene sabotata, e a quel punto lui va dal presidente e gli dice: "Vedi, è stata un'idea di Reince e Steve".»

Bannon concentrò la sua attenzione su una serie di ordini esecutivi che avrebbero permesso alla nuova amministrazione di procedere senza dover passare dal Congresso. Ma i suoi sforzi venivano vanificati da Priebus, impegnato a far durare l'idillio fra Trump e Ryan, e di conseguenza a portare avanti il programma repubblicano, al quale a sua volta si contrapponeva Kushner, il cui interesse principale erano l'affabilità del suocero e le tavole rotonde con gli amministratori delegati, anche perché sapeva quanto piacessero al presidente (e, come sottolineò Bannon, a lui). E così, invece di affrontare i conflitti inerenti a ciascuna strategia, i tre uomini riconobbero che le loro posizioni erano inconciliabili e decisero di eludere il problema evitando di incontrarsi.

Ognuno di loro aveva trovato il proprio modo per stuzzicare l'interesse del presidente e comunicare con lui. Bannon offriva una stimolante esibizione di forza, Priebus le lusinghe della leadership del Congresso e Kushner l'approvazione degli uomini d'affari al top. Le tre proposte erano tutte così appetibili che Trump preferiva non privarsi di nessuna. Era esattamente ciò che voleva dalla presidenza, e non capiva perché non potesse avere tutto. Voleva rompere con il passato politico, voleva un Congresso repubblicano che gli passasse disegni di legge da firmare, voleva la benevolenza e il rispetto delle persone che contano e dell'alta società di New York. Alcuni all'interno della Casa Bianca notarono che gli ordini esecutivi di Bannon erano una contromossa ai tentativi di Priebus di ingraziarsi il partito e che gli amministratori delegati di Kushner erano sconcertati dagli ordini esecutivi di Bannon e contrari a gran parte dell'agenda repubblicana.

Se il presidente lo capì, però, non parve preoccuparsene.

Essendo riusciti a causare una sorta di paralisi esecutiva nel primo mese della nuova amministrazione – mentre ognuno dei tre gentiluomini continuava a esercitare lo stesso fascino sul presidente, pur risultandogli, di tanto in tanto, ugualmente fastidioso –, Bannon, Priebus e Kushner svilupparono le proprie personali strategie per influenzare Trump e compromettere gli altri.

Analisi, argomentazioni e PowerPoint non funzionavano. L'unica cosa importante era chi parlava con il presidente, e quanto spesso. Se, sollecitata da Bannon, Rebekah Mercer gli telefonava, la cosa aveva su Trump un certo effetto. Priebus aveva dalla sua l'influenza di Paul Ryan, Kushner quella di Murdoch. Tuttavia, ogni telefonata neutralizzava le precedenti.

La situazione di stallo spinse i tre consiglieri a ricorrere a un'altra strategia particolarmente efficace con Trump: utilizzare i media. Tutti e tre si trasformarono in talpe lucide e ostinate. Bannon e Kushner evitavano di proposito la copertura mediatica. Due degli uomini più potenti del governo restavano in silenzio per la maggior parte del tempo, eludendo quasi tutte le interviste, persino i tradizionali dibattiti politici nei programmi della domenica mattina. Curiosamente, tuttavia, entrambi diventarono le voci di sottofondo di quasi tutta la copertura mediatica sulla Casa Bianca. All'inizio, prima di cominciare ad attaccarsi a vicenda, Bannon e Kushner erano accomunati dalle rispettive offensive contro Priebus. La piazza preferita di Kushner era *Morning Joe*, il programma di Joe Scarborough e Mika Brzezinski, una delle trasmissioni del mattino che il presidente non si perdeva mai. Il punto di riferimento fondamentale di Bannon erano i media di estrema destra («Le spacconate stile Breitbart di Bannon» le definiva la Walsh). Al termine del primo mese alla Casa Bianca, Bannon e Kushner si erano costruiti una rete di sbocchi primari, favorendo l'immagine di una Casa Bianca che nei confronti della stampa mostrava un'estrema animosità ma allo stesso tempo una grande disponibilità a collaborare con essa. Da questo punto di vista, se non altro, l'amministrazione Trump stava raggiungendo un traguardo storico.

La costante fuga di notizie era spesso attribuita ai tirapiedi di livello più basso e ai membri permanenti dello staff esecutivo. Verso la fine di febbraio Sean Spicer era stato costretto a convocare una riunione generale del personale – con l'obbligo di consegnare i cellulari all'ingresso – durante la quale aveva minacciato controlli random del traffico telefonico e lanciato ammonimenti sull'uso di applicazioni per l'invio di messaggi crittografati. Tutti erano potenziali talpe. E ognuno accusava gli altri di esserlo.

Tutti erano talpe.

Un giorno, quando Kushner accusò la Walsh di aver fatto trapelare informazioni su di lui, lei rilanciò la sfida: «Possiamo mettere a confronto i miei tabulati telefonici con i tuoi. Lo stesso per le email».

Ma la maggior parte delle fughe di notizie, e senza dubbio le più interessanti, proveniva dalle alte sfere, persino dalla persona che occupava il vertice della gerarchia.

Il presidente non riusciva a smettere di parlare. Amava lamentarsi e autocommiserarsi, ed era chiaro a tutti che il suo unico desiderio fosse essere oggetto di ammirazione. Non capiva perché non tutti lo amassero oppure perché fosse così difficile piacere a tutti. A volte era di buonumore dopo una giornata passata ad accogliere schiere di metalmeccanici o di amministratori delegati alla Casa Bianca – incontri che in genere erano un botta e risposta di lodi sperticate –, ma quella serenità poteva svanire di colpo la sera, dopo molte ore di televisione. In quelle occasioni, come di consueto, Trump si attaccava al telefono. Intavolava conversazioni deliranti e avventate con amici e conoscenti – che a volte arrivavano a durare trenta, quaranta minuti se non di più –, durante le quali sfogava la sua rabbia contro i media e il suo staff. Per riprendere la definizione di uno degli autoproclamati esperti di Trump che gravitavano intorno a lui (e ricordiamo che tutti erano esperti di Trump), il presidente sembrava intenzionato a «seminare zizzania», dando vita a una spirale di sospetti, malumori e colpe scaricate sugli altri.

Quando il presidente prendeva in mano il telefono dopo cena, di solito era per tenere discorsi del tutto sconclusionati. Con tendenze paranoiche o sadiche, speculava sui difetti e le debolezze dei membri del suo staff. Bannon era sleale (per non parlare del suo aspetto: sciattissimo). Priebus era debole (per non parlare del fatto che era basso, un nano). Kushner era un leccaculo. Spicer era stupido (e anche lui aveva un aspetto terribile). La Conway era una piagnona. Jared e Ivanka non sarebbero mai dovuti andare a Washington.

I suoi interlocutori, in gran parte perché trovavano la conversazione bizzarra, allarmante o lontana anni luce dalla ragionevolezza e dal buonsenso, spesso non ne comprendevano la natura riservata e ne condividevano il contenuto con qualcun altro. In questo modo le notizie sui meccanismi interni della Casa Bianca iniziarono a circolare liberamente. Peccato, però, che – benché di solito fosse riportato il contrario – spesso non si trattasse tanto dei meccanismi interni della Casa Bianca, quanto delle elucubrazioni del presidente, che cambiavano direzione più o meno alla stessa velocità con cui riusciva a esprimersi. Eppure, persino nelle sue esternazioni senza capo né coda era possibile trovare dei temi ricorrenti: Bannon stava per essere cacciato, lo stesso destino sarebbe toccato a Priebus, e Kushner aveva bisogno della sua protezione per difendersi dagli altri due bulli.

Quindi, se a quel punto i tre consiglieri erano impegnati in una guerra quotidiana, lo scontro era esacerbato da una campagna di disinformazione ai loro danni perseguita dal presidente in persona. Da cronico bastian contrario, Trump vedeva in ogni membro della sua cerchia ristretta un bambino problematico, il cui destino era riposto nelle sue mani. «Noi siamo i peccatori, e lui è Dio» secondo un'interpretazione dei fatti; «Lavoriamo per dispiacere al presidente» secondo un'altra.

Nella West Wing di ogni amministrazione, almeno a partire da quella di Bill Clinton e Al Gore, il vicepresidente deteneva un potere per certi versi indipendente all'interno dell'organizzazione. Eppure il vicepresidente Mike Pence – una scelta di ripiego, oggetto di un'ondata nazionale di scommesse sulla durata del suo mandato – era una nullità, un volto sorridente che resisteva al suo evidente potere o era incapace di sfruttarlo.

«Mi occupo di funerali e inaugurazioni» confidò a un ex collega del Senato repubblicano. Le possibilità erano due: o stava fingendo di essere un vicepresidente pigro e di vecchio stampo per non turbare il suo superiore oppure stava onestamente prendendo atto del suo ruolo.

Katie Walsh, circondata dal caos generale, considerava l'ufficio del vicepresidente un'oasi di pace. Lo staff di Pence non solo era conosciuto al di fuori della Casa Bianca per l'alacrità con cui rispondeva alle telefonate e la facilità con cui svolgeva i propri compiti nella West Wing, ma sembrava anche composto da persone che si apprezzavano l'un l'altra e si impegnavano in vista di un obiettivo comune: eliminare quanto più possibile gli attriti intorno al vicepresidente. Pence iniziava quasi tutti i suoi discorsi in questo modo: «Vi porto i saluti del quarantacinquesimo presidente degli Stati Uniti, Donald J. Trump...». Un messaggio diretto più al presidente che al pubblico.

Pence non amava le luci della ribalta, a volte sembrava che la sua intera vita si svolgesse nell'ombra di Trump. Dal suo lato della Casa Bianca le fughe di notizie erano quasi inesistenti. I membri del suo staff, come lui, erano di poche parole.

In un certo senso, aveva risolto l'enigma dell'essere al servizio di un presidente incapace di tollerare alcun tipo di confronto: modestia estrema e basso profilo.

«Pence non è affatto stupido» diceva la Walsh.

In realtà, tutti gli altri nella West Wing lo ritenevano poco intelligente e, proprio per questa ragione, incapace di fare da contrappeso alla leadership.

Per Jarvanka, Pence rappresentava una fonte di spasso. Era quasi assurdamente felice di essere vicepresidente, il ruolo del vice che non avrebbe mai fatto arruffare le piume di Trump sembrava calzargli a pennello. La coppia riconosceva alla moglie di Pence, Karen, il merito di essere l'artefice della sua utile mansuetudine. In effetti, era entrato così bene nella parte che in seguito alcuni sarebbero arrivati a sospettare della sua eccessiva remissività.

La fazione di Priebus, con la quale si schierava la Walsh, vedeva in Pence una delle poche figure di spicco della West Wing che trattava Priebus davvero da capo di gabinetto. Pence si comportava spesso come un semplice membro dello staff, sempre impegnato a prendere alacremente appunti durante le riunioni.

Dal lato di Bannon, Pence raccoglieva soltanto disprezzo. «Assomiglia al personaggio del marito nella serie *Le avventure di Ozzie e Harriet*, una delusione» disse uno degli accoliti di Bannon.

Benché molti credessero che un giorno avrebbe potuto assumere la presidenza, Pence era anche percepito come il vicepresidente più debole degli ultimi decenni e, in termini organizzativi, come un fantoccio inutile nello sforzo quotidiano di contenere Trump e assicurare stabilità alla West Wing.

Nel corso di quel primo mese, l'incredulità di Katie Walsh e la sua paura per quanto stava accadendo alla Casa Bianca la spinsero a prendere in considerazione l'idea di dimettersi. Dopo il primo mese, ogni giorno si trasformò in un conto alla rovescia in vista del momento in cui ne avrebbe avuto abbastanza, momento che sarebbe arrivato alla fine di marzo. Per la Walsh, orgogliosa professionista della politica, il caos, le rivalità e la mancanza di attenzione e interesse da parte del presidente erano semplicemente incomprensibili.

All'inizio di marzo, la vicecapo di gabinetto affrontò Jared Kushner e gli chiese: «Dimmi solo tre cose su cui il presidente vuole concentrarsi. Quali sono le tre priorità di questa Casa Bianca?».

«Sì» rispose Kushner, distrattamente, «in effetti forse dovremmo parlarne.»

9

La CPAC

Il 23 febbraio, con ventiquattro gradi a Washington, il presidente si svegliò lamentandosi dei riscaldamenti troppo alti, ma, per una volta, alla Casa Bianca le lagnanze presidenziali non erano la preoccupazione più importante.

La sovreccitata attenzione, nella West Wing, era monopolizzata dall'organizzazione delle auto per la Conservative Political Action Conference, la conferenza annuale degli attivisti del movimento conservatore, che, ingranditasi oltre le possibilità di capienza degli hotel di Washington, si era trasferita al Gaylord Resort, a National Harbor, nel Maryland. La CPAC, sulla destra del centro-destra in una posizione cui tentava di restare saldamente aggrappata, e incerta riguardo tutti i vettori d'ispirazione conservatrice che se ne allontanavano, aveva avuto a lungo un rapporto difficile con Trump, che riteneva un conservatore improbabile, se non un ciarlatano. Quanto a Bannon e a Breitbart, ascriveva loro un conservatorismo spinto all'eccesso: per anni Breitbart aveva organizzato nelle vicinanze una convention parallela denominata «The Uninvited», gli esclusi.

Ma quell'anno la presidenza Trump avrebbe dominato, se non inglobato la Conferenza, e a godersi il momento volevano esserci tutti. Il presidente, invitato a parlare nel secondo giorno di lavori, sarebbe intervenuto alla CPAC, come già Ronald Reagan, nel suo primo anno di mandato, mentre i due Bush, diffidenti nei confronti dell'evento e degli attivisti conservatori, avevano snobbato il raduno.

Kellyanne Conway, in programma in apertura, era accompagnata dalla sua assistente, da due delle sue figlie e da una babysitter. Per Bannon sarebbe stata la prima apparizione ufficiale in pubblico sotto la presidenza Trump e il suo seguito includeva Rebekah Mercer, finanziatrice chiave di Trump e cofondatrice di Breitbart News, la figlioletta di lei e Allie Hanley, un'aristocratica di Palm Beach, anche lei finanziatrice di stampo conservatore e amica della Mercer (l'impetuosa Hanley, che non aveva mai incontrato Bannon in precedenza, gli attribuì un'aria «poco pulita»).

Sul palco, durante la sessione pomeridiana, il consigliere sarebbe stato intervistato da Matt Schlapp, il presidente della CPAC, che, con innaturale affabilità, sembrava sforzarsi di accettare che Trump si fosse appropriato della sua conferenza. Alcuni giorni prima, Bannon aveva deciso di coinvolgere nell'incontro Priebus, un gesto di buona volontà e al tempo stesso una pubblica manifestazione di coesione, nella quale si poteva leggere il segno di una nascente alleanza contro Kushner.

Nella vicina Alexandria, in Virginia, Richard Spencer, il presidente del National Policy Institute, talvolta definito «think tank del suprematismo bianco», e che, con disagio della Casa Bianca, interpretava la presidenza Trump come una vittoria personale, stava organizzando il proprio passaggio alla CPAC: una marcia trionfale per lui quanto per il team di Trump. Spencer, che nel 2016 aveva dichiarato: «Festeggiamo come se fosse il 1933» (dove il 1933 è l'anno dell'ascesa al potere di Hitler), aveva fatto scalpore dopo l'elezione presidenziale con il suo ampiamente riportato «Heil Trump» (o, come si è trascritto, «Hail» – Salute! – che in sostanza è la stessa cosa) e aveva acquisito in qualche modo lo status di martire durante i festeggiamenti per l'insediamento di Trump, beccandosi un pugno da un manifestante, immortalato su YouTube.

La CPAC, creata dai superstiti del movimento conservatore dopo l'apocalittica sconfitta di Barry Goldwater alle presidenziali del 1964, si era trasformata, con stoica infaticabilità, nel pilastro stesso della sopravvivenza e del trionfo dei conservatori. Aveva epurato John Birchers e la destra razzista, e abbracciato i principi filosofici di Russell Kirk e William F. Buckley. Negli anni aveva sostenuto il «piccolo governo» e la deregulation dell'era reaganiana, perseguito battaglie culturali – contro l'aborto e i matrimoni gay e con un penchant per il fondamentalismo cristiano – e celebrato il connubio con i media conservatori, prima le radio di destra, poi Fox News. Da questo amalgama aveva distillato un'idea ancora più elaborata e onnicomprensiva di purezza, sincronismo e peso intellettuale dei conservatori. Parte del divertimento, alla CPAC – che attirava un vasto assortimento di giovani (scherzosamente definiti «la schiera degli Alex P. Keaton» dalla crescente compagine della stampa liberal che copriva l'evento) –, stava proprio nell'apprendere il catechismo conservatore.

Dopo la grande crescita durante il doppio mandato di Clinton negli anni Novanta, tuttavia, la CPAC aveva cominciato a sfaldarsi all'epoca di George W. Bush. Fox News diventò il cuore emotivo del conservatorismo americano; i neocon di Bush e la guerra in Iraq erano sempre più invisi ai libertariani e ad altre fazioni improvvisamente separatiste (tra cui i paleocon); la destra dei valori della famiglia subiva intanto la concorrenza sempre più pressante delle nuove generazioni di conservatori. Negli anni di Obama il movimento aveva assistito con crescente sconcerto al negazionismo del Tea Party e al sorgere di nuovi media iconoclasti di destra, di cui è un esempio Breitbart News, che fu espressamente esclusa dalla CPAC.

Nel 2011, professando la sua fede conservatrice, Trump aveva fatto pressioni sul gruppo per ottenere uno spazio di intervento e, dietro versamento – si vociferò – di un sostanzioso contributo in denaro, aveva ottenuto uno slot di quindici minuti. Se in teoria la Conferenza mirava soprattutto a definire una linea, nutriva anche un qualche riguardo per un'ampia schiera di «celebrità» di ambiente conservatore, tra cui, negli anni, Rush Limbaugh, Ann Coulter e varie star di Fox News. L'anno prima della rielezione di Obama, Trump rientrava in questa categoria. Ben diversamente sarebbe stato visto quattro anni dopo. Nell'inverno del 2016, durante la sfida ancora aperta per le primarie repubblicane, Trump – ormai ritenuto un apostata della dottrina quanto un beniamino della base – aveva deciso di disertare la CPAC, temendo un benvenuto non proprio esultante.

L'anno successivo, in conformità al nuovo allineamento con la Casa Bianca targata Trump-Bannon, la personalità di spicco alla Conferenza doveva essere l'esponente dell'alt-right Milo Yiannopoulos, provocatore britannico gay di destra affiliato a Breitbart News. Yiannopoulos – le cui posizioni, in realtà assai più vicine allo stile di un contestatore sessantottino, sembravano ridursi fondamentalmente allo spregio della correttezza politica e delle convenzioni sociali, con grande seguito di isterismi e indignazione della sinistra – era un conservatore decisamente sui generis. Si era anzi alluso, tra le righe, alla possibilità che la CPAC lo avesse scelto soltanto in ragione dell'implicito legame con Bannon, di cui era stato una sorta di *protégé*. Quando, due giorni prima dell'inizio dei lavori, un blogger conservatore scoprì un video in cui Yiannopoulos, con goliardica baldanza, pareva razionalizzare il concetto di pedofilia, la Casa Bianca rese chiaro che doveva sparire.

Nondimeno, la presenza della squadra presidenziale alla Conferenza, che, accanto allo stesso presidente, contemplava Bannon, la Conway, il ministro dell'Istruzione Betsy DeVos e l'eccentrico consigliere per gli Affari esteri ed ex redattore di Breitbart Sebastian Gorka, sembrava tale da oscurare l'incidente Yiannopoulos. Se la CPAC mirava come sempre a ravvivare l'insipido contributo dei politici con qualche star, Trump e chiunque gli gravitasse intorno erano, al momento, le più grandi di tutte. Con la sua famiglia posizionata in prima fila in una sala gremita, la Conway fu intervistata in stile Oprah da Mercedes Schlapp (moglie di Matt Schlapp: la CPAC è una ditta a conduzione familiare), editorialista del conservatore «Washington Times» che, in seguito, sarebbe entrata a far parte dell'ufficio comunicazioni della Casa Bianca. Fu il ritratto intimo e ispirato di una donna di successo: il genere di intervista che, riteneva la Conway, le avrebbero fatto i network e la tv via cavo se non fosse stata una repubblicana pro-Trump; il tipo di trattamento, era solita puntualizzare, che era stato riservato a esponenti democratiche come la consigliera di Obama Valerie Jarrett.

Più o meno nel momento in cui la Conway illustrava la sua particolare forma di femminismo antifemminista, Richard Spencer raggiungeva la sede della convention con l'intenzione di partecipare all'incontro collaterale «The Alt-Right Ain't Right at All» (L'alt-right non è affatto di destra), modesto sforzo di riaffermazione dei valori tradizionali della CPAC. Spencer, che dalla vittoria di Trump si era dedicato full-time all'attivismo e alle occasioni mediatiche, aveva intenzione di posizionarsi strategicamente, per piazzare la prima domanda.

Quasi subito, però, al suo arrivo, appena pagata la quota d'iscrizione di centocinquanta dollari, aveva attirato prima un singolo reporter, poi un capannello in rapido aumento, una mischia spontanea di colleghi, e aveva reagito improvvisando una conferenza stampa ad hoc. Come Yiannopoulos, e per molti versi come Trump e Bannon, Spencer contribuiva a mettere in luce le contraddizioni del movimento conservatore moderno. Era un razzista, ma difficilmente si sarebbe potuto definire un conservatore: sosteneva tenacemente un sistema di assistenza sanitaria pubblica, per esempio. E l'attenzione da lui ricevuta, in un certo senso, più che accreditare l'ascendente dei conservatori, era un altro tentativo dei media liberal di screditarli. Così, mentre l'assembramento gli cresceva intorno fino a raggiungere la trentina di persone, entrò in azione il braccio censorio della CPAC.

«Lei non è il benvenuto qui» annunciò uno degli addetti alla sicurezza. «La vogliono fuori. Le chiedono di sospendere. Vogliono che lasci la proprietà.»

«Wow» esclamò Spencer. «Possono farlo?»

«Basta discussioni» ribatté il vigilante. «Questa è proprietà privata e la CPAC qui non la vuole.»

Sequestratogli il pass, Spencer fu scortato fuori dal settore del resort riservato alla Conferenza e, senza la minima scalfittura all'orgoglio, si trattenne nell'area lounge della hall a scrivere sui social network e inviare messaggi o email a tutti i giornalisti della sua lista di contatti.

Sosteneva fondamentalmente che la sua presenza lì era in realtà meno paradossale o dissonante di quella di Bannon, o persino di Trump se per questo. L'avevano sbattuto fuori, sì, ma in un senso storico più ampio erano i conservatori che si stavano facendo estromettere dal loro stesso movimento, dal nuovo gruppo (di cui facevano parte Trump e Bannon) di «identitari», come li definiva lui, i fautori «degli interessi, dei valori e della cultura dei bianchi».

Spencer era, nella propria visione, il vero trumpista e loro, quelli della CPAC, ormai, l'anomalia.

Nella green room, subito dopo l'arrivo di Bannon e Priebus, ciascuno con il proprio seguito, Bannon – camicia e giacca scura, pantaloni bianchi – si mise in disparte a conferire con la sua assistente, Alexandra Preate. Priebus sedeva al trucco, facendosi pazientemente applicare fondotinta, cipria e lucidalabbra.

«Steve...» disse, accennando alla poltrona mentre si alzava.

«Va bene così» rispose lui. Alzò una mano: un altro dei suoi mille piccoli gesti espressamente intesi a distanziarlo dalle pagliacciate della palude politica. E da Reince Priebus, con il suo strato di cerone.

Difficile sottostimare l'importanza della prima apparizione pubblica di Bannon dopo giorni di evidente subbuglio nella West Wing, una storia di copertina a lui dedicata da «Time», infinite speculazioni sull'entità del suo potere e le sue reali intenzioni, e la sua elevazione – nella visione dei media, almeno – al rango di mistero chiave della Casa Bianca di Trump. Per Bannon, dal canto suo, fu un momento accuratamente coreografato. Era la sua marcia trionfale. Si era imposto nella West Wing, riteneva, e – sempre nella sua visione personale – aveva dimostrato la propria superiorità su Priebus e su quell'idiota del genero del presidente. Ora avrebbe dominato anche la CPAC. Intanto, però, provava ad avere un'aria disinvolta pur sapendo di essere indiscutibilmente l'uomo del momento. Respingere l'invito al trucco era un modo per sminuire Priebus, ma anche per affermare che, fedele al suo stile da commando, sarebbe andato in battaglia a viso aperto.

«Sai quel che pensa anche quando non sai quel che pensa» diceva di lui Alexandra Preate. «È un po' come un bravo ragazzo di cui tutti sanno che in realtà è un cattivo ragazzo.»

Quando i due uomini salirono sul palco e apparvero sui megaschermi, il contrasto tra loro non avrebbe potuto essere più stridente. La cipria faceva sembrare Priebus un manichino e il completo con spilletta sul risvolto gli dava l'aria dello scolaretto. Bannon – quello che si supponeva allergico alla pubblicità – divorava le telecamere: una star del country, un Johnny Cash.

Afferrò la mano di Priebus in una poderosa stretta, poi si rilassò nella sua poltrona mentre l'altro si faceva troppo ansiosamente avanti nella propria.

Priebus attaccò con il classico scambio di cortesie. Bannon, prendendo la parola, ne approfittò per tirare un'ironica stoccata: «Desidero ringraziarvi per avermi infine invitato alla CPAC».

«Abbiamo voluto affermare che tutti sono parte della grande famiglia conservatrice» replicò Matt Schlapp, rassegnato. Diede poi il benvenuto al «fondo della sala», dove erano posizionate le centinaia di giornalisti che seguivano l'evento.

«Cos'è? Il partito di opposizione?» chiese Bannon, schermandosi gli occhi.

Schlapp partì con una domanda pro forma: «Sono state scritte un sacco di cose su voi due. Ehm...».

«È tutto okay» replicò Priebus, stringato.

«Scommetto che non tutto è accurato» disse Schlapp. «Che qualcosa viene travisato. Chiedo quindi a voi due: qual è l'idea più grossolanamente sbagliata sul modo in cui vanno le cose alla Casa Bianca?»

Bannon rispose con poco meno di un ghigno e non proferì parola.

Priebus attaccò a dare testimonianza del loro stretto rapporto.

Bannon, con un guizzo negli occhi, sollevò il microfono a mo' di tromba e fece una battuta sullo spazioso ufficio di Priebus (caminetto e due divani) e sul suo ufficetto di fortuna.

Priebus arrivò faticosamente al punto. «È, ehm... in realtà è... qualcosa che tutti voi avete aiutato a costruire, cioè, quando si mettono insieme, e come dimostrano queste elezioni, come ha dimostrato il presidente Trump... Non prendiamoci in giro: io posso parlarvi di dati e strategie, Steve può parlarvi di grandi idee, ma il nocciolo della questione è che Donald Trump, il presidente Trump, ha riunificato il partito e il movimento conservatore, e io vi dico che, se il partito e il movimento conservatore sono uniti» congiunse i pugni «come lo siamo Steve e io, non li fermerà nessuno. Il presidente Trump è il solo, è stato l'unica persona, e posso dirvelo dopo averne visti sedici farsi fuori a vicenda... Donald Trump è riuscito a unificare questo Paese, questo partito, questo movimento. Steve e io lo sappiamo, lo viviamo ogni giorno e il nostro lavoro è portare là fuori il programma del presidente Trump, metterlo nero su bianco.»

Mentre riprendeva fiato, Bannon gli soffiò il testimone. «Credo che, se guardiamo al partito d'opposizione» indicò il fondo della sala con un gesto «e a come ha dipinto la campagna elettorale, a come ha rappresentato la transizione presidenziale, a come ritrae, oggi, l'amministrazione, è sempre tutto sbagliato. Voglio dire, fin dal primissimo giorno in cui Kellyanne e io abbiamo cominciato, abbiamo teso la mano a Reince, Sean Spicer, Katie... È la stessa squadra, sapete, che giorno dopo giorno si è spesa duramente in campagna elettorale, la stessa squadra di transizione e, come ricorderete, stando alla descrizione dei media la campagna è stata la più caotica di sempre: la più caotica, la più disorganizzata, la meno professionale, senza la minima idea di quel che si stesse facendo... E poi tutti lì a piangere la sera dell'8 novembre.»

Alla Casa Bianca Jared Kushner, seguendo l'intervista prima distrattamente, poi con più attenzione, avvertì un improvviso moto di rabbia. Suscettibile, diffidente e sempre sul chi vive, percepiva il discorso di Bannon come un messaggio inviato direttamente a lui. Aveva appena attribuito il merito della vittoria di Trump a tutti gli altri, lasciando fuori lui. Lo aveva fatto apposta, ne era certo.

Quando Schlapp chiese ai due ospiti di elencare gli obiettivi raggiunti nei primi trenta giorni, Priebus esitò, poi si appigliò al giudice Gorsuch e agli ordini esecutivi sulla deregulation, tutte cose, disse, «con cui...» pausa sofferta «... l'ottanta per cento degli americani è d'accordo».

Dopo un breve silenzio, come aspettando che l'aria si rasserenasse, Bannon sollevò il microfono: «Io grossomodo li divido in tre colonne, in tre aree. Primo: sicurezza e sovranità nazionale, con l'intelligence, il Dipartimento della Difesa, la Sicurezza nazionale. La seconda linea d'azione è quella che definisco del nazionalismo economico, con Wilbur Ross al Commercio, Steve Mnuchin al Tesoro, [Robert] Lighthizer come rappresentante per il Commercio, Peter Navarro [e] Stephen Miller, che stanno ripensando il modo in cui ricostruiremo i nostri accordi commerciali in tutto il mondo. La terza linea d'azione, sostanzialmente, è la decostruzione dello Stato amministrativo...». Bannon si interruppe un istante. La frase, che mai era stata pronunciata nella politica americana, suscitò applausi scroscianti. «Così agisce la sinistra progressista: se non riesce a far passare qualcosa la infila in qualche regolamentazione di questo o quell'ente. Tutto ciò sarà smantellato.»

Schlapp pose un'altra domanda preparata, questa volta sui media.

Priebus la ponderò, prese a divagare borbottando e finì chissà come su una nota positiva: «Sapremo trovare una sintonia».

Sollevando di nuovo il microfono, e con un ampio movimento del braccio, Bannon sentenziò: «Non solo le cose non andranno meglio: peggioreranno di giorno in giorno» il suo ritornello apocalittico fondamentale «e vi dirò perché. Per inciso, la logica interna non fa una piega: media globalisti, corporativisti che si oppongono categoricamente, *categoricamente*, a un'agenda economica nazionalistica come quella di Donald Trump. Ed ecco perché le cose peggioreranno: perché lui non smetterà di portarli avanti, i suoi piani. E mentre le condizioni economiche, i livelli di occupazione miglioreranno, loro continueranno a dare battaglia. Se credete che vi ridaranno indietro il vostro Paese senza colpo ferire vi sbagliate di grosso. Ogni giorno sarà una lotta. È il motivo per cui sono fiero di Donald Trump. Con tutte le occasioni che ha avuto di esitare, tutte le persone che sono venute a dirgli: "Devi moderarti"» altra stoccata per Kushner, «ogni giorno, nello Studio Ovale, dice a Reince e a me: "Ho preso questo impegno con il popolo americano. L'ho promesso in campagna elettorale e terrò fede alla parola data"».

Seguì l'ultima domanda concordata a tavolino: «Il movimento di Trump si può armonizzare con quello che da cinquant'anni avviene in seno alla CPAC e ad altri movimenti conservatori? Si può mettere insieme il tutto? E quel tutto salverà il Paese?».

«Be', dobbiamo essere uniti come una squadra» rispose Priebus. «Dovremo tutti lavorare insieme perché accada.»

Bannon, per parte sua, esordì parlando lentamente, lo sguardo fisso su un pubblico avvinto, rapito. «Ho detto che si sta forgiando un nuovo ordine politico ed è ancora in via di formazione. Se si considera l'ampia varietà di opinioni presente in questa sala, dal populismo al conservatorismo del governo limitato, dall'ultraliberismo al nazionalismo economico, c'è un vasto assortimento di posizioni, talvolta contrastanti, eppure io credo che il nucleo centrale dei nostri convincimenti, cioè che siamo una nazione con un'economia, non solo un'economia dentro un qualche mercato globale con le frontiere aperte, ma una nazione con una cultura, una ragion d'essere... Credo sia questo a unirci ed è ciò che unirà anche il movimento d'ora in poi.»

Abbassò il microfono, mentre, dopo quello che si potrebbe interpretare come un attimo di esitazione, la platea prorompeva in un fragoroso applauso.

Alla Casa Bianca Kushner, ormai convinto che un'insidia era in agguato ogniqualvolta Bannon si serviva dei termini «frontiere», «globale», «cultura», «unire» e sempre più persuaso che ciascuna di quelle parole era rivolta contro di lui personalmente, era su tutte le furie.

Kellyanne Conway era sempre più preoccupata per la mancanza di sonno del presidente settantenne e per il suo aspetto sciupato. Riteneva che fosse l'instancabilità di quell'uomo – una sorta di moto perpetuo – a trascinare il team. Durante il tour elettorale aggiungeva sempre nuove tappe, nuovi comizi; aveva raddoppiato i tempi della sua campagna: Hillary lavorava part-time, lui faceva i doppi turni, traendo l'energia dalla folla. Da quando viveva solo alla Casa Bianca, però, sembrava aver perso un po' di smalto.

Il secondo giorno di lavori della Conferenza, però, era di nuovo lui. Si era fatto una lampada, schiarito i capelli e, quando si era alzato in un altro mattino pseudo-primaverile (venticinque gradi in pieno inverno), il presidente che aveva negato i cambiamenti climatici pareva un'altra persona, o comunque una persona notevolmente più giovane. All'ora stabilita, nella sala da ballo blindata del Gaylord Resort, stipata ai limiti della capienza di fedeli conservatori d'ogni colore – Rebekah Mercer e sua figlia in prima fila –, con centinaia di esponenti dei media in un'apposita galleria stampa, il presidente salì sul palco, non con passo slanciato in stile televisivo, ma con incedere lento, sull'aria sommessa di *I'm Proud to Be an American*. Fece il suo ingresso da politico forte, da uomo che stava vivendo il suo momento, battendo le mani (una breve concessione alla posa da intrattenitore) mentre si avvicinava lentamente al leggio, e mormorando «Grazie», la cravatta rosso acceso che pendeva oltre la cintura.

Sarebbe stato il quinto intervento di Trump alla CPAC. Per quanto a Steve Bannon piacesse considerarsi l'autore di Donald Trump, sembrava anche ritenere prova di una sorta di legittimità supplementare – e in un certo modo di per sé straordinaria – il fatto che dal 2011 Trump si presentasse alla Conferenza, sostanzialmente, con lo stesso messaggio. Non era lì a fare numero, era un portavoce. Il Paese era «un caos» (parola che aveva resistito alla prova del tempo trumpiana), i suoi leader erano deboli, la sua grandezza si era perduta. L'unica cosa diversa era che nel 2011 Trump leggeva ancora i discorsi, improvvisando solo all'occasione, mentre quel giorno andava esclusivamente a braccio.

«Il mio primo discorso importante è stato alla CPAC» esordì. «Cinque o sei anni fa, forse. Il mio primo discorso importante in politica. C'eravate anche voi. E mi è piaciuto. Mi è piaciuta la gente, la confusione... Avevano fatto un sondaggio in cui ero arrivato alle stelle. E non ero nemmeno candidato, giusto? Ma mi fece venire un'idea! Mi ero un po' preoccupato, vedendo quel che accadeva nel Paese, perciò mi sono detto: Andiamo! È stato molto eccitante. Sono salito sul palco: avevo pochi appunti e ancor meno preparazione.» In realtà aveva letto il suo discorso del 2011 da un foglio. «Così, quando non hai un discorso scritto, ma te ne vai lasciando tutti elettrizzati... Mi sono detto: Credo proprio che mi piaccia, questa faccenda.»

Il primo preambolo lasciò il posto a quello successivo.

«Tengo a dirvi che stiamo combattendo le fake news. È tutto falso. Fasullo. Giorni fa ho definito le fake news il nemico del popolo. Perché i giornalisti non hanno fonti e, quando non le hanno, se le inventano. Ho visto un servizio, di recente, che sostenevano fosse stato confermato da nove persone. *Nove?* Secondo me non erano neppure una o due. Nove persone! Ho detto: "Fatemi il piacere, io conosco la gente. So con chi va a parlare". E non potevano essere nove, ma loro sostengono di sì...»

Pochi minuti dei quarantotto di durata complessiva del discorso e si era già fuori dai binari, il ritornello rafforzato dalla ripetizione. «Forse è solo che non sono bravi a fare i sondaggi. O forse non sono attendibili: delle due l'una. Sono molto furbi, molto scaltri... e molto disonesti. Per concludere» – anche se sarebbe andato avanti per trentasette minuti – «è un argomento molto delicato e loro si arrabbiano quando smascheriamo le loro falsità. Dicono che non possiamo criticare la loro informazione disonesta in virtù del Primo Emendamento. Lo citano sempre, sapete» – in falsetto – «il Primo Emendamento. Ora, io amo il Primo Emendamento: nessuno lo ama più di me, nessuno!»

Ogni membro del seguito di Trump esibiva in quel momento un volto accuratamente imperscrutabile. Quando distesero i tratti fu come fuori sincrono, grazie al via libera delle risate e degli applausi del pubblico. Non parevano sapere in altro modo se il presidente, con le sue caratteristiche tirate, l'avesse sfangata ancora una volta.

«Tra parentesi, voi siete qui: la sala è piena, ci sono code di sei isolati.» Non c'era alcuna coda, fuori dall'affollata hall. «Ve lo dico perché non lo leggerete sui giornali. Code di sei isolati... C'è un'unica lealtà che ci unisce tutti. Verso l'America. Tutti noi salutiamo con orgoglio la stessa bandiera americana... e siamo tutti uguali, uguali agli occhi di Dio Onnipotente. Siamo uguali... e, a questo proposito, vorrei ringraziare la comunità evangelica, la comunità cristiana, le comunità religiose, rabbini, sacerdoti, pastori, ministri, perché il loro sostegno per me, confesso, è stato da record: non numeri di persone ma intere percentuali hanno votato per Trump... una profusione straordinaria e io non vi deluderò... Finché avremo fiducia l'uno nell'altro e confideremo in Dio non ci sarà traguardo che non potremo raggiungere... non ci sarà sogno troppo audace... Siamo americani e il futuro ci appartiene... L'America sta ruggendo. Sarà più grande e più forte che mai.»

Nella West Wing qualcuno, per passare il tempo, si era interrogato su quanto sarebbe andato avanti se avesse potuto piegare al suo volere il tempo come il linguaggio. L'opinione diffusa pareva essere: all'infinito. Il suono della sua voce, l'assenza di inibizioni, il fatto che il pensiero lineare e la chiarezza espositiva non risultassero evidentemente necessari, lo stupore che quell'approccio disinvolto sembrava destare, la sua scorta inesauribile di libere associazioni: tutto induceva a pensare che Trump fosse limitato soltanto dagli impegni degli altri e dalla loro capacità di attenzione.

Le sue divagazioni estemporanee erano sempre angoscianti, ma più per il suo entourage che per lui. Lui parlava dimentico e felice, convinto di essere un perfetto oratore e affabulatore, mentre i suoi trattenevano il fiato. E se capitava l'uscita strampalata, nelle occasioni – frequenti – in cui il suo discorso sbandava senza una precisa direzione, lo staff doveva ricorrere a tecniche da scuola di recitazione. Occorreva una disciplina ferrea per non ammettere ciò che era evidente per tutti gli altri.

Mentre il presidente finiva il suo discorso, Richard Spencer, che a meno di quattro mesi dall'elezione di Trump si avviava a diventare il più famoso neonazista d'America dai tempi di George Lincoln Rockwell, era tornato nella hall del Gaylord Resort a ribadire la sua simpata per Donald Trump, che riteneva ricambiata.

Curiosamente, era uno dei pochi che tentavano di ascrivere al trumpismo una dottrina intellettuale, collocandosi a metà strada tra quelli che prendevano Trump alla lettera, ma non sul serio, e quelli che lo prendevano sul serio, ma non alla lettera. Spencer, in pratica, faceva tutte e due le cose, sostenendo che, se Trump e Bannon erano i pesci pilota di un nuovo movimento conservatore, lui – presidente di AltRight.com e, nella sua convinzione, il più puro esponente del movimento – era il pesce pilota di Trump e Bannon, che loro lo sapessero o meno.

Per la maggior parte dei giornalisti presenti, Spencer era la cosa più vicina a un vero nazista che avessero mai avuto di fronte: un'autentica calamita per la stampa liberal che affollava la CPAC. E con ogni probabilità la sua spiegazione dell'anomala politica di Trump era migliore di molte altre.

Si era fatto strada scrivendo occasionalmente su pubblicazioni di stampo conservatore, ma sarebbe stato difficile classificarlo in termini classici. Era un provocatore di estrema destra, ma senza l'atteggiamento aggressivo e la mordacità da salotto di una Ann Coulter o di un Milo Yiannopoulos. Quelli erano reazionari da messinscena, lui era vero: un razzista credibile con un buon livello di istruzione, nel suo caso ottenuto presso la University of Virginia, la University of Chicago e la Duke.

Era stato Bannon a fargli spiccare il volo definendo Breitbart «la piattaforma dell'alt-right», il movimento che Spencer sosteneva di aver fondato o perlomeno di cui possedeva il dominio web.

«Non credo che Bannon o Trump siano identitari o appartengano alla alt-right» spiegò, accampato appena oltre il confine di proprietà della CPAC al Gaylord. Loro non erano, come lui, razzisti di matrice filosofica (diversi a loro volta dai razzisti di pancia), ma erano «aperti a queste idee, e alle persone aperte a queste idee».

Aveva ragione. Trump e Bannon, ma anche Sessions, si erano avvicinati più di qualunque altra importante figura politica nazionale dai tempi del movimento per i diritti civili a tollerare una visione politica, fondata sulla razza.

«Trump ha detto cose che i conservatori non avrebbero mai pensato... Le sue critiche alla guerra in Iraq, bastonando la famiglia Bush: non riuscivo a credere che lo avesse fatto davvero, e invece sì! Che si fottano! In fin dei conti, se una famiglia bianca, anglosassone e protestante produce Jeb e W. è un chiaro segno di rinnegamento... E adesso si sposano con i messicani... La moglie di Jeb... Ha sposato la sua domestica o roba simile.

«Nel discorso alla CPAC del 2011, Trump ha chiesto espressamente di ridurre le restrizioni all'immigrazione per gli europei... Significherebbe ricreare un'America molto più stabile e più bella. Nessun altro politico conservatore direbbe queste cose, eppure quasi tutti le pensano... perciò dirle ha un effetto così forte... C'è un evidente processo di normalizzazione in corso.

«Noi siamo l'avanguardia di Trump. La sinistra dirà che è un nazionalista e uno pseudo-razzista, quei tromboni dei conservatori diranno: "Oh, no, certo che no, è un costituzionalista" o che so io. Noi dell'alt-right diremo: "È un nazionalista e un razzista. Il suo movimento è un movimento dei bianchi".»

Con aria piuttosto compiaciuta, Spencer tacque per un istante, poi aggiunse: «Gli diamo una sorta di autorizzazione».

Non lontano, nella hall del Gaylord, Rebekah Mercer faceva uno spuntino con la figlia, che non ha mai frequentato una scuola ed è sempre stata istruita in casa, e l'amica Allie Hanley. Le due donne concordarono che il discorso del presidente lo aveva mostrato al meglio del fascino e del garbo.

10

Goldman

Il fronte Jarvanka, a Washington, si sentiva sempre più insidiato dalle voci che Bannon e i suoi alleati lasciavano trapelare. Jared e Ivanka, sempre ansiosi di accrescere il loro status di «adulti responsabili» della combriccola, si sentivano colpiti personalmente da quegli attacchi alle spalle. Kushner, in effetti, era ormai convinto che Bannon avrebbe fatto qualsiasi cosa per distruggerli. Era una questione personale. Dopo mesi passati a difendere Bannon dalle insinuazioni dei media liberal, Kushner era giunto alla conclusione che fosse un antisemita. Era quello il problema di fondo: faccenda complicata e frustrante – e assai difficile da comunicare al suocero – dal momento che una delle accuse di Bannon contro lo stesso Kushner, l'uomo di riferimento dell'amministrazione sul Medio Oriente, era che non fosse abbastanza duro in difesa di Israele.

Dopo le elezioni, il commentatore di Fox News Tucker Carlson, con scaltra ironia, aveva fatto notare in privato al presidente che, avendo affidato con nonchalance la questione israelo-palestinese al genero (Jared, diceva Trump, avrebbe portato la pace in Medio Oriente), non gli aveva di certo fatto un favore.

«Lo so» era stata la risposta di Trump, oltremodo divertito.

Gli ebrei e Israele erano per lui un curioso sottotesto. Il padre era stato un antisemita spesso esplicito e, nella spaccatura del settore immobiliare di New York tra ebrei e non ebrei, i Trump erano palesemente sul versante minoritario. Gli ebrei erano gente di alto livello e Donald Trump, anche più del padre, veniva percepito come un individuo volgare: dopotutto dava il suo nome ai palazzi, una cosa davvero *déclassée* (colmo dell'ironia, il branding degli edifici si sarebbe dimostrato una strategia vincente nel marketing immobiliare, probabilmente il più grande successo del Trump immobiliarista). Lui, nel frattempo, era cresciuto e aveva impiantato il suo business a New York, la più grande città ebrea del mondo; si era costruito una reputazione nei media, il più ebreo dei settori, non senza una certa acuta comprensione delle dinamiche tribali dell'ambiente. Il suo mentore, l'ebreo Roy Cohn, era un duro semimalavitoso del *demi-monde*. Trump corteggiò altre figure che considerava degli «ebrei tosti» (per lui un complimento): il miliardario speculatore Carl Icahn, il miliardario che aveva comprato e rivenduto la Marvel, Ike Perlmutter, il presidente della Revlon Ronald Perelman, il tycoon dell'immobiliare a New York Steven Roth, il magnate dei casinò Sheldon Adelson. Aveva adottato una specie di parlata da zio ebreo (tosto) anni Cinquanta con inserti yiddish assortiti – Hillary Clinton, dichiarò, era stata «shlongata» («silurata alla grande», da un termine volgare per «pene») alle primarie del 2008 – che contribuivano a dare un'inaspettata espressività a un uomo dalla comunicativa non particolarmente articolata. Ora sua figlia, First Lady de facto, grazie alla sua conversione era la prima persona di religione ebraica alla Casa Bianca.

La campagna elettorale e la presidenza di Trump avevano inviato di continuo messaggi ambigui sugli ebrei, dall'equivoca considerazione per David Duke – l'ex membro della Camera dei Rappresentanti noto per le sue posizioni antisemite – all'apparente desiderio di «sistemare» la storia dell'Olocausto o perlomeno alla tendenza a inciamparci sopra. All'inizio della campagna, il genero di Trump, stimolato dal suo stesso staff al «New York Observer» e sentendo minacciata la propria credibilità, oltre che nell'intento di sostenere il suocero, ne scrisse un'appassionata difesa volta a dimostrare che non era contro gli ebrei. Per quel tentativo fu aspramente rimproverato da vari membri della sua famiglia, allarmati sia dalla piega che stava prendendo il trumpismo sia dall'opportunismo di Jared.

Poi c'era la sua simpatia verso il populismo europeo. A ogni occasione, Trump pareva spalleggiare e fomentare la nascente destra del Vecchio Continente, di stampo antisemita, moltiplicando i brutti segni e le pessime vibrazioni. E infine c'era Bannon, che – con la sua orchestrazione mediatica di temi di destra e alimentando l'indignazione a sinistra – si era attirato ammiccanti insinuazioni di antisemitismo. Di certo, compito di una buona destra era dar fastidio agli ebrei liberal.

Kushner, per parte sua, era l'arrampicatore sociale figlio di papà che in passato aveva respinto tutte le richieste di supporto a organizzazioni ebree. Nessuno fu più sconcertato di quelle stesse organizzazioni dalla sua improvvisa ascesa al nuovo ruolo di protettore di Israele. Ora gli ebrei, dai grandi e potenti, ai funzionari, all'ultima delle pedine, avrebbero dovuto rendere omaggio a Jared Kushner, che fino a poco più di qualche minuto prima era un signor nessuno.

Per Trump, affidare la delicata questione di Israele al genero era una specie di test: il presidente lo stava scegliendo perché ebreo, ricompensando perché ebreo, gravando di un giogo insostenibile perché ebreo, oltre che perché mosso dall'idea stereotipata delle capacità di negoziazione degli ebrei. «Henry Kissinger dice che Jared sarà il nuovo Henry Kissinger» ripeteva, e non si capiva dove finisse il complimento e dove cominciasse l'insulto.

Bannon, nel frattempo, non esitava a tartassare Kushner su Israele, peculiare cartina al tornasole della destra. Lui poteva permettersi di punzecchiare gli ebrei – gli ebrei liberal, globalisti, cosmopoliti, abbonati al Forum di Davos come Kushner – perché più si stava a destra, più si era corretti su Israele. Il primo ministro israeliano Netanyahu, che pure era un vecchio amico di famiglia dei Kushner, quando in autunno andò a New York per incontrare Trump e suo genero, chiese di mandare a chiamare Steve Bannon.

Su Israele, Bannon aveva fatto coppia con Sheldon Adelson, titano di Las Vegas, generoso finanziatore della destra e, agli occhi del presidente, l'ebreo più tosto di tutti (nonché il più ricco). Adelson screditava costantemente le motivazioni e le capacità di Kushner, e il presidente, con grande soddisfazione di Bannon, continuava a ripetere al genero, intento a definire una strategia per Israele, di consultarsi con Sheldon (e quindi con Bannon).

Il tentativo di Bannon di accaparrarsi l'etichetta di superpaladino di Israele sconcertava profondamente Kushner, che era stato cresciuto da ebreo ortodosso. Anche i suoi più fedeli luogotenenti alla Casa Bianca, Avi Berkowitz e Josh Raffel, lo erano. Il venerdì pomeriggio tutte le loro attività si interrompevano prima del tramonto in osservanza dello Shabbat.

Per Kushner, la difesa di Israele di Bannon, abbracciata da Trump, diventò qualcosa come un colpo di jujutsu antisemita sferrato direttamente a lui. Bannon sembrava deciso a farlo apparire debole e inadeguato: un *cuck*, per usare un tipico insulto dell'alt-right nei confronti dei liberal.

Così Kushner rese il colpo, portando alla Casa Bianca i suoi personali ebrei tosti: quelli di Goldman Sachs.

Kushner aveva fatto pressioni affinché l'allora presidente di Goldman Sachs, Gary Cohn, si aggiudicasse la direzione del Consiglio economico nazionale e l'incarico di consigliere economico del presidente. Bannon aveva proposto in quella veste l'opinionista e anchorman conservatore della CNBC Larry Kudlow, ma per Trump il prestigio di Goldman batteva persino una celebrità televisiva.

Fu un momento alla Richie Rich. Kushner aveva svolto uno stage estivo in Goldman ai tempi in cui Cohn era a capo del commodities trading. Poi Cohn era diventato presidente nel 2006 e, quando infine approdò nel team di Trump, Kushner non perdeva occasione di far notare che il presidente di Goldman Sachs stava lavorando per lui. Bannon, a seconda di chi voleva insultare, definiva Kushner lo stagista di Cohn o puntualizzava che Cohn era finito a lavorare per il suo stagista. Il presidente, per parte sua, non faceva che trascinarsi Cohn a ogni incontro ufficiale, soprattutto con leader stranieri, solo per poterlo presentare come l'ex presidente di Goldman Sachs.

Bannon si era annunciato come il cervello di Trump, un vanto che irritava non poco il presidente, ma, in Cohn Kushner vedeva un cervello assai migliore per la Casa Bianca: e non solo era molto più vantaggioso che Cohn fosse il *suo* cervello anziché quello di Trump, ma rappresentava anche la contromossa perfetta alla filosofia della gestione del caos di Bannon. Cohn era l'unica persona nella West Wing che avesse mai diretto una vasta organizzazione (Goldman ha trentacinquemila dipendenti) e, per dirla senza mezzi termini – cosa che Kushner era ben lieto di fare –, Bannon nella banca d'affari aveva raggiunto a malapena la qualifica di manager di medio livello, mentre Gary, suo coetaneo, aveva scalato la compagnia fino alla vetta, facendo peraltro centinaia di milioni di dollari. Cohn – democratico globalista-cosmopolita di Manhattan che aveva votato per Hillary Clinton e che parlava ancora spesso con l'ex amministratore delegato di Goldman, ex senatore e governatore democratico del New Jersey Jon Corzine – diventò immediatamente l'antitesi di Bannon.

Per Bannon, l'ideologo, Cohn era il suo esatto contrario, un commodities trader che faceva quello che fanno i trader: annusare l'aria e capire da che parte tira il vento. «Far prendere posizione a Gary su qualcosa è come inchiodare le farfalle al muro» commentò una volta Katie Walsh.

Cohn cominciò a descrivere quella che a breve sarebbe diventata la nuova Casa Bianca, dal taglio pratico e impegnata a passare da posizioni di centro-destra a posizioni moderate tout court. Nella nuova configurazione, Bannon sarebbe diventato una figura marginale e lui, che nutriva scarsa considerazione per Priebus, sarebbe stato il capo di gabinetto in pectore. La strada gli pareva facile. Certo che sarebbe andata così! Priebus era un peso leggero e Bannon uno sciattone incapace di dirigere alcunché.

Qualche settimana dopo il suo arrivo nella squadra di transizione presidenziale, Bannon bocciò la sua idea di espandere il Consiglio economico nazionale di ben trenta persone (Kushner, a dirla tutta, bocciò quella di Bannon di far comporre e guidare il suo staff a David Bossie). L'ideologo aveva anche riferito la voce, probabilmente non troppo lontana dal vero (o comunque diffusa all'interno di Goldman Sachs), secondo cui Cohn, un tempo destinato a diventare amministratore delegato della banca d'affari, fosse stato costretto ad andarsene per un indecoroso tentativo di colpo di mano alla Alexander Haig – il segretario di Stato che nel 1981 aveva cercato di farsi affidare i poteri dopo l'attentato a Ronald Reagan – quando l'amministratore delegato dell'epoca, Lloyd Blankfein, si era dovuto sottoporre a una terapia anticancro. Nella versione di Bannon, insomma, Kushner si era portato dietro una mela guasta. La Casa Bianca era chiaramente l'ancora di salvezza professionale di Cohn: perché altrimenti avrebbe voluto entrare a far parte dell'amministrazione Trump? (Molto di tutto ciò sarebbe stato riferito in seguito ad alcuni giornalisti da Sam Nunberg, ex factotum di Trump passato a fare le veci di Bannon. Nunberg è stato schietto riguardo la sua tattica: «Ho fatto il culo a Gary ogni volta che ho potuto».)

Dà la misura del potere dei legami di sangue (o di quelli acquisiti per via matrimoniale), e probabilmente anche dell'influenza di Goldman Sachs, il fatto che nel bel mezzo di una Washington sotto il controllo repubblicano e di una West Wing fortemente di destra, se non antisemita (perlomeno nei confronti degli ebrei liberal), il binomio democratico Kushner-Cohn apparisse in ascesa. Parte del merito andava a Kushner, che stava dimostrando una tenacia inaspettata. Avverso alle contrapposizioni frontali – in casa sua, il padre, che aveva il monopolio dei conflitti, costringeva tutti gli altri a cercare di smussare i toni –, lui che non affrontava direttamente Bannon, né suo suocero, cominciò a vedere se stesso in senso stoico: era l'ultimo uomo della moderazione, il solo con un minimo di modestia, la necessaria zavorra della nave. Il tutto sarebbe stato reso evidente da un risultato spettacolare: avrebbe portato a termine la missione che il suocero gli aveva affidato, quella che vedeva sempre più come il suo destino. Sì, avrebbe realizzato la pace mediorientale.

«Lui porterà la pace in Medio Oriente» ripeteva spesso Bannon, voce deferente e volto impassibile, facendo scompisciare i suoi sostenitori.

Perciò, per un verso, Kushner era una figura di esasperata

faciloneria destinata a essere ridicolizzata, e per l'altro un uomo che, incoraggiato da sua moglie e da Cohn, si vedeva, sul palcoscenico del mondo, investito di una singolare missione.

Ecco un'altra battaglia da vincere o perdere. Per Bannon, Kushner e Cohn (e Ivanka) vivevano in una realtà alternativa che poco aveva a che fare con l'autentica rivoluzione di Trump. Per Kushner e Cohn, Bannon non era solo distruttivo, ma anche autodistruttivo, e i due confidavano che avrebbe distrutto se stesso prima di distruggere loro.

Alla Casa Bianca di Donald Trump, come ha osservato Henry Kissinger, era in corso «una guerra tra ebrei e non ebrei».

Per Dina Powell, l'altro acquisto marchiato Goldman della West Wing, la considerazione principale, quando Ivanka la scelse per andare a lavorare alla Casa Bianca, fu valutare il «contro» di essere associata alla presidenza di Trump. Aveva diretto il braccio filantropico della banca d'affari, un'opera di pubbliche relazioni e corteggiamento dei fondi sempre più consistenti destinati ad azioni benefiche; in quanto rappresentante di Goldman, era diventata una sorta di leggenda a Davos, la pierre suprema tra i pierre supremi del mondo, e si collocava al crocevia di immagine e patrimonio, in un mondo sempre più condizionato da ricchezza privata e brand personali.

Furono la sua ambizione e le doti di persuasione di Ivanka Trump, esercitate nel corso di brevi incontri a New York e Washington, le ricacciarono indietro i dubbi e la spinsero a salire a bordo. Quello, e la scommessa – politicamente rischiosa, ma dall'altissimo premio – che, schierandosi con Jared e Ivanka e collaborando a stretto contatto con Cohn, già suo amico e alleato in Goldman, avrebbe potuto assumere il controllo della Casa Bianca. Quella era l'idea implicita, niente di meno: nello specifico, che Cohn o la Powell, o con buona probabilità entrambi, nel corso dei successivi quattro o otto anni, sarebbero giunti, usciti di scena Bannon e Priebus, ad assumere l'incarico di capo di gabinetto. Le stizzite e continue lagnanze presidenziali colte da Ivanka sull'uno e sull'altro incoraggiavano a prevedere un esito simile.

Un punto non da poco: fattore trainante della scelta di Dina Powell era l'assoluta convinzione di Jared e Ivanka (e che Cohn e la Powell trovarono a loro volta condivisibile) di essere destinati ad assumere il controllo della Casa Bianca. Per i due l'offerta di entrare a far parte dell'amministrazione Trump fu trasmutata oltre lo status di semplice opportunità, fino a diventare una sorta di appello al dovere. Lavorando con Jared e Ivanka, sarebbe stato loro compito aiutare a dirigere e plasmare una Casa Bianca che rischiava altrimenti di trasformarsi nell'esatto opposto della razionalità e moderazione che loro invece potevano portare. Erano chiamati a diventarne gli strumenti di salvezza, insomma, compiendo peraltro un monumentale salto di carriera.

Più nell'immediato, per Ivanka, sempre attenta alla questione delle donne nella presidenza del padre, Dina Powell andava a compensare l'immagine poco lusinghiera rappresentata da Kellyanne Conway, che, a prescindere dalla guerra con Bannon, Ivanka e Jared disprezzavano. La Conway, che continuava a godere del favore del presidente e a essere la sua paladina prediletta nei dibattiti televisivi, si era pubblicamente dichiarata volto dell'amministrazione, e per Ivanka e Jared era un volto terrificante. Lei pareva dar corpo ai peggiori impulsi del presidente senza il beneficio di un filtro, assommando in sé le collere, l'impulsività e gli svarioni di Trump. Laddove un consigliere del presidente avrebbe dovuto stemperarne e interpretarne le uscite impulsive, Kellyanne le riprendeva, le rilanciava, ci costruiva sopra una sceneggiata. Prendeva la richiesta di lealtà di Trump troppo alla lettera. Per come la vedevano loro era una cocciuta, rissosa faccia televisiva con manie di protagonismo, mentre la Powell, speravano, sarebbe stata un'ospite ponderata, guardinga e matura nei programmi del sabato mattina.

Alla fine di febbraio, dopo il primo caotico mese alla West Wing, la campagna di Jared e Ivanka volta a minare Bannon sembrava procedere a gonfie vele. La coppia aveva creato un circuito, di cui facevano parte Scarborough e Murdoch, che rafforzava la profonda irritazione e frustrazione del presidente riguardo il presunto peso di Steve Bannon alla Casa Bianca. Per settimane, dopo il servizio di copertina di «Time» su

Bannon, non ci fu praticamente una conversazione di Trump in cui non vi facesse uno stizzito riferimento («Vede le copertine di "Time" in termini di gioco a somma zero» disse Roger Ailes. «Se ci finisce qualcun altro, vuol dire che non ci finisce lui»). Joe Scarborough continuava a riproporre la battuta fatta nel suo talk show sul «presidente Bannon», Murdoch non faceva che sottolineare a Trump la stravaganza e l'estremismo dei seguaci del suo consigliere, collegando Bannon ad Ailes. «Sono pazzi tutti e due» concluse. Kushner, poi, insinuava nel suocero – sempre allergico a qualunque forma di debolezza legata all'età – l'idea che il sessantatreenne consigliere non avrebbe retto ai ritmi di lavoro della Casa Bianca. Bannon, in effetti, lavorava tra le sedici e le diciotto ore al giorno, sette giorni su sette, e, per paura di perdersi una convocazione presidenziale o temendo che ne approfittasse qualcun altro, si rendeva reperibile praticamente a qualsiasi ora della notte. Con il passare delle settimane pareva dar segni evidenti di esaurimento fisico: volto e gambe apparivano più gonfi, gli occhi annebbiati, gli abiti stazzonati come se ci avesse dormito, la soglia di attenzione meno alta.

All'inizio del secondo mese di mandato, il fronte Jared-Ivanka-Gary-Dina era tutto concentrato sul discorso presidenziale del 28 febbraio davanti al Congresso in seduta congiunta.

«Reset» aveva dichiarato Kushner. «Reset totale.»

L'occasione offriva un'opportunità ideale. Trump avrebbe dovuto tenere il discorso che era stato preparato. Non solo sarebbe stato scritto sul gobbo, ma anche distribuito con largo anticipo. L'educato uditorio, inoltre, non gli avrebbe lanciato le uova. I soliti manovratori erano sotto controllo e, anzi, almeno per quella volta, sarebbero stati Jared, Ivanka, Gary e Dina ad avere il comando.

«Se ci sarà anche solo una sua parola, Steve si prenderà tutto il merito» disse Ivanka al padre. Sapeva bene che, con Trump, era meglio far leva sul merito che sul contenuto, e il suo commento assicurò che il presidente tenesse l'intervento fuori dalla portata di Bannon.

«The Goldman Speech» lo ribattezzò Bannon.

Alla cerimonia di insediamento, il discorso inaugurale, quasi interamente scritto da Bannon e da Stephen Miller, aveva sconvolto Jared e Ivanka, ma una squisita peculiarità della Casa Bianca trumpiana, ad aggravarne i problemi di comunicazione, era l'assenza di un team di ghostwriter. C'era il colto ed eloquente Steve Bannon, che di fatto però non scriveva quasi nulla in prima persona; c'era Stephen Miller, che faceva poco più che produrre elenchi puntati. Per il resto, ci si arrabattava. Mancava un messaggio coerente per il semplice fatto che nessuno lo metteva nero su bianco: l'ennesimo esempio di ignoranza del mestiere politico.

Ivanka si assicurò il saldo controllo della bozza e cominciò a riversarci dentro contributi dal fronte Jarvanka. Durante l'evento, il presidente si comportò proprio come avevano sperato: ottimista, abile affabulatore, un Trump alla «non c'è da aver paura», un indomito guerriero. Jared, Ivanka e tutti i loro alleati la giudicarono una magnifica serata, concordando che, finalmente, in quell'occasione così formale – «Signor speaker, il presidente degli Stati Uniti!» – Trump era apparso davvero presidenziale. E, per una volta, anche i media furono d'accordo.

Le ore successive al discorso furono il miglior momento di Trump alla Casa Bianca. La sua fu, almeno per quella fascia di notiziari, una presidenza diversa. Per un attimo si produsse persino qualcosa di simile a una crisi di coscienza in alcuni rappresentanti dei media: questo presidente era stato frainteso? Gli organi d'informazione, con i loro pregiudizi, si erano persi un Donald Trump animato da buone intenzioni? Stava finalmente mostrando il suo volto migliore? Lo stesso Trump trascorse quasi due giorni interi senza far altro che passare in rassegna la stampa favorevole. Era giunto infine a una placida riva (con indigeni amichevoli sulla spiaggia). Soprattutto, il successo del discorso confermava la strategia di Jared e Ivanka: cercare un terreno comune. Confermava anche la profonda conoscenza che la figlia aveva del padre: lui voleva solo essere amato. E, al tempo stesso, il peggior timore di Bannon: in fondo, il presidente era un tenerone.

Il Trump visto la sera della seduta congiunta non era solo

un nuovo Trump, ma l'affermazione, nella West Wing, di un nuovo team (cui Ivanka aveva intenzione di unirsi formalmente nel giro di qualche settimana). Jared e Ivanka, con l'aiuto dei loro consiglieri di Goldman Sachs, stavano cambiando messaggio, stile e temi della Casa Bianca e il nuovo filo conduttore era: «Tendere la mano».

Bannon, giovando ben poco alla propria causa, si dipinse a chiunque lo stesse ad ascoltare come una novella Cassandra. Insistette che il tentativo di ammansire i propri acerrimi nemici poteva solo portare al disastro. Bisogna continuare a dar battaglia: se pensate che sia possibile il compromesso, siete degli illusi. La virtù di Trump – almeno per Steve Bannon – era che l'élite cosmopolita non lo avrebbe mai accettato. Dopotutto, per quanto lo si tirasse a lucido, era sempre Donald Trump.

11

Intercettazioni

Con tre schermi sempre accesi nella camera da letto della Casa Bianca, il presidente non aveva bisogno di nessuno per sapere cosa dicessero di lui le televisioni. Per quanto riguardava i giornali, invece, dipendeva da Hope Hicks. Molti ritenevano che la Hicks, addetta stampa del candidato per la maggior parte della campagna presidenziale e sua portavoce (sebbene, come Trump sottolineava sempre, fosse lui il vero portavoce di se stesso), fosse stata relegata in secondo piano alla West Wing dal clan di Bannon, dall'ala di Goldman e dai professionisti di Priebus e del Comitato nazionale repubblicano. I vertici dello staff non la consideravano solo troppo giovane e inesperta (tra i giornalisti che seguivano la campagna era famosa per le sue minigonne attillate), ma anche troppo accondiscendente, una *yes woman* timorosa di sbagliare, insicura e sempre alla ricerca dell'approvazione di Trump. Tuttavia il presidente continuava a salvarla dall'oblio al quale altri cercavano di condannarla. «Dov'è Hope?» chiedeva puntualmente. Malgrado lo sconcerto di tutti, la Hicks rimaneva l'assistente più fidata e vicina a Trump, e svolgeva forse il compito più delicato della sua presidenza: presentarlo ai media nel modo più positivo possibile e tentare di limitare i danni con quelli ai quali era irrimediabilmente inviso.

Il giorno successivo al discorso «reset» davanti al Congresso in seduta congiunta fu un vero rompicapo per la Hicks.

Arrivavano i primi riscontri tutto sommato positivi per l'amministrazione, ma il «Washington Post», il «New York Times» e il «New Yorker» stavano pubblicando una sfilza di pessime notizie. Per fortuna quelle informazioni non erano ancora rimbalzate sulla tv via cavo, quindi, almeno su quel fronte, sembrava esserci una breve tregua e per gran parte di quella giornata – il 1° marzo – la Hicks stessa non capì fino in fondo la gravità della situazione.

L'articolo del «Post» si basava su una fuga di notizie provenienti da una fonte del Dipartimento di Giustizia (descritta come un «alto ex funzionario americano», quindi, con ogni probabilità, qualcuno dello staff presidenziale di Obama), secondo la quale il nuovo attorney general, Jeff Sessions, in due occasioni, aveva incontrato l'ambasciatore russo Sergej Kisljak.

Quando sottoposero il problema al presidente, lui non ne comprese la portata, limitandosi a chiedere: «E allora?».

Gli spiegarono quindi che, interpellato in proposito, durante la seduta in Senato per la conferma dei membri del governo, Sessions aveva detto di non averlo fatto.

Affrontando Sessions nell'udienza del 10 gennaio, Al Franken, ex attore e senatore democratico del Minnesota, sembrava un pescatore che getta l'amo alla cieca per acchiappare un pesce sfuggente. Tra continue interruzioni e frasi contorte, Franken, a cui avevano passato una domanda sul dossier Steele, appena emerso, giunse a questa formulazione:

> Secondo quanto riportato, questi documenti dicono anche che, cito, «durante la campagna si verificava un continuo scambio di informazioni tra rappresentanti di Trump e intermediari per il governo russo».
> Ecco, glielo sto dicendo adesso che sta venendo fuori, in modo che lo sappia. Ma se fosse vero, sarebbe ovviamente un fatto molto grave. Se esistessero delle prove che qualcuno legato alla campagna di Trump era in contatto con il governo russo, lei cosa farebbe?

Invece di rispondere alla tortuosa domanda di Franken («Lei cosa farebbe?») con un semplice «Ovviamente condurremmo un'indagine e perseguiremmo qualsiasi azione illegale», Jeff Sessions, confuso, rispose a un quesito che non gli era stato rivolto.

> Senatore Franken, non sono a conoscenza di nessuna di queste attività. Durante la campagna sono stato inviato come rappresentante una volta o due e non ho avuto, ripeto, non ho avuto alcuna comunicazione con i russi. Quindi non sono in grado di commentare.

L'attenzione del presidente era tutta concentrata sul perché qualcuno potesse pensare che comunicare con i russi fosse tanto negativo. Non c'è nulla di male, insisteva Trump. Come in passato, era difficile smuoverlo da questa convinzione e indirizzarlo al nocciolo della questione: una possibile menzogna davanti al Congresso. L'inchiesta del «Post», messa in quei termini, non lo preoccupava. Con l'appoggio della Hicks, la considerava un tentativo azzardato di incolpare di qualcosa Sessions, il quale, in ogni caso, negava di aver incontrato i russi in qualità di rappresentante della campagna. Quindi? Non lo aveva fatto. Caso chiuso.

«Fake news» commentò il presidente, utilizzando quella che ormai era diventata una risposta passepartout.

L'articolo del «New York Times», come gli era stato riportato dalla Hicks, gli sembrò addirittura una buona notizia. L'inchiesta, partita *ancora una volta* da fonti anonime dell'amministrazione Obama, forniva una nuova dimensione al crescente sospetto di un collegamento tra la campagna elettorale di Trump e i tentativi russi di influenzare le elezioni presidenziali americane:

> Alcuni alleati – inclusi gli inglesi e gli olandesi – avevano fornito informazioni sugli incontri, avvenuti in alcune città europee, tra funzionari russi – e altre persone vicine al presidente russo Vladimir Putin – e i collaboratori del presidente neoeletto Trump, secondo le dichiarazioni di tre ex funzionari americani che hanno chiesto di rimanere anonimi parlando di questioni di intelligence riservate.

E:

> Separatamente, alcune agenzie di intelligence americane avevano intercettato comunicazioni di funzionari russi, alcuni interni al Cremlino, in merito a contatti con collaboratori di Trump.

L'articolo proseguiva:

> Trump ha negato che durante la sua campagna vi fossero stati contatti con funzionari russi, insinuando che le agenzie spionistiche americane si fossero inventate informazioni di intelligence al fine di suggerire che il governo russo avesse cercato di interferire nelle elezioni presidenziali. Trump ha accusato l'amministrazione Obama di aver dato ampia diffusione all'intrigo russo in modo da gettare discredito sulla nuova amministrazione.

E poi il punto cruciale:

> Nell'amministrazione Obama, le dichiarazioni di Trump avevano alimentato in alcuni il timore che, dopo il passaggio di consegne alla Casa Bianca, l'intelligence potesse essere sabotata o smantellata, oppure che potessero esserne rivelate le fonti. Ne è seguito lo sforzo di preservare la struttura dei servizi segreti, a dimostrazione del profondo stato di angoscia con il quale la Casa Bianca e le agenzie americane erano arrivate a considerare la minaccia proveniente da Mosca.

Qui si aveva un'ulteriore conferma di una delle tesi centrali di Trump: la precedente amministrazione, con il proprio candidato ormai sconfitto, non si era limitata a ignorare la consuetudine democratica di spianare la strada al vincitore delle elezioni, ma il suo staff aveva addirittura complottato con l'intelligence per minare la stabilità della nuova presidenza. Le informazioni segrete, così suggeriva l'inchiesta, erano state distribuite tra le varie agenzie, circostanza che avrebbe facilitato la fuga di notizie e, allo stesso tempo, protetto chi le aveva fatte trapelare. Stando a voci di corridoio, queste informazioni si basavano sui database di Susan Rice che registravano i contatti russi del team di Trump. Con una tecnica presa in prestito da WikiLeaks, i documenti erano stati secretati su una decina di server collocati in posti diversi. Prima di questo passaggio, quando la notizia era in mano a pochi, non sarebbe stato difficile identificare coloro che avrebbero potuto farla trapelare, ma l'amministrazione Obama aveva deliberatamente allargato questa base.

Quindi era una buona notizia, giusto? Non era forse una prova, chiese il presidente, che Obama e i suoi lo tenevano sotto tiro? L'articolo del «Times» era un piano orchestrato ad arte per favorire una fuga di notizie, e forniva una prova inconfutabile del *deep state*.

Hope Hicks, come sempre, assecondò la sua interpretazione. Il reato era la fuga di notizie e il colpevole la vecchia amministrazione. Il Dipartimento di Giustizia – il presidente ne era convinto – avrebbe messo sotto inchiesta Obama e i suoi collaboratori. Finalmente.

La Hicks portò al presidente anche il pezzo del «New Yorker». La rivista aveva appena pubblicato un grosso articolo a firma di tre autori – Evan Osnos, David Remnick e Joshua Yaffa –, nel quale si attribuiva la causa dell'aggressività della Russia a una nuova Guerra fredda. Remnick, direttore della testata, aveva da subito sostenuto senza mezzi termini che l'elezione di Trump avrebbe messo in pericolo le norme democratiche.

In 13.500 parole, questo articolo – che univa senza sforzo i puntini della mortificazione geopolitica della Russia, dell'ambizione di Putin, degli hacker russi, del nascente autoritarismo dello stesso Trump e dei sospetti dell'intelligence americana su Putin e la Russia – codificava una nuova retorica tanto coerente e apocalittica quanto quella della vecchia Guerra fredda. La differenza era che questa volta l'esito finale era Donald Trump: era lui la bomba nucleare. Una delle fonti più citate dai giornalisti era il collaboratore di Obama Ben Rhodes, che, stando all'entourage di Trump, sarebbe stato uno dei principali responsabili della fuga di notizie, se non una delle menti dello sforzo compiuto dalla precedente amministrazione per mettere in relazione Trump e i suoi collaboratori con Putin e la Russia. Alla Casa Bianca molti erano convinti che Rhodes in qualche modo incarnasse il *deep state*. Credevano anche che in ogni fuga di notizie attribuita a «ex funzionari e funzionari in servizio», l'ex funzionario in questione fosse appunto Rhodes e che fosse in stretto contatto con quelli in servizio.

Se da una parte l'articolo era un semplice riepilogo dei timori su Putin e Trump, dall'altra, in una parentesi verso la fine – nascondendo la cosa principale –, collegava Jared Kushner e l'ambasciatore russo Kisljak, a proposito dell'incontro che il diplomatico aveva avuto con Michael Flynn alla Trump Tower a dicembre.

Il passaggio sfuggì alla Hicks; fu Bannon a doverlo evidenziare per il presidente.

A quel punto, tre persone della nuova amministrazione erano state direttamente collegate al diplomatico russo: l'ex consigliere per la Sicurezza nazionale, l'attorney general in carica e il genero, nonché consigliere del presidente.

Secondo Kushner e la moglie, non era stata una mossa innocente: con un senso di minaccia crescente, sospettavano che fosse stato lo stesso Bannon a far trapelare la notizia dell'incontro tra Kushner e Kisljak.

Nell'amministrazione Trump pochi incarichi sembravano giusti, indicati o addirittura predestinati a chi li ricopriva quanto la nomina di Jeff Sessions ad attorney general, ministro della Giustizia. Lui stesso considerava quell'incarico come un mandato a contenere, circoscrivere e annullare l'interpretazione della legge federale che per tre generazioni aveva indebolito la cultura americana e sminuito il posto che lui stesso occupava. «È la missione della sua vita» dichiarò Steve Bannon.

Sessions non avrebbe mai e poi mai messo a rischio il suo compito per quella stupida faccenda della Russia, con il suo cast in continua crescita di personaggi da commedia. Solo Dio poteva sapere cosa frullasse nella testa di quegli individui legati a Trump: ma non poteva essere niente di buono, questo era evidente. Meglio non averci nulla a che fare.

Senza consultare il presidente e, a quanto pare, nessun altro alla Casa Bianca, Sessions decise di allontanarsi il più possibile dal pericolo. Il 2 marzo, il giorno dopo l'articolo del «Post», dichiarò che, in quanto attorney general, si sarebbe astenuto da qualunque intervento sulle indagini relative ai rapporti tra la campagna di Trump e la Russia.

La notizia ebbe l'effetto di una bomba. Sessions rappresentava lo scudo di Trump contro un'indagine troppo aggressiva. Il presidente non riusciva proprio a cogliere la logica di quella decisione. Se ne lamentò con gli amici: perché Sessions non lo proteggeva? Che vantaggio pensava di trarne? Credeva che fosse tutto vero? Sessions doveva fare il suo lavoro!

In realtà Trump aveva già le sue ragioni per preoccuparsi del Dipartimento di Giustizia. Tra quelle mura aveva una fonte privata che lo ragguagliava, almeno così credeva, su ciò che accadeva e, come sottolineava il presidente, faceva un lavoro decisamente migliore dello stesso Sessions.

Come conseguenza del Russiagate, quindi, l'amministrazione Trump si ritrovò coinvolta in un delicato tira e molla burocratico, con il presidente che si rivolgeva a fonti esterne al governo per scoprire cosa succedesse al suo interno. L'amico di vecchia data del presidente, che disponeva di propri informatori all'interno del Dipartimento di Giustizia (molti degli amici ricchi e potenti di Trump avevano le loro ragioni per tenere sotto stretta osservazione quello che accadeva lì dentro), gli forniva un quadro desolante del Dipartimento e dell'FBI, del tutto fuori controllo nei suoi tentativi di affondarlo. Al presidente fu riferito che era stata pronunciata la parola «tradimento».

«Il Dipartimento di Giustizia» disse la fonte del presidente «era pieno di donne che lo odiano.» Un esercito di legali e investigatori che prendevano ordini dalla vecchia amministrazione. «Vogliono far sembrare il Watergate un Pissgate» fu detto al presidente. Ma quel paragone mandò Trump in confusione: pensò che il suo amico si riferisse al dossier Steele e alla vicenda delle piogge dorate.

Sulle prime, dopo l'annuncio dell'attorney general, il presidente, la cui reazione istintiva a qualsiasi problema era licenziare qualcuno, pensò di doversi semplicemente sbarazzare di Sessions. Allo stesso tempo, non aveva molti dubbi su quello che stava succedendo. Sapeva chi aveva messo in giro quella storia sulla Russia e, se i fedelissimi di Obama pensavano di riuscire a farla franca, si sbagliavano di grosso. Li avrebbe smascherati tutti!

Uno dei tanti nuovi sponsor di Jared Kushner era Tony Blair, l'ex primo ministro inglese che Kushner aveva avuto modo di conoscere nel 2010 sulle rive del fiume Giordano, in occasione del battesimo di Grace e Chloe Murdoch, le figlie minori di Rupert Murdoch e della moglie di allora, Wendi. Inoltre Jared e Ivanka avevano vissuto nel palazzo di proprietà di Trump su Park Avenue, lo stesso dove abitavano i Murdoch (per questi ultimi si trattava di una soluzione temporanea, mentre era in corso la ristrutturazione della loro casa a tre piani sulla Quinta Strada, lavori che si erano protratti per quattro anni), e durante quel periodo Ivanka era diventata una delle amiche più intime di Wendi. In seguito Murdoch avrebbe accusato Blair, padrino di Grace, di avere una relazione con sua moglie e di essere la causa della loro rottura. Con il divorzio, Wendi tenne i Trump.

Ironia della sorte, quando la figlia e il genero del presidente arrivarono alla Casa Bianca, diventarono oggetto dell'interesse di Blair e di Murdoch. Privo di un circolo di influenza in quasi tutti i settori governativi in cui era ormai coinvolto, non solo Kushner era sensibile a questo interessamento, ma aveva anche un disperato bisogno dei consigli che persone del genere potevano offrirgli. Blair, che in Medio Oriente aveva a vario titolo interessi filantropici, diplomatici e imprenditoriali, era particolarmente intenzionato a seguire alcune delle iniziative di Jared in quella parte del mondo.

A febbraio l'ex premier britannico incontrò Kushner alla Casa Bianca.

Durante il suo viaggio, ormai nelle vesti di diplomatico freelance e volendo dimostrare quanto il suo contributo potesse risultare prezioso per la nuova amministrazione, Blair elargì una succosa informazione. Esisteva, suggerì, la possibilità che gli inglesi avessero tenuto sotto controllo lo staff della campagna di Trump, monitorando telefonate e altre comunicazioni, e probabilmente persino lo stesso candidato. Da quel che Kushner poté capire, era in sostanza la teoria dello «Shabbat goy» applicata all'intelligence. Durante lo Shabbat gli ebrei osservanti non possono accendere la luce né chiedere ad altri di farlo ma, se lasciano intendere che preferirebbero avere la luce accesa e un non ebreo la accende al posto loro, allora non ci sono problemi. Quindi, sebbene l'amministrazione Obama non avesse chiesto agli inglesi di spiare la campagna di Trump, doveva in qualche modo aver fatto capire che sarebbe stato molto apprezzato se gli inglesi lo avessero fatto di propria iniziativa.

Non era chiaro se le informazioni fornite da Blair fossero voci, congetture fondate, sue speculazioni o dati concreti ma, visto che quell'idea continuava a frullare e a gonfiarsi nella testa del presidente, Kushner e Bannon si recarono al quartier generale della CIA, a Langley, per incontrare Mike Pompeo e il suo vicedirettore Gina Haspel e appurare cosa fosse successo. Pochi giorni dopo la CIA riferiva confusamente che l'informazione non era corretta: si era trattato di un «malinteso».

Già molto prima dell'avvento di Trump, sembrava che la politica fosse diventata un affare di vita o di morte. Era un gioco a somma zero: quando una parte guadagnava, l'altra perdeva. La vittoria di una fazione significava la fine dell'altra. L'antica nozione di politica come arte dello scambio – capire se qualcuno aveva qualcosa che volevi (un voto, un favore, un appoggio) e ingegnarti per ottenerlo, visto che alla fine era solo questione di prezzo – era passata di moda. Ormai era una battaglia tra il bene e il male.

Curiosamente, per essere un uomo che aveva guidato un movimento all'apparenza basato sulla rabbia e sulla voglia di vendetta, Trump era (o pensava di essere) un politico vecchio stampo: un tipo alla «veniamoci incontro». Della serie: Tu fai un favore a me e io ne faccio uno a te. Lui si considerava un fine stratega, sempre consapevole di cosa volesse la persona che si trovava davanti.

Steve Bannon aveva spinto affinché il presidente si rifacesse al modello populista di Andrew Jackson e aveva fatto incetta dei suoi libri (rimasti tutti intonsi), ma il suo vero ideale era Lyndon Johnson: un omone capace di trattare, fare accordi, piegare alla sua volontà gli uomini più deboli e contrattare in modo che alla fine tutti potessero ottenere qualcosa, e il più bravo qualcosa in più. (Trump, tuttavia, non apprezzava l'ironia di dove fosse finito Johnson, uno dei primi politici moderni a essersi ritrovato sul lato sbagliato sia della politica sia della morale.)

Però a quel punto, dopo poco più di sette settimane da quando aveva assunto la presidenza, Trump considerava la sua condizione unica e straordinaria. Gli avversari lo prendevano di mira come non era accaduto a nessun altro presidente prima di lui (con la parziale eccezione di Bill Clinton). E, cosa ancora peggiore, l'intero sistema gli aveva dichiarato guerra. La palude burocratica, le agenzie di intelligence, i tribunali faziosi, i media bugiardi: tutti si erano schierati contro di lui. Per i vertici del suo staff, era un sicuro argomento di conversazione con lui: il possibile martirio di Donald Trump.

Nelle sue telefonate notturne, il presidente non faceva che ripetere quanto tutto ciò fosse ingiusto e raccontare quello che aveva detto Tony Blair, per non parlare degli altri. I pezzi si incastravano alla perfezione: era un complotto contro di lui.

Effettivamente i collaboratori più vicini a Trump si rendevano conto della sua instabilità e, nessuno escluso, ne erano preoccupati. In alcuni momenti della giornata, quando le questioni politiche prendevano una piega che non gradiva, il presidente poteva perdere il controllo, chiunque lo avrebbe ammesso. Quando succedeva, si chiudeva nella sua rabbia e nessuno poteva avvicinarlo. Il suo staff gestiva quelle crisi dandogli ragione, qualunque cosa dicesse. E se qualcuno, come ogni tanto capitava, cercava di contenerlo, Hope Hicks era sempre pronta ad assecondare il suo presidente.

A Mar-a-Lago, la sera del 3 marzo, Trump guardava l'intervista di Bret Baier a Paul Ryan su Fox. Baier interpellava lo speaker della Camera dei Rappresentanti in merito al rapporto pubblicato sul sito di news Circa – di proprietà del conservatore Sinclair Broadcast Group –, stando al quale la Trump Tower era stata sottoposta a sorveglianza durante la campagna.

Il 4 marzo, alle prime luci del mattino, Trump twittò:

> Pazzesco! Ho appena scoperto che Obama ha «intercettato» le mie telefonate nella Trump Tower proprio prima della vittoria. Niente di nuovo. Siamo in pieno maccartismo!
> (4:35)
>
> È legale per un presidente in carica «intercettare» uno dei candidati in corsa per la presidenza? Già bocciato da un tribunale. UN ALTRO SCIVOLONE!
> (4:49)
>
> Quanto è caduto in basso il presidente Obama spiando le mie telefonate durante il sacro processo delle elezioni. Questo è un Nixon/Watergate. Ragazzo cattivo (o malato)!
> (5:02)

Alle 6:40 chiamò Reince Priebus, svegliandolo. «Hai visto i miei tweet?» chiese. «Li abbiamo presi con le mani nel sacco!» Poi gli fece sentire la registrazione della trasmissione di Baier.

Il presidente non si era posto il problema dell'attendibilità di quelle dichiarazioni. La sua era stata una semplice, per quanto pubblica, esternazione, una finestra aperta sul dolore e sulla frustrazione. Con un lessico a dir poco sciatto e l'uso di un gergo così anni Settanta – le «intercettazioni telefoniche» richiamavano subito alla mente un manipolo di agenti dell'FBI chiuso in un furgone sulla Quinta Strada –, sembrava tutto così stravagante e farsesco. Dei tanti tweet che Trump ha postato nel tentativo di risollevare la sua immagine rispetto a quella presentata dai media, dall'intelligence e dai rivali politici, quelli sulle intercettazioni telefoniche lo avevano elevato a picchi altissimi, salvo poi lasciarlo penzolare nel baratro tra ignoranza e imbarazzo.

Secondo la CNN, «due ex alti funzionari statunitensi hanno liquidato le accuse di Trump. "Semplici assurdità" ha dichiarato un ex funzionario dell'intelligence americana». All'interno della Casa Bianca, la frase fu attribuita a Ben Rhodes: trovato il capro espiatorio.

Ryan, da parte sua, disse a Priebus che non sapeva a cosa si riferisse Baier e che si era limitato a chiacchierare del nulla per tutta l'intervista.

Se non era esattamente vero che i telefoni di Trump erano stati intercettati, all'improvviso bisognava sforzarsi di trovare qualcosa che lo fosse. Così la Casa Bianca aveva freneticamente scodellato un articolo di Breitbart che rimandava a un pezzo di Louise Mensch, un'ex parlamentare britannica che, trasferitasi negli Stati Uniti, era diventata il Jim Garrison del caso Trump-Russia.

Fu fatto un ulteriore tentativo di smascherare il coinvolgimento dell'amministrazione Obama. Ma alla fine fu solo l'ennesimo esempio, e per alcuni il più significativo, di quanto fosse difficile per Trump adeguarsi ai meccanismi di un mondo politico basato sui fatti e sul principio di causa ed effetto.

Fu un punto di svolta. Fino a quel momento, i collaboratori più stretti di Trump avevano lavorato per difenderlo, ma dopo i tweet sulle intercettazioni telefoniche tutti, tranne forse Hope Hicks, erano passati a una modalità di nauseata remissività, se non di costante incredulità.

Sean Spicer, tanto per citarne uno, continuava a ripetere ogni giorno, se non ogni ora, il suo mantra: «Cose del genere uno non potrebbe inventarsele».

12

Revocare e sostituire

Qualche giorno dopo le elezioni, Steve Bannon disse al neopresidente – in quella che Katie Walsh, alzando gli occhi al cielo, avrebbe definito l'ennesima «spacconata stile Breitbart» – che avevano i voti necessari per sollevare Paul Ryan dalla carica di speaker della Camera dei Rappresentanti e sostituirlo con Mark Meadows, capo del Freedom Caucus, ispirato al Tea Party, e sostenitore della prima ora di Trump. (La moglie di Meadows si era guadagnata il rispetto della cerchia del candidato per aver proseguito i comizi nella Bible Belt durante il weekend in cui era scoppiato lo scandalo Billy Bush.)

Quasi quanto la conquista della presidenza, sbarazzarsi di Ryan – anzi, umiliarlo – era uno dei massimi obiettivi che Bannon si era posto, nonché l'espressione più alta della fusione tra bannonismo e trumpismo. La campagna di Breitbart contro Paul Ryan era stata parte integrante di quella pro-Donald Trump. Il sostegno al tycoon e il coinvolgimento attivo di Bannon nella sua corsa elettorale, quattordici mesi dopo il suo inizio, erano stati in parte motivati proprio dal fatto che il candidato, gettando al vento ogni buonsenso politico, era disposto a guidare la carica contro Ryan e gli alti papaveri repubblicani. Tuttavia, il modo in cui Breitbart e Trump vedevano Ryan era molto diverso.

Per Breitbart, la rivolta che aveva costretto alle dimissioni l'allora speaker John Boehner e che puntava a trasformare la

Camera in un centro di potere del nuovo repubblicanesimo radicale si era arenata con l'elezione di Ryan. Candidato alla vicepresidenza nel 2012, al fianco di Mitt Romney, Ryan – che era stato a capo di due commissioni fiscali della Camera – era un tecnico del conservatorismo fiscale e un emblema di inattaccabile rettitudine repubblicana vecchio stampo. Incarnava l'ultima e la migliore speranza ufficiale del partito. (Com'era nel suo stile, Bannon aveva capovolto l'identikit del repubblicano perfetto in uno slogan trumpista: «Ryan è stato concepito in provetta in un laboratorio della Heritage Foundation», uno dei principali think tank della dottrina neoliberista.) Se la rivolta del Tea Party aveva spinto il partito repubblicano verso una destra più radicale, Ryan era parte della zavorra che ne avrebbe impedito – o quantomeno rallentato – un'ulteriore evoluzione. Rappresentava la solidità e il senso di responsabilità, in contrasto con l'immaturità da bambino iperattivo e affetto da deficit dell'attenzione così tipica del Tea Party. E opponeva una resistenza stoica, quasi da martire, al movimento Trump.

Mentre l'establishment repubblicano esaltava la maturità e la sagacia di Ryan, l'ala Tea Party Bannon-Breitbart aveva messo in atto una vera e propria campagna denigratoria, presentandolo come indifferente alla causa, inetto dal punto di vista strategico e inadatto al ruolo di leader. Lo trasformarono in una barzelletta: un fantoccio, tutto forma e niente sostanza, che suscitava scherno e imbarazzo.

Trump provava per lui un'avversione molto meno strutturata. Non aveva opinioni di sorta sulle sue capacità politiche e non si era mai interessato molto alle posizioni che prendeva. Per lui si trattava di una questione personale. Ryan lo aveva insultato, e in più di un'occasione. Aveva sempre scommesso contro di lui. Incarnava l'orrore e l'incredulità dell'establishment repubblicano nei suoi confronti. E per giunta il fatto che contestasse apertamente Trump pareva aver elevato la statura morale di Ryan. Insomma, oltre il danno la beffa: aveva guadagnato a sue spese e questo, per come era fatto Trump, equivaleva a un doppio affronto. Nella primavera del 2016 Ryan rappresentava ancora l'alternativa – l'unica ormai – a Trump come candidato del partito, e molti repubblicani erano certi che l'intera convention lo avrebbe appoggiato. Ryan, però, aveva azzardato un calcolo più machiavellico. Aveva lasciato che l'avversario conquistasse la nomination così da emergere come unica guida possibile del partito dopo la sua catastrofica sconfitta elettorale e la conseguente, inevitabile, purga dell'ala Tea Party-Trump-Breitbart.

Invece, a uscire distrutto dalle elezioni, almeno agli occhi di Steve Bannon, era stato Ryan. Trump non soltanto aveva salvato il partito repubblicano, ma gli aveva garantito una larga maggioranza. Il sogno di Bannon si era realizzato: il movimento del Tea Party, con il volto e la voce di Trump, aveva conquistato il potere. Un potere quasi assoluto. Si era impadronito del partito. Perciò l'ovvio e necessario passo successivo era il pubblico annientamento di Paul Ryan.

Quel passo, però, rischiava di arenarsi. Se Bannon, infatti, il cui disprezzo per Ryan era di natura ideologica, lo giudicava incapace e poco propenso a portare avanti la nuova agenda politica targata Bannon-Trump, il presidente, che invece l'aveva presa sul personale, vedendo Ryan sconfitto e umiliato cominciò di colpo – e con profonda soddisfazione – a considerarlo debole, docile e utile. Mentre Bannon voleva sbarazzarsi dell'intero establishment repubblicano, a Trump bastava che gli si mostrasse deferenza.

«È intelligente» commentò Trump dopo il suo primo colloquio post-elezioni con lo speaker. «Un uomo molto serio e rispettato da tutti.»

Secondo uno degli assistenti più vicini a Trump, Ryan riuscì a ottenere un rinvio dell'esecuzione «con una plateale, e francamente imbarazzante, leccata di culo». Mentre Bannon continuava a sostenere la candidatura di Meadows – un personaggio molto meno malleabile di Ryan –, Trump iniziava a tentennare e alla fine non solo dichiarò che Ryan sarebbe rimasto al suo posto, ma affermò anche che sarebbe diventato il suo migliore alleato, il suo uomo. In un'ennesima dimostrazione dei bizzarri e imprevedibili effetti su Trump delle dirette relazioni personali – e di quanto fosse facile vendere a un venditore –, il presidente iniziò a sostenere di slancio il programma di Ryan invece del contrario.

«Chi poteva immaginare che il presidente gli avrebbe dato carta bianca?» osservò in seguito Katie Walsh. «Dall'odio inveterato della campagna elettorale, la loro diventò una tale luna di miele che il presidente era disposto ad assecondarlo in tutto.»

Per la verità Bannon non si sorprese fino in fondo di quel cambio di rotta: sapeva bene quanto è facile raccontare balle a un cacciaballe. E sapeva anche che l'avvicinamento a Ryan dipendeva in parte dalla nuova consapevolezza che Trump aveva del proprio ruolo. Non era stato solo lo speaker a inchinarsi al presidente, anche Trump era disposto a inchinarsi davanti alla paura di non sapere un accidente di ciò che comportava la sua carica. Se poteva contare su Ryan per gestire il Congresso, allora – fiuuu! – almeno questa era risolta.

A Trump importava poco o niente di uno dei principali obiettivi repubblicani: la revoca dell'Obamacare. Da settantenne sovrappeso e con svariate fobie sul proprio aspetto fisico (per esempio mentiva sulla sua altezza per evitare che il calcolo dell'indice di massa corporea lo bollasse come obeso), considerava sgradevole ogni conversazione sulla salute e i trattamenti medici. I dettagli della contestata riforma lo annoiavano a morte, e la sua mente cominciava a vagare fin dalle prime battute di una discussione sulle politiche di governo. Se qualcuno lo avesse interrogato sui singoli aspetti dell'Obamacare, il presidente si sarebbe limitato a ridere dell'ingenua convinzione del suo predecessore di garantire a tutti un proprio medico curante. Di certo non sarebbe stato in grado di illustrare le differenze – negative o positive – apportate dalla riforma di Obama al sistema sanitario.

Possiamo presumere che, prima delle elezioni, Trump non si fosse mai soffermato a riflettere sul funzionamento dell'assicurazione sanitaria. «In tutto il Paese, se non addirittura nel mondo intero, nessuno era estraneo quanto lui a questo argomento» affermò Roger Ailes. Durante la campagna elettorale, incalzato da un giornalista sull'importanza di revocare e riformare l'Obamacare, Trump si era dimostrato a dir poco incerto sulla propria posizione. «Senza dubbio un tema importante, però è anche vero che i temi importanti sono parecchi... Forse potremmo classificarlo tra i primi dieci. Ecco, magari sì. Ma ce ne sono talmente tanti altri che è difficile esserne sicuri. Forse rientra tra i primi dodici o quindici... Di certo nella top twenty.»

Era un'altra delle sue affinità controintuitive con molti elettori: Obama e Hillary Clinton sembravano realmente interessati a sviscerare i problemi della sanità, mentre Trump, come gran parte della gente comune, no.

In linea di massima è probabile che preferisse l'idea che un buon numero di americani fosse coperto da un'assicurazione sanitaria e forse, messo alle strette, era addirittura più favorevole che contrario all'Obamacare. In più aveva fatto lui stesso una serie di impulsive promesse elettorali ispirate al suo predecessore, al punto da dichiarare che nel futuro piano Trumpcare nessuno avrebbe perso la copertura sanitaria, e che tutti avrebbero continuato a godere delle stesse agevolazioni. (Bisognò penare parecchio per dissuaderlo da quel *rebranding*: gli analisti politici gli spiegarono che non sempre era il caso di legare il proprio nome a qualcosa.) Non è da escludere che fosse il repubblicano più favorevole in assoluto a una sanità finanziata dallo Stato. «Per quale motivo l'assistenza sanitaria non può essere gratuita per tutti?» aveva chiesto, spazientito, ai suoi assistenti, che avevano badato bene a non battere ciglio davanti a una simile eresia.

Era Bannon a insistere sulla questione, ripetendo in tono severo che l'Obamacare era un banco di prova importante per i repubblicani. Considerando la solida maggioranza al Congresso, poi, ottenere la sua revoca sarebbe stato un gioco da ragazzi: inoltre, se non avesse obbedito a quell'imperativo, come avrebbe potuto Trump affrontare gli elettori repubblicani? Era un obiettivo imprescindibile e realizzarlo avrebbe avuto esiti molto soddisfacenti, persino catartici. Per non parlare della facilità con cui lo avrebbero conseguito, visto che pressoché tutti i repubblicani si erano già impegnati a votare per la sua abrogazione. Allo stesso tempo, però, Bannon era consapevole che il tema della sanità rischiava di indebolire il consenso del bannonismo-trumpismo presso le classi lavoratrici, per questo si tenne cautamente defilato nel dibattito. In seguito non si sarebbe nemmeno preso la briga di accampare scuse per il fatto di essersene lavato le mani, limitandosi a uno sbrigativo: «Non mi sono occupato della questione perché non è il mio campo».

Alla fine fu Ryan, con il suo «revocare e sostituire», a persuadere Trump. La prima parte dello slogan avrebbe soddisfatto i repubblicani, la seconda le avventate promesse del presidente durante la campagna elettorale. Prescindendo dall'alta probabilità che Trump intendesse il concetto di «revocare e sostituire» in modo molto diverso da Ryan, quella frase, che di fatto non veicolava alcun significato specifico, suonava come un ottimo messaggio propagandistico.

Una settimana dopo l'elezione, accompagnato da Tom Price – rappresentante della Georgia alla Camera e, in qualità di ortopedico, autorità di riferimento di Ryan su ogni tema sanitario –, lo speaker della Camera si recò nella tenuta di Trump a Bedminster, nel New Jersey, per presentare il progetto. I due riassunsero al presidente – che continuava a cambiare discorso, cercando di portare la conversazione sul golf – sette anni di pensiero legislativo repubblicano sull'Obamacare e le alternative proposte dal partito. Trump, che in genere tende ad assecondare chiunque sembri più informato di lui su una questione che non gli interessa particolarmente o che non ha intenzione di approfondire troppo nel dettaglio, commentava con un «Ottimo!», o esclamazioni analoghe, alla fine di ogni frase, cercando in tutti i modi un pretesto per tagliare la corda. Così aderì su due piedi alla proposta di Ryan di delegare a lui la stesura del disegno di legge e di nominare Price ministro della Salute e dei Servizi umani.

Kushner, che durante la fase di dibattito si era tenuto in disparte, a decisione presa sembrò pubblicamente rassegnarsi al fatto che un'amministrazione repubblicana non potesse esimersi dall'affrontare l'Obamacare; in privato, però, non fece mistero di essere contrario sia all'abrogazione di quella riforma, sia alla sua sostituzione. Sull'argomento lui e la moglie abbracciavano la visione dei democratici (cioè che l'Obamacare fosse comunque meglio delle alternative, e che le sue pecche si potessero correggere nel tempo) e ritenevano più strategico per la nuova amministrazione incassare qualche facile vittoria prima di affrontare le battaglie più dure o le crociate impossibili. (Senza contare che il fratello di Kushner, Josh, era a capo di una compagnia assicurativa la cui sopravvivenza dipendeva interamente dall'Obamacare.)

Perciò, per l'ennesima volta, la Casa Bianca si trovava divisa. Bannon era fermo sulla sua posizione, Priebus era allineato con Ryan a sostegno della leadership repubblicana e Kushner, senza che questo lo turbasse in maniera particolare, sosteneva una visione da democratico moderato. Quanto a Trump, il suo unico obiettivo era liquidare una questione che lo lasciava pressoché indifferente.

Le doti di persuasione di Ryan e Priebus promettevano anche di sollevare il presidente Trump da altri fastidi. Secondo lo speaker, la riforma sanitaria sarebbe stata una sorta di bacchetta magica. Una volta approvata al Congresso, avrebbe sbloccato i fondi necessari a coprire i tagli fiscali garantiti da Trump, e questi – a loro volta – avrebbero reso possibili tutti gli investimenti in infrastrutture promessi durante la campagna elettorale.

In questo scenario – secondo cui l'amministrazione, grazie a una specie di effetto domino, avrebbe mietuto un successo dopo l'altro fino alla pausa di agosto, passando alla storia come una delle più incisive dei tempi moderni –, Ryan avrebbe conservato la carica di speaker e da reietto qual era si sarebbe trasformato in uomo di fiducia del presidente a Capitol Hill. E Trump, ben consapevole della propria inesperienza e di quella del suo staff in ambito legislativo (nessuno dei suoi aveva la più pallida idea di come si redige una legge), aveva risolto il problema delegandolo al suo ex acerrimo nemico.

La rapidità con cui Ryan aveva messo le mani su quel disegno di legge già durante la transizione pose Bannon di fronte a un immediato problema di Realpolitik. Se il presidente era disposto a delegare la gestione delle iniziative più importanti, lui doveva passare al contrattacco e architettare nuove spacconate stile Breitbart. Kushner, invece, la prese con filosofia: il presidente era fatto a modo suo, e bisognava assecondarlo. Quanto a Trump, ormai era evidente, scegliere tra approcci politicamente opposti non rientrava nel suo stile di leadership. Lui si limita a sperare che le decisioni complicate si prendano da sé.

Bannon non disprezzava solo il pensiero politico di Ryan, ma anche il suo modo di fare politica. Dal suo punto di vista, la nuova maggioranza repubblicana aveva bisogno di un uomo alla John McCormack, lo speaker democratico della Camera quando lui era ragazzo che aveva portato al voto le proposte di legge del progetto «Great Society» del presidente Johnson. Erano questi i suoi veri eroi politici, McCormack e gli altri democratici degli anni Sessanta, persino Tip O'Neill era stato accolto nel suo personalissimo pantheon. Da cattolico irlandese di origini operaie, Bannon si sentiva distante, dal punto di vista ideologico, da aristocratici e possidenti, e non nutriva alcuna aspirazione a diventare come loro. Venerava i politici vecchio stampo – fisicamente ci somigliava persino: macchie epatiche, guance cascanti, edema – e disprezzava quelli moderni, così privi di talento e autenticità, tutti burocrati senz'anima. A sua volta cattolico di origini irlandesi, da bambino Ryan era stato chierichetto, e agli occhi di Bannon era rimasto tale. Non avrebbe mai potuto fare il delinquente, lo sbirro, il prete, né il politico vero.

Era uno sprovveduto, incapace di guardare più in là del proprio naso. Aveva a cuore solo la riforma fiscale, ma per arrivarci non vedeva altra via che passare da quella della riforma sanitaria. Quest'ultima, però, gli interessava così poco che – scaricando il barile, esattamente come la Casa Bianca aveva fatto con lui – delegò l'effettiva stesura del disegno di legge alle compagnie assicurative e ai lobbisti di Washington.

In realtà Ryan si era sforzato di interpretare la parte di un McCormack o un O'Neill, garantendo di avere tutto sotto controllo. La nuova legge, ripeteva al presidente durante le sue telefonate quotidiane, era «cosa fatta». Trump ormai si fidava di lui, e arrivò a convincersi che la sua Casa Bianca aveva, in una certa misura, preso il sopravvento sul Congresso. Tutto procedeva a gonfie vele, ammesso che il presidente fosse preoccupato, non aveva più nulla da temere. L'amministrazione stava per intascare un grosso successo, si vantò Kushner, pronto a salire sul carro dei vincitori a dispetto della sua avversione al disegno di legge.

Il sentore che la faccenda avesse preso tutt'altra piega si cominciò ad avvertire all'inizio di marzo. Katie Walsh, che adesso Kushner definiva «esigente e petulante», fu la prima a lanciare l'allarme. Ma ogni suo tentativo di indurre il presidente a impegnarsi in prima persona nella raccolta dei voti al Congresso fu bloccato da Kushner, attraverso una successione di scontri sempre più aspri. Il disastro era alle porte.

Trump continuava a liquidare la faccenda russa come «una montagna di idiozie». Ma il 20 marzo il direttore dell'FBI, James Comey, la presentò alla Commissione intelligence della Camera sotto una luce completamente diversa:

> Il Dipartimento di Giustizia mi ha autorizzato a confermare che l'FBI, nel contesto di una missione di controspionaggio, sta indagando sui tentativi del governo russo di interferire con le elezioni presidenziali del 2016. Ciò implica l'analisi della natura degli eventuali rapporti tra il comitato elettorale di Trump e il governo russo, e l'accertamento dell'esistenza di una possibile intesa tra le due parti. Come in ogni indagine di controspionaggio, verranno valutate le ipotesi di reato. Poiché l'indagine è ancora in corso – e dunque protetta dal segreto istruttorio –, non posso aggiungere nulla sulle attività che stiamo svolgendo né su chi siano i soggetti la cui condotta è al nostro vaglio.

In realtà non c'era bisogno di aggiungere altro. Fino a quel momento c'erano solo voci, fughe di notizie, teorie, insinuazioni e aria fritta che, al massimo, potevano far sperare in uno scandalo. Invece Comey, sulla base di quegli elementi, aveva avviato un'inchiesta ufficiale sulla Casa Bianca. Tutti i tentativi di smontare il caso – bollarlo come fake news, tirare in ballo (per sua stessa ammissione) la germofobia del presidente contro le illazioni delle piogge dorate, lo sprezzante licenziamento di alcuni collaboratori e tirapiedi, l'insistenza sul fatto che nessuno dello staff era stato accusato di alcun crimine e persino la dichiarazione di Trump di essere stato vittima delle intercettazioni illegali di Obama – avevano fallito. Comey stesso escluse l'ipotesi delle intercettazioni. Già la sera del suo intervento davanti alla Commissione risultò evidente che la faccenda russa non si era sgonfiata, anzi, era sempre più pericolosa.

Kushner, segnato dai precedenti di suo padre con la giustizia, era angosciatissimo al pensiero dell'attenzione rivolta da Comey alla Casa Bianca. «Cosa possiamo fare per togliercelo di torno?» diventò una specie di ritornello con cui iniziò ad assillare tutti, in particolare Trump.

La questione però – come Bannon cercò di spiegare senza grande successo ai colleghi e al presidente – era anche strutturale. Era una mossa dell'opposizione. Potevi sorprenderti di quanto feroci, creative e diaboliche fossero le trovate dei tuoi avversari, ma non che questi cercassero di danneggiarti. Certo, era uno scacco al re, ma non certo un matto. Dovevano continuare a giocare, tenendo a mente che la partita sarebbe stata lunga. L'unico modo di vincerla, per Bannon, era seguire una precisa strategia.

Ma il presidente è un ossessivo, non uno stratega. Per lui non si trattava di affrontare un problema, ma di concentrarsi su una persona: Comey. Trump dichiarò guerra all'avversario. Per lui il direttore dell'FBI rappresentava un mistero: prima aveva lasciato cadere l'indagine sulle email della Clinton, poi, a pochi giorni dalle elezioni, aveva praticamente salvato la sua campagna annunciando la riapertura dell'inchiesta.

Di persona Trump lo aveva trovato rigido: niente battute, nessuna disinvoltura. Tuttavia, convinto come suo solito di essere irresistibile, credeva che Comey apprezzasse il suo senso dell'umorismo e savoir-faire. Quando, all'inizio del mandato, Bannon e altri avevano cercato di convincere il presidente a licenziare il direttore dell'FBI, Kushner si era opposto e Bannon aveva aggiunto un'altra voce al lungo elenco di pessimi consigli dati dal suo rivale. In quell'occasione, la risposta di Trump era stata: «Non preoccupatevi, a lui ci penso io». Non aveva alcun dubbio che, corteggiandolo e adulandolo a dovere, lo avrebbe indotto a un atteggiamento più amichevole, se non addirittura servile.

Esistono diversi tipi di seduttori. Quelli dotati di un fiuto soprannaturale nell'intuire le reazioni delle persone che cercano di conquistare e quelli talmente spudorati che, per la legge dei grandi numeri, spesso ci riescono (ma forse, in questo caso, la definizione corretta sarebbe «molestatori»). Con le donne, Trump si comportava così: era soddisfatto quando aveva successo, indifferente in caso contrario (oppure convinto di essere andato a segno, anche a dispetto dell'evidenza). Con Comey adottò la stessa tecnica.

Dai loro numerosi incontri dopo l'insediamento – il 22 gennaio, quando Comey ricevette l'abbraccio presidenziale; il 27 gennaio, alla cena in cui il presidente gli chiese di restare a capo dell'FBI; il 14 febbraio, quando rimasero a tu per tu dopo aver cacciato dall'ufficio tutti gli altri, compreso Sessions, formalmente il superiore di Comey –, Trump si era convinto di aver fatto colpo. Era certissimo che Comey, sapendo che lui gli aveva coperto le spalle (cioè gli aveva permesso di tenersi il lavoro), lo avrebbe ricambiato con la stessa moneta.

Come spiegare, dunque, la testimonianza resa davanti alla Commissione? Non aveva il minimo senso. L'unico movente possibile era la mania di protagonismo. Comey sbavava per l'attenzione dei media, atteggiamento che Trump conosceva bene. D'accordo, dunque: se voleva la guerra, lo avrebbe accontentato.

L'irritante complessità della riforma sanitaria – che, già di suo una seccatura, lo stava diventando ancora di più, davanti all'evidenza che Ryan non sarebbe riuscito a portare a casa il risultato – fu spazzata via dalla questione Comey, e dalla furia, la bile e l'astio che Trump e i suoi familiari riversavano su di lui.

Era Comey il vero problema e l'unica soluzione era abbatterlo. Diventò una missione.

Con una goffaggine degna dei maldestri poliziotti delle comiche, la Casa Bianca coinvolse Devin Nunes – presidente della Commissione intelligence della Camera – in un tentativo farsesco di screditare il direttore dell'FBI e suffragare la teoria delle intercettazioni. Il piano non impiegò molto a coprirsi di ridicolo.

Bannon, che si era defilato sia rispetto all'Obamacare sia a Comey, cominciò a suggerire ai reporter che la vicenda da seguire con maggiore interesse non riguardasse la riforma sanitaria, ma la Russia. Una posizione ambigua: non si capiva se Bannon stesse cercando di distogliere l'attenzione dall'imminente débâcle sulla sanità oppure se volesse sommare un disastro all'altro, allo scopo di scatenare il genere di caos dal quale era abituato a trarre beneficio.

Su una cosa, tuttavia, fu chiarissimo. «Con gli sviluppi della vicenda russa» raccomandò ai reporter, «tenete d'occhio Kushner.»

A metà marzo, il compito di evitare il naufragio del disegno di legge sulla sanità fu affidato a Gary Cohn. È possibile che agli occhi di Cohn, persino più a digiuno degli altri in materia legislativa, quel reclutamento fosse parso una sorta di rito d'iniziazione.

Venerdì 24 marzo, la mattina in cui in teoria la Camera avrebbe dovuto votare sulla sanità, *Playbook*, la rubrica di «Politico», attribuì alla possibilità che la votazione si tenesse davvero una probabilità «da testa o croce». Alla riunione dello staff qualcuno chiese a Cohn un parere sulla situazione, e prontamente lui rispose: «Dipenderà dal lancio della monetina».

Cosa? pensò Katie Walsh. Sarebbe questa la tua valutazione?

Bannon, che condivideva con la Walsh il disprezzo per il tentativo di salvataggio messo in atto dalla Casa Bianca, prese di mira Kushner, Cohn, Priebus, Price e Ryan in una serie di telefonate ai giornalisti. Al primo intoppo, profetizzò, Kushner e Cohn avrebbero abbandonato il campo. (In effetti Kushner aveva trascorso buona parte della settimana a sciare in montagna.) Priebus ripeteva gli slogan e le scuse di Ryan. Price, il presunto esperto di sanità, era un ottuso impostore: i suoi interventi alle riunioni non erano altro che un cumulo di sciocchezze a malapena comprensibili.

Erano loro i cattivi, per colpa dei quali l'amministrazione avrebbe perso il consenso del Congresso nel 2018, garantendo di conseguenza l'impeachment del presidente. Era un classico esempio di analisi alla Bannon: un'apocalisse politica certa e immediata, sostenuta in parallelo con l'ipotesi di mezzo secolo di regno incontrastato del bannonismo-trumpismo.

Convinto di conoscere la direzione giusta, acutamente consapevole della propria età e dei limiti alle opportunità ancora a disposizione, e vedendosi come un campione del corpo a corpo politico – per quanto in sostanza mai testato sul ring –, Bannon cercò di tracciare un confine tra fedeli e traditori. Per vincere doveva isolare le fazioni di Ryan, Cohn e Kushner.

Pur prevedendo una sconfitta certa, la sua fazione tenne duro sulla necessità di costringere la Camera a votare sul disegno di legge. «Mi serve per valutare il lavoro svolto da Ryan come speaker» disse Bannon. Cioè come la prova di una disfatta completa.

Il giorno in cui era prevista la votazione, Pence fu inviato a Capitol Hill per un appello dell'ultimo minuto al Freedom Caucus di Meadows. (I collaboratori di Ryan erano convinti che Bannon, a dispetto dell'ordine perentorio di votare la revoca, impartito all'inizio della settimana – «una stupida esibizione delle sue», nelle parole della Walsh –, avesse in segreto continuato a sobillare i membri del Caucus affinché si astenessero.) Alle tre e mezzo Ryan telefonò al presidente per informarlo che mancavano tra i quindici e i venti voti, e che perciò bisognava annullare la votazione. Bannon, sostenuto da Mulvaney – che nel frattempo era diventato l'uomo della Casa Bianca a Capitol Hill –, continuò a spingere per andare subito al voto. Una sconfitta sarebbe stata un colpo durissimo per la leadership repubblicana, e questo a Bannon andava benissimo: che fallissero pure.

Il presidente, però, si tirò indietro. Di fronte all'opportunità unica di mettere in un angolo la leadership repubblicana, additandola come il problema, Trump vacillò, provocando la furia non proprio muta di Bannon. Ryan in seguito lasciò trapelare alla stampa l'informazione che era stato il presidente a chiedergli di annullare la votazione.

Durante il fine settimana, Bannon telefonò a un lungo elenco di reporter, dichiarando, a microfoni spenti, ma quasi accesi: «Dubito che Ryan resterà in circolazione ancora a lungo».

Quel venerdì, dopo il ritiro della proposta di legge, Katie Walsh, furibonda e disgustata, annunciò a Kushner che intendeva dimettersi. Riassumendo quella che considerava una desolante sconfitta della Casa Bianca, parlò con sferzante schiettezza delle aspre rivalità che serpeggiavano tra i membri dello staff, alle quali si univano un'abissale incompetenza e un programma nebuloso. Kushner, intuendo che bisognava subito screditarla, fece girare la voce che la Walsh era una talpa della stampa e dunque andava cacciata.

Domenica sera, la Walsh cenò con Bannon nel suo fortino di Capitol Hill, la Breitbart Embassy. Lui la implorò di restare, ma non ci fu niente da fare. Lunedì, la Walsh definì i dettagli organizzativi con Priebus: lasciata la Casa Bianca, si sarebbe alternata tra il Comitato nazionale repubblicano e il (c)(4), il gruppo di consulenza esterna durante la campagna elettorale di Trump. Il giovedì era già sparita.

In dieci settimane dall'inizio del mandato, dopo Michael Flynn, l'amministrazione Trump aveva perso il suo secondo membro di vertice. Quello che aveva il compito di ottenere risultati concreti.

13

Bannon agonista

Anche lui si sentiva in gabbia, aveva detto Steve Bannon a Katie Walsh quando lei gli aveva comunicato che avrebbe lasciato il suo incarico.

Dieci settimane dopo l'insediamento, il controllo esercitato da Bannon sull'agenda Trump, o quantomeno su Trump, sembrava essersi sgretolato. La sua sofferenza era di natura cattolica – l'autoflagellazione di un uomo convinto di avere una levatura morale superiore a quella di tutti gli altri – e fondamentalmente misantropica. Antisociale, attempato, disadattato, Bannon doveva compiere sforzi sovrumani per andare d'accordo con il prossimo. E non sempre ci riusciva. Ma soprattutto soffriva a causa di Donald Trump, la cui crudeltà, ancora più dolorosa perché inflitta con nonchalance, diventava intollerabile quando lui ti voltava davvero le spalle.

«Odiavo far parte della campagna elettorale, ho odiato la transizione e ora odio stare alla Casa Bianca» ammise Bannon nell'ufficio di Reince Priebus, in una serata insolitamente tiepida d'inizio primavera, con le portefinestre aperte sul pergolato dove i due – diventati amici e alleati in virtù della comune avversione a Jarvanka – avevano sistemato un tavolo da giardino.

Eppure Bannon era convinto di essere lì per un motivo. Credeva fermamente – cosa che era incapace di tenere per sé e che minava il suo rapporto con il presidente – che fosse merito suo se tutti loro erano lì. E, cosa ancora più importante, era certo di essere l'unico là dentro a impegnarsi davvero per cambiare il Paese. Per cambiarlo subito e in maniera radicale e definitiva.

L'idea di un elettorato diviso – gli Stati blu e rossi, le due correnti di valori, il conflitto tra globalisti e nazionalisti, establishment e rivolta populista – veniva impiegata dai media per descrivere l'angoscia culturale e i tempi politicamente torbidi, cioè, a ben guardare, le cose che vanno come sono sempre andate. Bannon, invece, intendeva la spaccatura nel senso più concreto del termine: per lui gli Stati Uniti erano diventati patria di due popolazioni reciprocamente ostili. Era inevitabile che l'una vincesse e l'altra perdesse. Oppure che l'una ne uscisse dominante e l'altra subalterna.

Era una nuova guerra civile: la guerra di Bannon. L'obiettivo era riportare la nazione ai tempi in cui si fondava sulle virtù, il carattere e la forza del lavoratore americano, ovvero grossomodo tra il 1955 e il 1965. Le armi erano gli accordi (o le guerre) commerciali a sostegno del *made in USA*, le politiche anti-immigrazione per proteggere i lavoratori americani (e quindi la loro cultura e identità, così com'erano state nell'età dell'oro, quel decennio tra anni Cinquanta e Sessanta) e l'isolazionismo, per preservare le risorse nazionali e soffocare la sensibilità alla Davos delle élite (e, in più, salvare le vite dei militari, a loro volta proletari). Per giudizio pressoché unanime, con l'eccezione di Donald Trump e degli esponenti dell'alt-right, tutta questa teoria è un concentrato di insensatezze politiche ed economiche. Per Bannon, invece, era un ideale rivoluzionario e mistico.

Quasi tutti, alla Casa Bianca, lo consideravano un illuso. «Steve è... Steve» diventò la formula bonaria con cui si suggeriva che non c'era bisogno di prenderlo sul serio. «Ha sempre un mucchio di idee per la testa» diceva Trump, passando a parlare di qualcosa che gli interessava davvero e liquidandolo.

Ma non si trattava tanto di una battaglia di Bannon contro tutti, quanto di un duello tra il Trump di Bannon e il Trump che non gli apparteneva. Quando era di umore cupo, determinato e aggressivo, il presidente era capacissimo di rappresentare la visione di Bannon, ma con altrettanta facilità passava a non rappresentare un bel niente, al massimo il proprio bisogno di gratificazioni istantanee. Gli anti-Bannon questo lo avevano capito. Se il capo era felice, c'era la possibilità che prevalesse un approccio normale e gradualistico alla politica, il solito balletto dei due passi avanti e uno indietro. Poteva addirittura emergere una sorta di centrismo, la cosa più contraria al bannonismo che si potesse concepire. E a quel punto, invece del mezzo secolo di dominio incontrastato del trumpismo preconizzato da Bannon, si sarebbe attestato il regno di Jared, Ivanka e Goldman Sachs.

A fine marzo era quest'ultimo lo schieramento in ascesa. Gli sforzi di Bannon per sfruttare l'epica sconfitta della revoca dell'Obamacare e dimostrare che il vero nemico era l'establishment gli si erano tragicamente ritorti contro. Trump considerava quel fallimento come proprio ma, dato che lui non sbagliava mai, il fiasco andava rivisitato – se non subito, il prima possibile – come un successo. Ma come riuscirci, con quella Cassandra di Bannon a bordo campo? Di colpo era diventato lui il problema.

Trump prese le distanze dal suo entusiasmo iniziale per Bannon riversandogli addosso tutto il suo disprezzo e, anzi negando di essersi mai entusiasmato per lui. Non c'era niente che non andasse nella sua Casa Bianca, tranne la presenza di Steve Bannon. Sparlarne diventò una forma di passatempo. Quando si trattava di screditarlo, Trump attivava al massimo le sue capacità di analisi: «Il problema di Steve Bannon sono le relazioni pubbliche, ma lui non se ne rende conto. Lo odiano tutti, perché... be', basta guardarlo. Il suo pessimo atteggiamento dà sui nervi alla gente».

La vera domanda, in realtà, era come avesse potuto un populista da «fottiamo il sistema» come Bannon concepire un'alleanza con Donald Trump, un miliardario che il sistema lo spremeva a proprio vantaggio. Per Bannon, quella con Trump era stata la partita della vita, ma di fatto lui l'aveva a malapena giocata, o comunque non era riuscito a non pregiudicarla. Pur sostenendo che la vittoria era stata merito del presidente, Bannon non sapeva trattenersi dal puntualizzare che, quando lui era sceso in campo per guidare la campagna, i sondaggi registravano un deficit di preferenze da cui nessun candidato, a dieci settimane dalle elezioni, si era mai ripreso.

Capiva la necessità di non rubare la scena al presidente; sapeva bene che Trump prendeva meticolosamente nota di ogni affermazione in contrasto con un merito che attribuiva soltanto a sé. Sia lui sia Kushner, le due figure più importanti della Casa Bianca dopo il presidente, avevano fatto del mutismo una professione. Eppure il mondo intero parlava di Bannon, e Trump si convinse – azzeccandoci – che tutta quell'attenzione fosse il risultato di una campagna stampa privata lanciata dal suo consigliere. A furia di ripeterlo, la qualifica con cui Bannon si riferiva a se stesso – «il presidente Bannon» – smise di sembrare autoironica. Un'inasprita Kellyanne Conway, anche lei accusata regolarmente di protagonismo sui media, confermò l'osservazione del presidente secondo cui Bannon non perdeva occasione di infilarsi in una foto ufficiale. (A quanto pareva tutti tenevano il conto del *photobombing* degli altri.) D'altra parte, neanche Bannon faceva grandi sforzi per mascherare le sue innumerevoli dichiarazioni da «fonte interna» alla stampa, e nemmeno per moderare gli insulti non proprio privati che riservava a Kushner, Cohn, Priebus, alla Powell, alla Conway e persino alla figlia del presidente (anzi, soprattutto a lei).

Stranamente, invece, non aveva mai espresso un giudizio meno che lusinghiero sul conto del presidente. Perlomeno non ancora. Un Trump assolutamente incontestabile e solido era un elemento troppo centrale per la sua teoria del trumpismo. Bisognava sostenere l'uomo per portare l'idea alla vittoria. A prima vista, il concetto sembrava avvicinarsi a quello tradizionale di rispetto della carica. In realtà era l'opposto. L'uomo era soltanto un mezzo: senza Trump, Bannon non era nessuno. Per quanto insistesse sul proprio contributo unico, persino magico, all'elezione del presidente, era stato il talento specifico di Trump a offrirgli la sua opportunità. Lui era soltanto l'uomo dietro il trono: un Cromwell, come diceva lui stesso, pur sapendo benissimo che fine avesse fatto Cromwell.

Ma la sua lealtà al simbolo Trump non lo proteggeva dagli attacchi dell'uomo Trump. Il presidente presentò il suo caso a una vasta pletora di giurati, elencando, in maniera offensiva, le sue mancanze: «Sembra un barbone. Fatti una doccia, Steve. Non cambia i pantaloni da sei giorni. Alcuni sostengono che sia ricco, ma io non ci credo». (È interessante notare che il presidente non ha mai pronunciato un solo giudizio sulle sue posizioni politiche.) L'amministrazione non aveva ancora compiuto due mesi, e già tutti i media prevedevano l'imminente caduta di Bannon.

Un sistema particolarmente efficace per ingraziarsi il presidente era suggerirgli un nuovo e più brutale motivo per lagnarsi del suo capo stratega, o riferirgli le critiche di altre persone. Era essenziale non dire mai niente di positivo su di lui, persino una vaga lode prima del «ma» – «Certo, Steve è intelligente, ma...» – suscitava un'occhiataccia o un broncio se non ti sbrigavi ad arrivare al dunque. (D'altra parte, sentir parlare dell'intelligenza altrui ha sempre dato sui nervi a Trump.) Su istigazione di Kushner, Scarborough e la Brzezinski, provvedevano ogni mattina a una sorta di regolare lapidazione televisiva dell'ideologo di Breitbart.

Il presidente aveva garantito a H.R. McMaster – il generale a tre stelle che aveva sostituito Michael Flynn come consigliere per la Sicurezza nazionale – il diritto di veto nella scelta dei membri del Consiglio. Kushner, che aveva sostenuto la nomina di McMaster, si era affrettato ad assicurare un posto a Dina Powell, figura centrale della sua fazione, e a far escludere Bannon.

A bassa voce e con uno sguardo impietosito, i bannonisti si chiedevano l'un l'altro come stesse Steve e se avesse retto il colpo, salvo rispondersi ogni volta che aveva un aspetto terribile e la tensione chiaramente visibile sul volto già segnato. Secondo David Bossie, sembrava «un morto che cammina».

«Ora so come ci si sentiva alla corte dei Tudor» rifletté Bannon. Raccontò che, durante la campagna, con la scusa di proporgli le sue «stupide idee», il dirigente del partito repubblicano Newt Gingrich lo cercava di continuo. «Subito dopo la vittoria, ha iniziato a trattarmi come fossi il suo migliore amico: mi proponeva cento idee al giorno. Poi» – in primavera, alla Casa Bianca – «è calato il gelo. Un giorno, mentre io ero già sul viale del tramonto, l'ho incrociato nell'atrio e lui ha abbassato lo sguardo e borbottato un "Ciao, Steve" senza nemmeno guardarmi negli occhi. Così gli ho detto: "Che fai in anticamera? Vieni dentro". E lui: "No, no, non preoccuparti. Per la verità sto aspettando Dina Powell".»

Compiuta l'impresa impossibile di portare un feroce etnopopulismo antiliberal e targato alt-right, nel cuore della Casa Bianca, Bannon dovette affrontare l'insostenibile: ritrovarsi isolato e sottomesso a democratici ricchi e arroganti.

Il paradosso della presidenza Trump consiste nell'essere al tempo stesso la più e la meno ideologica della storia. Rappresenta un assalto strutturale ai valori liberal: la decostruzione dello Stato amministrativo prefigurata da Bannon avrebbe portato al crollo delle aziende mediatiche e delle istituzioni accademiche e no profit. Ma fin dall'inizio è stato evidente che con la stessa facilità l'amministrazione Trump si sarebbe potuta trasformare in un country club repubblicano o in un regime di democratici di Wall Street. O, più banalmente, nell'impresa titanica di compiacere in ogni modo il presidente. Donald Trump ha un vasto assortimento di fisse, collaudate nei comizi e in varie iniziative di autopromozione, ma la più radicata è la mania di emergere vincitore in ogni partita.

Con l'intensificarsi del rullo di tamburi che annunciava l'esecuzione di Bannon, i Mercer scesero in campo per proteggere l'investimento che avevano fatto e il futuro del loro protetto.

In un'era in cui tutti i candidati di successo sono assediati da – se non addirittura asserviti a – ricconi prepotenti, persino sociopatici, che spingono il proprio potere fino ai limiti (e più sono ricchi, più diventano prepotenti, sociopatici e affamati di potere), Bob e Rebekah Mercer rappresentavano un caso a parte. Se l'ascesa di Trump era stata improbabile, la loro lo era ancora di più.

Persino i ricchi più intrattabili – i fratelli Koch e Sheldon Adelson a destra, David Geffen e George Soros a sinistra – sono frenati dal fatto che il denaro esiste in un mercato fondato sulla concorrenza. Anche l'odiosità ha dei limiti. A modo suo, il mondo dei ricchi si autoregola. Anche l'arrampicata sociale ha le sue convenzioni.

Ma persino tra i ricchi capricciosi e arroganti, i Mercer sono un esempio di asocialità pressoché totale e hanno tirato dritto per la loro strada restando del tutto indifferenti all'incredulità e allo scandalo che suscitavano. Diversamente da altri grandi finanziatori di candidati politici, erano disposti a non vincere, in eterno. Vivevano in una bolla tutta loro.

Perciò, quando una fortuita congiuntura astrale aveva determinato la vittoria di Donald Trump, loro erano ancora puri. Una tempesta perfetta di fattori e impensate variabili li aveva portati al potere, e adesso non avevano alcuna intenzione di rinunciarci solo perché Steve Bannon urtava la sensibilità della gente o non dormiva abbastanza.

Verso la fine di marzo, convocarono una serie di riunioni di emergenza, di cui almeno una con il presidente. Esattamente il tipo di riunioni che Trump cercava di evitare: non nutriva il minimo interesse per i problemi degli altri, perché non amava che l'attenzione fosse dedicata a qualcuno diverso da lui. Invece si trovò costretto a occuparsi di Steve Bannon, mentre di solito accadeva il contrario. Peggio ancora, quel problema lo aveva in parte creato lui, a furia di screditarlo, e ora gli veniva chiesto di fare un passo indietro. Infatti, malgrado continuasse a ripetere che poteva e doveva licenziare Bannon, il presidente era ben consapevole di cosa avrebbe provocato quella decisione: un'insurrezione della destra di proporzioni incalcolabili.

Trump giudicava i Mercer bizzarri quanto chiunque altro. Non gli piaceva che Bob Mercer lo fissasse senza dire una parola e detestava trovarsi nella stessa stanza con lui o con sua figlia. Come compagni di avventura erano davvero sopra le righe. O «fuori di testa», secondo la sua definizione. Non avrebbe mai ammesso che senza il loro sostegno e l'imposizione di prendere a bordo Bannon, in agosto, probabilmente non sarebbe arrivato alla Casa Bianca, tuttavia era ben consapevole che ad averli contro rischiava una valanga di guai.

La complessità del problema Bannon-Mercer lo indusse a chiedere consiglio a due personaggi molto diversi: Rupert

Murdoch e Roger Ailes. Forse il motivo di quella strana scelta stava proprio nella consapevolezza che le loro risposte si sarebbero annullate a vicenda.

Murdoch, già informato da Kushner sulla situazione, gli disse che sbarazzarsi di Bannon era l'unico modo per risolvere i problemi della Casa Bianca (come ovvio, l'alternativa di sbarazzarsi di Kushner era fuori discussione). Era l'unica strada, e bisognava agire immediatamente. Si trattava di una raccomandazione prevedibile, visto che a quel punto Murdoch era diventato un sostenitore dei moderati di stampo Kushner-Goldman, che a suo giudizio avrebbero salvato il mondo – e Trump stesso – da Bannon.

Ailes, schietto ed esplicito come al solito, gli disse: «Donald, non puoi licenziarlo. A suo tempo hai fatto una scelta, e adesso devi conviverci. Non sei tenuto ad ascoltarlo, nemmeno ad andarci d'accordo. Però lo hai praticamente sposato e in questo momento non puoi permetterti un divorzio».

Jared e Ivanka non stavano nella pelle alla prospettiva di un allontanamento di Bannon. Con la sua uscita di scena l'organizzazione Trump sarebbe tornata sotto il pieno controllo della famiglia – i parenti stretti e i loro fidati consiglieri – senza alcun rivale interno a contestare la loro leadership. Dal punto di vista della famiglia, l'estromissione di Bannon avrebbe anche contribuito – almeno in teoria – a facilitare uno dei più impensati restyling della storia: Donald Trump sarebbe diventato rispettabile. Il desiderio a lungo accarezzato dell'inversione di rotta del presidente si sarebbe realizzato. E pazienza se il sogno di Kushner – salvare Trump da se stesso per proiettare lui e Ivanka nel futuro – era irrealizzabile quasi quanto quello di Bannon di una Casa Bianca impegnata a restaurare il mito dell'America pre-1965.

D'altro canto, il licenziamento di Bannon avrebbe anche potuto causare la frattura definitiva in un partito repubblicano già diviso. Prima dell'elezione, circolava una teoria secondo la quale, in caso di sconfitta, Trump si sarebbe tenuto il suo trentacinque per cento di elettori frustrati e si sarebbe messo alla guida di una minoranza ribelle. Adesso, con Kushner impegnato a trasformare il suocero nel nuovo Rockefeller che

Trump – per quanto con scarsa plausibilità – aveva spesso sognato di diventare (ispirandosi al Rockefeller Center per il proprio marchio immobiliare), il timore era che sarebbe stato Bannon a impadronirsi di una quota significativa di quel trentacinque per cento.

Era questo il ricatto di Breitbart. L'organizzazione era ancora saldamente nelle mani dei Mercer, che da un momento all'altro potevano restituirla a Steve Bannon. E considerando la sua nuova immagine di genio politico e creatore di re, e con il trionfo dell'alt-right, Breitbart aveva il potenziale di rivelarsi persino più influente. La vittoria di Donald Trump, in un certo senso, aveva consegnato ai Mercer lo strumento per distruggerlo. E nel prossimo futuro, man mano che i media mainstream e i burocrati della palude stringevano i ranghi contro di lui, il presidente avrebbe avuto sempre più bisogno dell'alt-right finanziata dai Mercer. In fondo, chi era Trump senza di loro?

Con l'intensificarsi delle pressioni, l'inossidabile fede di Bannon in un Donald Trump come incarnazione perfetta del trumpismo (e del bannonismo) – una tesi cui finora si era strettamente attenuto, interpretando senza sbavature la parte di consigliere e sostenitore di un talento politico fuori dagli schemi – cominciò a mostrare le crepe.

Come sapeva bene chiunque avesse lavorato con lui, a dispetto dei sogni o degli sforzi per cambiarlo, Trump restava se stesso. E, prima o poi, lui si stanca di tutti.

I Mercer però non si diedero per vinti. Erano certi che, senza Bannon, la presidenza Trump – almeno per come l'avevano immaginata (e finanziata) loro – fosse spacciata. Perciò bisognava impegnarsi ad aiutare Steve. Gli fecero giurare di lasciare l'ufficio a un orario ragionevole: basta aspettare lì per ore, nell'eventualità che Trump volesse compagnia a cena. (Senza contare che negli ultimi tempi Jared e Ivanka avevano comunque già messo fine a quelle serate.) E la soluzione comprendeva la ricerca di un Bannon per Bannon, un capo stratega per il capo stratega.

A fine marzo concordarono una tregua con il presidente. Bannon sarebbe rimasto al suo posto. Questo non garantiva niente in merito alla sua influenza o al suo rango, ma almeno consentiva loro di tirare il fiato e ripensare la strategia. Magari il tempo avrebbe giocato a loro favore. Qualsiasi assistente del presidente vale solo quanto il suo ultimo consiglio utile e – certo dell'inettitudine del suo principale rivale – Bannon contava che presto Jarvanka si sarebbe distrutto con le sue stesse mani.

Il presidente aveva accettato di non licenziare Bannon, ma compensò il genero e la figlia con un ricco premio di consolazione: l'aggiunta di nuove prerogative.

Il 27 marzo nacque l'ufficio per l'innovazione americana e Kushner fu chiamato a dirigerlo. La missione ufficiale era ridurre la burocrazia federale. O, per meglio dire, ridurla generandone di nuova: una commissione per mettere fine alle commissioni. Inoltre la nuova organizzazione avrebbe esaminato le dotazioni tecnologiche interne degli apparati amministrativi, fatto crescere l'occupazione, promosso e suggerito politiche per l'inserimento nel mondo del lavoro, organizzato iniziative di concerto tra governo e imprese, e contribuito ad arginare l'epidemia degli oppiacei. La solita solfa, insomma, sia pure caratterizzata da un nuovo impeto di entusiasmo per la gestione amministrativa.

Ma l'aspetto davvero significativo consisteva nel riconoscere a Kushner un suo staff interno alla Casa Bianca, una squadra che non soltanto avrebbe lavorato per mettere in pratica i suoi progetti – tutti opposti a quelli di Bannon – ma anche, in senso più generale, come spiegò lui stesso a uno di loro, per «allargare la mia impronta». In sostanza era un exploit burocratico con il duplice scopo di innalzare Jared Kushner e sminuire Steve Bannon.

Due giorni dopo l'annuncio dell'estensione della base di potere di Jared, anche a Ivanka fu assegnata una carica ufficiale: consigliere del presidente. Fin dall'inizio era stata una figura chiave al fianco del marito, e lui per lei, ma l'annuncio rappresentava comunque un improvviso consolidamento del potere dei Trump alla Casa Bianca. E un notevole golpe burocratico, a spese di Steve Bannon: da divisa, la Casa Bianca si era riunita sotto l'egida della famiglia.

Il genero e la figlia del presidente speravano – ci contavano quasi – di poter fare appello al lato migliore di DJT, o quantomeno determinare un equilibrio tra le esigenze repubblicane e la razionalità, la compassione e le buone azioni progressiste. In più, avrebbero sostenuto la propria posizione moderata aprendo lo Studio Ovale a un flusso incessante di amministratori delegati moderati quanto loro. In effetti, il presidente aveva manifestato rarissime obiezioni e frequente entusiasmo per le proposte di Jared e Ivanka. «Se gli dicono che bisogna salvare le balene, lui diventa animalista» osservò Katie Walsh.

Ma Bannon, costretto all'esilio interno, restava convinto di rappresentare le convinzioni autentiche di Trump o, per meglio dire, la sua natura. Lo conosceva come un uomo fondamentalmente emotivo, ed era certo che la sua parte più profonda fosse rabbiosa e torva. Per quanto il presidente desiderasse sostenere le aspirazioni della figlia e del genero, non ne condivideva la visione del mondo. Per citare ancora Katie Walsh: «Steve pensa di essere un Darth Vader, e crede che Trump subisca il fascino del lato oscuro».

A pensarci bene, la ferocia con cui il presidente si era sforzato di negare l'influenza del suo consigliere poteva essere direttamente proporzionale all'intensità del suo ascendente.

Trump non dà mai retta a nessuno. Più gli parli e meno ti ascolta. «Con lui, però, Steve sa scegliere le parole giuste e c'è qualcosa nel suo timbro di voce, nella sua energia e nel suo trasporto che aggancia davvero il presidente, lasciando fuori tutto il resto» spiegava la Walsh.

Fu così che, mentre Jared e Ivanka si esibivano nel giro d'onore, Trump firmò l'ordine esecutivo n. 13783, un ribaltamento delle politiche ambientali voluto da Bannon e che, a suo dire, avrebbe a tutti gli effetti distrutto il National Environmental Policy Act, la legge del 1970 su cui si basavano tutte le moderne leggi di protezione ambientale, e che tra l'altro imponeva alle aziende di rendere conto dell'impatto ambientale delle loro attività. Tra le sue varie conseguenze, l'ordine esecutivo annullava la direttiva di studiare il cambiamento climatico in vista degli imminenti dibattiti sulla posizione americana rispetto all'accordo di Parigi sul clima.

Il 3 aprile, a sorpresa, Kushner volò in Iraq, al seguito del generale Joseph Dunford, capo dello stato maggiore congiunto. Stando all'ufficio stampa della Casa Bianca, il marito di Ivanka viaggiava «in rappresentanza del presidente, per esprimere il suo supporto e sostegno al governo iracheno e al personale militare americano impegnato nella campagna». Contrariamente alla consueta riservatezza e distanza dai media, Kushner si lasciò fotografare nel corso di tutta la visita.

Alzando gli occhi su uno dei molti schermi televisivi che generavano il costante rumore di fondo della West Wing, Bannon intravide un filmato in cui Kushner veniva ripreso con casco e microfono, a bordo di un elicottero che sorvolava Baghdad. Citando la puerile esibizione di George W. Bush quando, indossando a sua volta la divisa da pilota, aveva annunciato la fine della guerra in Iraq dal ponte della portaerei *Lincoln*, ripeté, quasi tra sé: «Missione compiuta».

Bannon stava assistendo a denti stretti all'allontanamento della Casa Bianca dal suo ideale di trumpismo-bannonismo, ma continuava a credere che alla fine la natura profonda dell'amministrazione sarebbe venuta fuori, andando nella direzione da lui desiderata. Bannon è fatto così: stoico e determinato, si considerava un cavaliere solitario, il condottiero destinato a salvare la nazione.

14

Situation Room

Poco prima delle sette di mattina (ora locale) di martedì 4 aprile, il settantaquattresimo giorno della presidenza di Donald Trump, le forze armate del governo siriano condussero un attacco con armi chimiche contro la roccaforte ribelle di Khan Shaykhun, provocando una strage di bambini. Per la prima volta un evento avvenuto all'estero faceva irruzione nella nuova Casa Bianca.

Gran parte delle presidenze viene plasmata dalle crisi esterne. Nei momenti più delicati, un presidente deve essere lucido e reattivo, e molte delle preoccupazioni sul conto di Donald Trump derivavano dalla diffusa convinzione che, investito da una bufera, il nuovo presidente non sarebbe riuscito a conservarsi freddo e determinato. Fino a quel momento era stato fortunato. In dieci settimane non era mai stato messo alla prova. In parte perché le bagarre interne alla Casa Bianca avevano messo in ombra ogni altro contendente.

E non era così scontato che quell'attacco – sebbene così raccapricciante per aver mietuto tante vittime tra bambini già provati da un lungo conflitto – fosse davvero la tanto temuta prova del nove. Ma si trattava comunque di armi chimiche, e impiegate dal recidivo Bashar al-Assad. In qualsiasi altra presidenza, un'atrocità simile avrebbe suscitato una reazione ponderata e oculata. Di fatto, la ponderata decisione di Obama di definire l'uso delle armi chimiche un confine invalicabile non si era rivelata affatto oculata, vista poi la tolleranza quando quel confine non era stato rispettato.

Quasi nessuno nell'amministrazione Trump era disposto a esprimere un pronostico sul come – e persino sul se – il presidente avrebbe reagito. Si sarebbe indignato di fronte a un attacco chimico oppure no? Nessuno era in grado di pronunciarsi.

Se, nella storia americana, nessuna amministrazione aveva suscitato più preoccupazioni di quella di Trump, le opinioni del presidente in materia di politica estera e sul mondo in generale ne rappresentavano uno degli aspetti più volubili, disinformati e imprevedibili. I suoi consiglieri non sapevano nemmeno se Trump potesse definirsi un isolazionista o un interventista, e neppure se fosse in grado di distinguere le due posizioni. Era affascinato dai generali e deciso ad affidare la guida della politica estera a persone con un'esperienza di comando militare, ma odiava obbedire alle direttive altrui. Era contrario al *nation building* ma ai suoi occhi erano rare le situazioni alle quali non avrebbe giovato un suo intervento. Non aveva alcuna competenza negli affari esteri, ma non nutriva alcun rispetto per gli esperti.

D'un tratto il problema di come il presidente avrebbe reagito all'attacco a Khan Shaykhun diventò la cartina al tornasole per testare la normalità della Casa Bianca e di coloro che, al suo interno, speravano di rappresentarla. Ecco una situazione drammatica che avrebbe potuto costituire la base di un'efficace pièce teatrale: gente che lavorava nella Casa Bianca di Trump e cercava di comportarsi normalmente.

Per quanto sorprendente possa essere, le persone «normali» erano davvero parecchie.

Agire in modo pacato, incarnare l'equilibrio, affrontare le questioni con razionalità, impegno e determinazione: Dina Powell riteneva che fosse questo il suo compito alla Casa Bianca. La quarantatreenne Powell si era costruita una brillante carriera che coniugava il mondo degli affari e la politica. Aveva raggiunto la vetta nell'amministrazione di George W. Bush e poi in Goldman Sachs. Tornare alla Casa Bianca come vice di varie cariche dirigenziali, e con la possibilità di ascendere alla più alta carica non elettiva del Paese, avrebbe incrementato in modo incalcolabile il suo valore al rientro sul mercato della grande impresa. D'altra parte, gravitare nell'universo Trump poteva determinare l'effetto contrario. La reputazione coltivata con tanta cura, nonché il suo brand (e la Powell era il genere di persona che tiene molto al proprio brand), rischiava di restare inestricabilmente legata al marchio Trump. Peggio ancora, se la Casa Bianca si fosse resa responsabile di qualche disastro, anche lei ne sarebbe stata travolta. Già adesso, per molti di quanti la conoscevano (e chiunque contasse qualcosa la conosceva) il solo fatto che avesse accettato un incarico nell'amministrazione Trump era un sintomo di imprudenza o di una capacità di giudizio gravemente compromessa.

«Com'è arrivata a una scelta simile?» si domandava un conoscente di vecchia data. Amici, parenti e vicini di casa le chiedevano, a voce alta o tra sé: «Sicura di sapere cosa stai facendo? Come hai potuto? E perché, poi?».

Era la linea di demarcazione che separava quanti si trovavano alla Casa Bianca per professata lealtà al presidente e i professionisti che questi avevano dovuto assumere. Bannon, la Conway e la Hicks – insieme a un vario assortimento di ideologi più o meno bizzarri che si erano accodati a Trump e, naturalmente, alla sua famiglia, tutta gente priva di una reputazione monetizzabile prima di associarsi al presidente – vivevano e morivano con lui (sebbene anche i trumpisti più devoti a volte trattenessero il fiato e mettessero spesso in discussione le proprie capacità di giudizio). Ma quanti si muovevano nell'orbita di influenza più esterna della Casa Bianca, persone con una certa statura o che almeno ritenevano di averla, facevano molta più fatica per giustificare – a livello personale e professionale – la propria scelta.

Spesso manifestavano apertamente i loro dubbi. Mick Mulvaney, a capo dell'ufficio per la gestione e il bilancio, sottolineava di proposito il fatto di lavorare nell'Eisenhower Executive Office Building, la sede distaccata dei dipartimenti esecutivi, non nella West Wing. Michael Anton, succeduto a Ben Rhodes nel Consiglio per la Sicurezza nazionale, aveva affinato il suo sguardo con gli occhi al cielo (e che tutti ormai chiamavano «l'occhiata di Anton»). H.R. McMaster aveva il volto perennemente contratto di un uomo che si sforza di non esplodere. («Stai male?» gli chiedeva spesso il presidente.)

Beninteso, esisteva anche un movente più alto: alla Casa Bianca servivano professionisti solidi ed equilibrati, logici e maturi. E tutti loro, nessuno escluso, si attribuivano precisamente le qualità – una mente razionale, capacità analitiche, esperienza e competenze specifiche – che mancavano a quell'amministrazione. Perciò stavano facendo la loro parte per rendere la gestione più normale e di conseguenza più stabile. Erano baluardi, o si consideravano tali, contro il caos, l'avventatezza e l'idiozia. Non erano tanto sostenitori di Trump, quanto il suo antidoto.

«Se va tutto a rotoli – più di quanto sia già accaduto – non ho alcun dubbio che Joe Hagin si assumerà di persona le responsabilità del caso, e farà ciò che è necessario» disse un rappresentante di spicco del partito repubblicano a Washington, cercando di rassicurare se stesso prima che gli altri, a proposito dell'ex membro dello staff di Bush diventato vicecapo di gabinetto nell'amministrazione Trump.

Ma questo virtuoso senso del dovere richiedeva a ciascuno di calibrare con attenzione il proprio contributo positivo alla Casa Bianca con le potenziali ricadute negative per sé. In aprile un'email in origine inviata in copia a una decina di persone finì inoltrata a una cerchia molto più vasta. Attribuita a Gary Cohn, il testo di fatto riassumeva in modo succinto lo sgomento di molti nella Casa Bianca:

> È peggio di quanto immagini. Un idiota circondato da pagliacci. Trump non legge niente, né i memorandum di una pagina, né i fascicoli informativi sulle procedure. Niente di niente. Nel bel mezzo di una riunione con i leader mondiali si annoia, si alza e se ne va. E il suo staff è anche peggio. Kushner è un bambino viziato e ignorante. Bannon uno stronzo arrogante convinto di essere un genio. Più che un individuo, Trump è un concentrato di difetti. Alla fine dell'anno gli unici superstiti saranno i suoi parenti. Detesto il mio lavoro, ma sento il dovere di restare,

> perché qui nessuno ha la più vaga idea di cosa deve fare. Ci sono un sacco di cariche ancora vacanti perché si ostinano a sottoporre i candidati ad assurdi esami di fedeltà ideologica, anche gli aspiranti funzionari di medio livello che resterebbero comunque tappati in un ufficio tutto il giorno. Vivo in un perenne stato di shock e di orrore.

Quel caos che rischiava di infliggere danni gravissimi alla nazione e, di conseguenza, alla reputazione di un professionista poteva essere superato solo se si era considerati tanto competenti e professionali da prendere in mano le redini della situazione.

Nel giro di poche settimane, la Powell, giunta alla Casa Bianca come consulente di Ivanka Trump, si aggiudicò un incarico nel Consiglio per la Sicurezza nazionale. Poi, di punto in bianco, si trovò insieme a Cohn, suo collega in Goldman Sachs, candidata ad alcune delle funzioni più alte dell'amministrazione.

Al tempo stesso, sia lei sia Cohn facevano ancora delle consulenze esterne, per tenersi aperta qualche porta fuori dalla Casa Bianca. Le prospettive della Powell comprendevano stipendi a sette zeri come esperta di comunicazione aziendale in varie imprese tra le cento più importanti del Paese, o un futuro da top manager in una società high-tech: dopotutto anche Sheryl Sandberg, direttrice operativa di Facebook, si era fatta le ossa nella filantropia aziendale e nell'amministrazione Obama. Cohn, già di suo plurimilionario, aveva messo gli occhi sulla Banca Mondiale o la Federal Reserve.

Ivanka Trump – a sua volta impegnata in riflessioni personali e di carriera analoghe a quelle della Powell, salvo l'ipotesi di prepararsi una via di fuga – combatteva nel proprio angolo. Inespressiva e persino robotica in pubblico, loquace e accorta con gli amici, Ivanka era al tempo stesso protettiva verso il padre e angosciata dalla direzione presa dalla sua Casa Bianca. Lei e il marito incolpavano Bannon e la sua filosofia del «lasciare che Trump sia Trump» (spesso interpretata come «lasciare che Trump sia Bannon»). La coppia aveva finito per considerarlo più diabolico di Rasputin. Perciò si era assunta il compito di tenere l'odiato consigliere e gli ideologi alla larga dal presidente che, secondo loro, in fondo era un uomo pragmatico (almeno quando era di buonumore), influenzato solo da chi sapeva approfittare dei suoi brevi momenti di attenzione.

In una sorta di rapporto simbiotico, Ivanka dipendeva da Dina che le suggeriva come gestire il padre e la Casa Bianca, mentre Dina dipendeva da lei per la conferma costante che non tutti i Trump fossero completamente fuori di testa. In virtù di questo legame, di fatto la Powell era parte della ristretta cerchia di famiglia: circostanza che, se da un lato le dava un certo ascendente, dall'altro la esponeva a rivalità sempre più acerrime. «Finirà per dimostrarsi del tutto incompetente» disse un'amareggiata Katie Walsh, che la considerava non tanto un fattore normalizzante quanto un ennesimo aspetto degli anomali giochi di potere della famiglia Trump.

In effetti, sia la Powell sia Cohn avevano deciso tra sé che l'incarico cui aspiravano entrambi – quello di capo di gabinetto, una posizione essenziale per il buon funzionamento della Casa Bianca – sarebbe stato impossibile da svolgere finché la figlia e il genero del presidente, per quanto alleati di ciascuno di loro, conservavano un potere de facto che potevano esercitare a piacimento.

Per la verità, Dina e Ivanka si erano già arrogate un compito che di norma rientra nelle prerogative del capo di gabinetto: il controllo del flusso di informazioni destinate al presidente.

In quest'ambito, la difficoltà specifica era come convogliare informazioni a una persona che (per rifiuto o per incapacità) non leggeva niente e, nella migliore delle ipotesi, ascoltava solo in modo selettivo. Perciò un aspetto del problema era confezionarle in modo da presentargliele come appetibili. Dopo oltre un anno passato al suo fianco, Hope Hicks aveva affinato un istinto per il genere di informazioni che il presidente gradiva. Bannon, con il suo timbro di voce intenso e confidenziale, riusciva quasi a ipnotizzarlo. Kellyanne Conway gli dava in pasto tutti gli insulti dei suoi detrattori. Infine, a blandirlo e farlo imbestialire, c'erano le telefonate serali – il coro dei miliardari – e la televisione via cavo, anche quella programmata ad hoc.

Le informazioni che proprio non gli arrivavano erano quelle ufficiali. I dati. I dettagli. Le alternative. Le analisi. PowerPoint non faceva per lui. Al minimo sentore di aula scolastica o di una lezione impartita dall'alto – se dava del «professore» a qualcuno, lo intendeva come un insulto e si vantava del suo assenteismo scolastico, di non aver mai comprato un libro di testo, mai preso un appunto –, lui si alzava e se ne andava.

Il che era controproducente da molti punti di vista, ovvero per quasi tutte le funzioni di un presidente. Ma diventava particolarmente grave nella valutazione delle opzioni militari strategiche.

Al presidente Trump sono sempre piaciuti i generali. E più mostrine e stellette esibiscono sul petto, meglio è. Si era compiaciuto moltissimo dei complimenti ricevuti per la nomina di generali rispettati, come Mattis, Kelly e McMaster (quanto a Michael Flynn, meglio metterci una pietra sopra). Ciò che invece non gli piace per niente è ascoltare i generali, per la gran parte addestrati al nuovo gergo militare fatto di database, grafici e presentazioni. Uno degli aspetti che più aveva apprezzato di Flynn, un melodrammatico teorico della cospirazione, era il suo talento di narratore.

Quando si verificò l'attacco siriano su Khan Shaykhun, H.R. McMaster era consigliere per la Sicurezza nazionale da appena sei settimane, ma i suoi sforzi per tenere informato il presidente si erano già ridotti alla fatica ingrata di un tutor con uno scolaretto recalcitrante e imbronciato. Le loro ultime riunioni avevano rischiato di sfociare in lite e il presidente aveva cominciato a dire agli amici che il nuovo consigliere era troppo noioso e che presto lo avrebbe licenziato.

McMaster era stato una scelta obbligata, un dettaglio su cui Trump non smetteva di rimuginare. Perché l'aveva nominato? Colpa del genero.

A febbraio, dopo aver licenziato Flynn, il presidente aveva passato due giorni a Mar-a-Lago, impegnato in colloqui con i potenziali rimpiazzi: un esercizio sfinente.

John Bolton, ex ambasciatore americano all'ONU e prediletto di Bannon, si era prodotto in un discorsetto aggressivo da «incendiamo tutto, dichiariamo guerra al mondo».

Trump invece era rimasto conquistato dal decoro militare vecchio stampo del tenente generale Robert L. Caslen Jr., sovrintendente dell'accademia militare di West Point. «Sissignore. Nossignore. Esatto, signore. Sì, signore, siamo abbastanza informati sui problemi della Cina, signore.» Pareva proprio che Trump stesse per affidargli l'incarico.

«Voglio lui» disse. «Ha l'aspetto giusto.»

Per parte sua, invece, Caslen non sembrava convinto. Non aveva mai rivestito un incarico burocratico. Kushner non lo riteneva pronto.

«A me però piaceva» si lagnò Trump.

Poi era arrivato McMaster, in alta uniforme e con tanto di stella d'argento, e si era lanciato subito in un monologo sulla strategia globale ad ampio raggio. Com'era inevitabile, Trump non aveva impiegato molto a distrarsi, e con il protrarsi dello sproloquio aveva cominciato a incupirsi.

«Quel tizio mi ha fatto due palle così» aveva sbottato, appena uscito McMaster. Kushner però era riuscito a convincerlo ad avere con lui un secondo colloquio, e l'indomani McMaster era tornato, senza la divisa ma con un completo troppo largo.

«Sembra un rappresentante di birra» aveva concluso Trump, dichiarando che era pronto ad assumerlo, purché la finissero con i colloqui.

Poco dopo la nomina, McMaster aveva fatto un'apparizione a *Morning Joe*. Trump aveva seguito la trasmissione e infine commentato, con ammirazione: «Sui media fa colpo».

A quel punto si era convinto di aver fatto la scelta giusta.

A metà mattina del 4 aprile, la Casa Bianca aveva preparato il briefing sull'attacco chimico da sottoporre al presidente. Oltre a Ivanka e alla Powell, quasi tutti i membri del Consiglio per la Sicurezza nazionale ritenevano che la reazione al bombardamento di Khan Shaykhun dovesse essere decisa e inequivocabile. La situazione non lasciava margine di dubbio. Ancora una volta il governo di Bashar al-Assad aveva violato le leggi internazionali, usando armi chimiche. L'attacco era documentato da riprese video e le agenzie di intelligence erano concordi sulla responsabilità di Assad. Anche l'approccio politico sarebbe dovuto essere in linea: Barack Obama non aveva reagito all'uso di armi chimiche condotto durante il suo mandato, perciò Trump doveva farlo. I rischi erano minimi, bastava approntare una risposta contenuta. Senza contare che, dando l'impressione di opporsi alla Russia, alleata di Assad in Siria, si potevano guadagnare punti con l'opinione pubblica nazionale.

Bannon, forse al minimo storico della sua influenza nella Casa Bianca – molti davano ancora per imminente la sua dipartita –, fu l'unico a pronunciarsi contro la risposta militare. Il suo isolazionismo era duro e puro: gli Stati Uniti dovevano tenersi alla larga dai problemi intricati, e senz'altro evitare di aggravare coinvolgimenti pregressi. Contro di lui era schierata la fazione «normalizzante», le cui decisioni – secondo Bannon – muovevano dalle stesse premesse che avevano portato all'attuale pantano in Medio Oriente. Era ora di piantarla con gli schemi di comportamento improntati alle reazioni standard, incarnati dall'alleanza Jarvanka-Powell-Cohn-McMaster. Basta con la normalità. Anzi, proprio la normalità era il problema.

Il presidente aveva già approvato la richiesta di McMaster di espellere Bannon dal Consiglio per la Sicurezza nazionale, anche se la decisione sarebbe stata annunciata solo il giorno dopo. Al tempo stesso, però, la visione strategica di Bannon lo attirava: perché agire, se non sei tenuto a farlo? O meglio, perché fare qualcosa quando non ci guadagni niente? Dall'inizio del suo mandato, il presidente aveva cominciato a sviluppare una propria visione intuitiva della sicurezza nazionale: accattivarsi tutti i despoti che in caso contrario potevano crearti guai. Trump si spaccia per un duro, ma sotto sotto preferisce il quieto vivere. E nel caso specifico della Siria, perché rischiare di indispettire i russi?

Dopo pranzo, nella squadra del Consiglio per la Sicurezza nazionale cominciò a serpeggiare il panico: l'impressione generale era che il presidente non si rendesse conto della situazione, e la presenza di Bannon non contribuiva a migliorare le cose. Per qualche motivo, l'approccio ultra-razionalista del consigliere aveva convinto un presidente non sempre razionale. «L'attacco chimico non cambia le circostanze sul territorio» insisteva Bannon. Si erano visti attacchi ben peggiori e con molte più vittime. Bambini morti ce n'erano stati ovunque. Perché fissarsi proprio su quelli?

Il presidente non ama i dibattiti – o comunque non in senso socratico – ma nemmeno lo si può definire un decisionista nell'accezione convenzionale del termine. E di certo non è un esperto delle varie posizioni e opzioni in politica estera. Eppure, chissà come, quella riunione si stava trasformando in un autentico scontro tra filosofie opposte.

Da tempo gli esperti americani di politica estera avevano bollato la «non reazione» come una posizione di inaccettabile impotenza. L'impulso all'intervento veniva dal desiderio di dimostrare di non essere sottoposti a vincoli. Non si può restare a guardare e al tempo stesso dimostrarsi forti. L'approccio di Bannon, invece, era piuttosto improntato all'«andatevene pure all'inferno, i vostri casini non ci riguardano». Per giunta, a giudicare dalla storia recente, un tentativo di riparare a un simile disastro aveva scarsissime possibilità di riuscita. Si sarebbe messa a rischio la vita dei soldati senza alcuna speranza di una netta vittoria militare. Bannon, convinto fautore di un radicale cambio di rotta in politica estera, proponeva una nuova dottrina: «Si fottano». L'intransigenza del suo isolazionismo si addiceva al carattere utilitaristico del presidente: «In fondo che cosa ci guadagneremmo noi (o lui)?».

Da qui l'urgenza di cacciare Bannon dal Consiglio per la Sicurezza nazionale. L'aspetto curioso è che all'inizio lo si considerava molto più ragionevole di Michael Flynn, con la sua mania di additare l'Iran come fonte di ogni male. Bannon era stato persino designato come suo sorvegliante. Invece adesso – con grande shock di Kushner – eccolo a propugnare un isolazionismo addirittura apocalittico: era destino che mezzo mondo andasse a fuoco, nessuno poteva farci niente.

Il giorno dopo l'attacco fu annunciata l'estromissione di

Bannon. Era un successo non indifferente per la fazione dei moderati. In meno di due mesi, il pensiero radicale, per non dire fanatico, che aveva dominato la leadership della Sicurezza nazionale di Trump era stato rimpiazzato dalla ragionevolezza, o meglio, dalla fazione che se l'attribuiva.

Ora non restava che ricondurre anche il presidente alla ragione.

Con il trascorrere delle ore, Ivanka Trump e Dina Powell avevano unito le forze per convincere il presidente a reagire in modo – appunto – normale. Come minimo serviva una dura condanna dell'uso delle armi chimiche, una serie di sanzioni e, idealmente, una risposta militare, se pure non sproporzionata. Niente di tutto ciò era fuori dall'ordinario, ed era proprio questo il punto: era cruciale non reagire in modo destabilizzante, compresa una radicale assenza di reazione.

A quel punto Kushner cominciò a lamentarsi con Ivanka che suo padre proprio non ci arrivava. Era stata una faticaccia persino fargli autorizzare una dichiarazione di inaccettabilità dell'uso delle armi chimiche alla conferenza stampa di mezzogiorno. Sia Kushner sia McMaster avevano la netta impressione che il presidente non fosse tanto indignato per l'attacco quanto irritato dal fatto che dovesse prestargli attenzione.

Infine Ivanka suggerì a Dina che bisognava presentargli la situazione in un'altra luce. Aveva imparato da un pezzo l'arte di persuadere il padre. Bisognava puntare sul suo lato emotivo. Trump è un uomo d'affari, ma le cifre non gli dicono niente. I fogli di calcolo non lo interessano: altrimenti a cosa servono i contabili? Lui preferisce le figure. I nomi scritti in grande. Il quadro più ampio. Letteralmente. Una bella immagine chiara, magari proiettata su un megaschermo. Qualcosa di un certo impatto.

In questo i militari, la comunità dell'intelligence e il team della Sicurezza nazionale della Casa Bianca erano in ritardo sui tempi. Appartenevano ancora a un mondo fatto di dati invece che di immagini. Ma, per coincidenza, dell'attacco a Khan Shaykhun di immagini ce n'erano a bizzeffe. Forse aveva ragione Bannon a dire che quel particolare episodio di guerra non era stato più spaventoso di innumerevoli altri, ma selezionando ad arte la documentazione visiva l'atrocità aveva il potenziale di diventare unica.

Più tardi, quel pomeriggio, Ivanka e Dina misero insieme una presentazione che Bannon, disgustato, definì «foto di bambini che schiumano dalla bocca». Quando la mostrarono al presidente, lui volle rivederla parecchie volte. Pareva ipnotizzato.

Osservando la sua reazione, a Bannon parve di vedere il trumpismo sciogliersi davanti ai suoi occhi. Trump, che aveva dimostrato di saper opporre una resistenza viscerale alle ipocrisie dell'establishment e alla politica estera degli esperti che avevano trascinato il Paese in innumerevoli guerre senza speranza, si era d'un tratto rammollito. E, terminata la carrellata di foto orripilanti, espresse subito un parere del tutto convenzionale: restare passivi sarebbe stato inconcepibile.

Quella sera, al telefono, il presidente descrisse le foto a un amico: «La bava, tutta quella bava...». Erano soltanto bambini. Aveva sempre ostentato un profondo disprezzo per qualunque soluzione che non fosse una soverchiante risposta militare; adesso, di punto in bianco, ascoltava rapito ogni genere di alternativa.

Mercoledì 5 aprile assistette a un briefing che delineava un ampio ventaglio di opzioni. Ma ancora una volta McMaster sbagliò tattica, esagerando con i dettagli, e presto lui si esasperò: si sentiva manipolato.

L'indomani, insieme a parecchi dei suoi assistenti di vertice, si recò in Florida per un incontro con il presidente cinese, Xi Jinping, organizzato da Kushner con l'aiuto di Henry Kissinger. A bordo dell'Air Force One, il presidente tenne una riunione rigorosamente coreografata con il Consiglio per la Sicurezza nazionale, in collegamento con lo staff a terra. A quel punto la decisione sulla risposta americana all'attacco era già presa: un lancio di missili Tomahawk contro la base aerea di al-Shayrat. Dopo un ultimo giro di consultazioni, dall'aereo, in tono debitamente solenne, il presidente impartì l'ordine di attacco.

Rianimato dalla fine della riunione e del processo decisionale, Trump raggiunse il pool dei giornalisti accreditati sul retro del velivolo ma, assumendo un'aria maliziosa, rifiutò di rivelare i suoi piani in merito alla Siria. Un'ora dopo, all'atterraggio, fu subito scortato a Mar-a-Lago.

Il presidente cinese e la moglie arrivarono per cena poco dopo le cinque e furono accolti da un picchetto militare sul viale d'accesso della residenza. Era stata Ivanka a occuparsi della pianificazione dell'evento, e lo staff di vertice era presente pressoché al gran completo.

Durante la cena – a base di sogliola di Dover, fagiolini e carote baby, con Kushner seduto accanto alla coppia presidenziale cinese e Bannon all'estremità opposta del tavolo – partì l'attacco alla base aerea di al-Shayrat.

Poco prima delle dieci, senza il minimo sforzo per nascondere che stava leggendo dal gobbo, il presidente annunciò che la missione era compiuta. Per immortalare l'occasione, Dina Powell chiamò un fotografo ufficiale per scattare un ritratto del presidente insieme ai consulenti e al team della Sicurezza nazionale, nella sala operativa improvvisata a Mar-a-Lago. Lei era l'unica donna del gruppo. Steve Bannon, rimasto a tavola, schiumava di rabbia, disgustato dalla messinscena e da «tutte quelle fasulle stronzate».

Mentre si aggirava tra gli ospiti nel giardino di palme e mangrovie, Trump appariva sollevato e di ottimo umore. «Stavolta è stata dura» confidò a un amico. Il suo staff nel Consiglio per la Sicurezza nazionale era più sollevato di lui. Il presidente imprevedibile pareva diventato prevedibile.

15

I media

Il 19 aprile Bill O'Reilly, conduttore di Fox News e star di massima grandezza dei notiziari via cavo, fu cacciato dalla famiglia Murdoch in seguito ad accuse di molestie sessuali. Era un nuovo episodio nell'epurazione del network inaugurata nove mesi prima con il licenziamento dell'amministratore delegato, Roger Ailes. Fox aveva raggiunto la vetta della sua influenza politica con l'elezione di Donald Trump, ma adesso il futuro della rete restava sospeso in uno strano limbo per l'incertezza su chi avrebbe prevalso, se il padre conservatore o i figli liberal.

Qualche ora dopo l'annuncio, Ailes, dalla sua nuova villa sul mare di Palm Beach, mandò un emissario alla West Wing con una domanda per Steve Bannon: «O'Reilly e Hannity hanno già aderito. E tu?». Gli accordi presi con Fox quando ne era stato allontanato vietavano ad Ailes di mettersi in concorrenza con la rete per un periodo di diciotto mesi, ma in gran segreto lui stava già tramando il proprio ritorno sulle scene, con il lancio di un network conservatore. E Bannon – «il prossimo Ailes» –, costretto all'esilio interno nella Casa Bianca, era tutto orecchie.

Non si trattava soltanto di un complotto di uomini ambiziosi a caccia di opportunità e di vendetta: a dare impulso al progetto era anche la percezione impellente che il fenomeno Trump fosse in buona parte il prodotto dei media di destra. Fox martellava da vent'anni con lo stesso messaggio: I liberal ci hanno rubato il Paese, e adesso lo stanno distruggendo. Poi, proprio nel momento in cui molti liberal – compresi i figli di Murdoch, il cui controllo sull'azienda del padre non faceva che crescere – avevano cominciato a convincersi che l'età stesse sfoltendo l'audience fedele alla rete, e che il messaggio sociale anti-matrimoni gay, anti-aborto, anti-immigrazione fosse troppo antiquato per la nuova generazione di repubblicani, era spuntata Breitbart News. Breitbart non soltanto aveva attratto un pubblico di destra molto più giovane – un'utenza con cui Bannon si sentiva in sintonia quanto, al tempo, Ailes con la sua –, ma lo aveva trasformato in un immenso esercito di attivisti digitali (o troll dei social network).

Il fatto che i media di destra si fossero coalizzati intorno a Trump – e la sfacciata ostinazione con cui sorvolavano sui tanti aspetti per cui il personaggio confliggeva con l'etica conservatrice tradizionale – aveva prodotto un altrettanto vigoroso schieramento dei media mainstream, che avevano stretto i ranghi contro di lui. La frattura del Paese attraversava tanto i mezzi di comunicazione quanto la politica. I media erano l'avatar della politica. Rimasto in panchina, Ailes non vedeva l'ora di tornare in gioco. Quel campo era il suo habitat naturale: (1) l'elezione di Trump aveva dimostrato il potere di una base elettorale significativamente più piccola ma molto impegnata e, proprio come nella tv via cavo, contava di più uno zoccolo duro di fedelissimi che un pubblico ampio ma volubile; (2) la conseguenza era una militanza altrettanto agguerrita da parte di uno zoccolo duro di acerrimi nemici; (3) quindi il sangue sarebbe scorso a fiumi.

Se la parabola di Bannon alla Casa Bianca era davvero agli sgoccioli come sembrava, anche quella circostanza rappresentava un'opportunità. Il problema della Breitbart News targata Bannon, del tutto incentrata su internet e con introiti di appena 1,5 milioni di dollari l'anno, era la difficoltà di monetizzarla o farla espandere su larga scala. Ma se nel progetto fossero entrati O'Reilly e Hannity, il flusso di denaro sarebbe aumentato di parecchie grandezze, per poi essere convogliato, in un prossimo futuro, nel finanziamento di una nuova era di fervore ed egemonia di destra, ispirata dall'avvento di Trump.

Il messaggio di Ailes al suo aspirante delfino era chiaro: non soltanto l'ascesa di Trump ma anche il declino di Fox poteva essere per lui un'occasione irripetibile.

La risposta di Bannon fu che, per il momento, avrebbe cercato di difendere il suo ruolo alla Casa Bianca. Ma che l'opportunità la vedeva eccome.

I Murdoch stavano ancora discutendo della sorte di O'Reilly quando Trump, ben consapevole del potere del conduttore e di quanto il suo pubblico coincidesse con la sua stessa base elettorale, aveva espresso il proprio sostegno nei suoi confronti. «Secondo me, Bill non ha fatto nulla di male... È una persona perbene» aveva detto al «New York Times».

In realtà, il vero paradosso della nuova forza dei media conservatori era proprio Trump. Durante la campagna, quando gli faceva comodo, si era rivoltato contro Fox. Se capitava l'opportunità di apparire su altri canali, la coglieva al volo. Nel passato recente, i repubblicani, soprattutto nella stagione delle primarie, privilegiavano Fox rispetto a qualsiasi altra rete. Trump invece continuava a sostenere che la sua grandezza superasse di molto i confini dei soli media conservatori.

Nell'ultimo mese, Ailes – uno dei suoi interlocutori telefonici più assidui e membro della cerchia di consiglieri privati del dopocena – aveva praticamente smesso di parlargli, indispettito dalle continue esternazioni in cui il presidente sparlava di lui elogiando invece Murdoch, che adesso gli dedicava un sacco di attenzioni ma che prima delle elezioni non si era fatto scrupolo di metterlo in ridicolo.

«Gli uomini che esigono la massima lealtà sono sempre gli stronzi più sleali in assoluto» osservò Ailes, sardonico (lui stesso pretendeva dagli altri una fedeltà indefettibile).

Il dilemma è che i media conservatori considerano Trump una propria creatura, mentre lui si vedeva come una star, un prodotto prezioso e ricercato da tutti i mezzi di comunicazione, e che dunque svettava sopra gli altri. È una questione di un culto della personalità, e la personalità è lui. È l'uomo più famoso del mondo. Lo amano tutti, o dovrebbero.

Da parte sua, si tratta di un notevole fraintendimento delle dinamiche mediatiche. Con ogni evidenza, Trump non capisce che personaggi elevati a idolo dei media di destra diventano automaticamente il bersaglio dei loro omologhi liberal. Istigato da Bannon, lui aveva continuato a esibirsi in comportamenti che compiacevano i primi e scatenavano le ire dei secondi. Il che era precisamente nei piani. Più gli antagonisti ti detestano, più i tuoi sostenitori ti amano. È così che funziona. E in effetti aveva funzionato.

Trump tuttavia soffre atrocemente per il trattamento che gli riservano i media mainstream. Rimugina ossessivamente ogni insulto finché ne spunta un altro su cui fissarsi. Guarda e riguarda il servizio incriminato (è sempre incollato al dvr), e a ogni replay il suo umore peggiora in modo esponenziale. Gran parte delle sue conversazioni quotidiane consiste nella cronistoria ripetitiva di ciò che i vari conduttori e giornalisti dicono di lui. E non si offende solo quando attaccano lui, ma anche quando tocca alle persone del suo entourage. Non che incolpi se stesso o la natura dei media liberal per le mortificazioni piovute sulla testa del suo staff, o provi gratitudine per la loro lealtà a dispetto del pubblico ludibrio; al contrario, se la prende con loro per l'evidente incapacità di conquistare la stampa.

L'intransigenza e il disprezzo dei media mainstream nei confronti di Trump contribuiscono a scatenare uno tsunami di clic sui siti di destra. Ma, troppo impegnato a ribollire di rabbia, a piangersi addosso e dannarsi, il presidente non sembra averlo capito. Lui vuole essere amato da *tutti* i media. In questo sembra soffrire di un'incapacità strutturale di distinguere tra vantaggio politico ed esigenze personali: il suo è un pensiero emotivo, non strategico.

Per lui, il vantaggio principale della presidenza è averlo trasformato nell'uomo più famoso del mondo, e i media si inchinano sempre alla fama, giusto? Invece, per assurdo, Trump è diventato presidente in larga parte grazie a un talento unico, consapevole o istintivo, di alienarsi i media, il che lo ha fatto diventare l'uomo che i media amano detestare. Una dialettica insostenibile per un carattere tanto insicuro.

«Per Trump» spiegava Ailes «il vero potere era rappresentato dai media, non dalla politica, perciò erano i magnati dei mezzi di comunicazione gli uomini di cui sognava l'attenzione e il rispetto. Siamo stati ottimi amici per venticinque anni, ma lui avrebbe preferito l'amicizia di Murdoch, che pure giudicava un imbecille... almeno fin quando è diventato presidente.»

La cena dei corrispondenti, evento mondano di primissimo piano organizzato ogni anno dalla Casa Bianca, era fissata per il 29 aprile, il centesimo giorno dell'amministrazione Trump. Il ricevimento, in origine un evento esclusivo, è diventato un'opportunità per le varie organizzazioni dei media di promuoversi portandosi dietro un parterre di celebrità che in genere non hanno nulla a che fare né con il giornalismo né con la politica. Nel 2011 uno di quegli ambitissimi inviti era arrivato anche a Donald Trump, causandone l'umiliazione quando, nel suo intervento, Barack Obama l'aveva preso di mira e ridicolizzato. Secondo il folklore trumpiano, era stato quell'oltraggio a indurlo a candidarsi nel 2016.

Per la nuova amministrazione, la cena dei corrispondenti era diventata un motivo di preoccupazione già poco dopo l'insediamento alla Casa Bianca. Un pomeriggio d'inverno, Kellyanne Conway convocò Hope Hicks nel suo ufficio, al piano superiore della West Wing, per una sofferta discussione sul da farsi.

Il problema era che il presidente non era portato per l'autoironia né particolarmente divertente, quantomeno, nelle parole della Conway, «non per il suo senso dell'umorismo».

Come noto, George W. Bush aveva cercato di svicolarsi in ogni modo dall'impegno del ricevimento e, costretto a partecipare, lo aveva sempre considerato una tortura. Tuttavia, accuratamente preparato dal suo staff, era riuscito ogni anno a offrire un'esibizione accettabile. Ma quel pomeriggio, presentando la questione a un giornalista che consideravano comprensivo, la Hicks e la Conway manifestarono tutto il loro pessimismo: non era realistico sperare che Trump potesse riscuotere successo in un contesto del genere.

«Non gli piacciono le battute cattive» disse la Conway.

«Il suo stile è più rétro» osservò la Hicks.

Poste di fronte a un dilemma irrisolvibile, entrambe continuavano a definire l'evento «unfair» (sleale, ingiusto, scorretto), termine universale nella nuova Casa Bianca per indicare il rapporto dei media con Trump. «Sono proprio ingiusti con lui.» «Non gli concedono mai il beneficio del dubbio.» «Nessun presidente è mai stato trattato come lui.»

La difficoltà specifica è che il presidente non giudica lo scarso rispetto dimostrato dai media come una conseguenza del loro diverso schieramento politico. Lo percepisce come un attacco personale. Con profonda ingiustizia, e per motivi ad hominem, i media lo detestano. Si ostinano a metterlo in ridicolo. Non gliene perdonano una. Perché?

Il giornalista, cercando di consolarle, riferì loro una voce che circolava sul conto di Graydon Carter, direttore di «Vanity Fair», patron di una delle feste più importanti durante il weekend della cena dei corrispondenti e, da decenni, uno dei principali detrattori mediatici di Trump: stava per lasciare la rivista.

«Sul serio?» esclamò la Hicks, scattando in piedi. «Oh, mio Dio! E a lui posso dirlo? Non è un problema, vero? Lui vorrà saperlo subito.» Dopodiché infilò le scale e si precipitò nello Studio Ovale.

Per una curiosa coincidenza, la Conway e la Hicks rappresentano loro stesse i due volti dell'alter ego mediatico di Trump. La prima è l'antagonista rancorosa, la messaggera spudorata i cui interventi aizzano puntualmente i media contro il presidente. La Hicks è l'amica fidata che cerca sempre di strappare un articolo o un commento positivo sul presidente agli unici organi di stampa cui lui tenga davvero: quelli che lo odiano di più. Sebbene diverse per funzione e temperamento, tuttavia, entrambe hanno acquisito una notevole influenza nell'amministrazione fungendo da luogotenenti chiave, con la responsabilità di gestire la preoccupazione principale del presidente: la sua reputazione sui media.

Se da molti punti di vista Trump corrisponde al profilo tipico di un misogino, sul lavoro va molto più d'accordo con le donne che con gli uomini. Con le prime si confida, mentre i secondi li tiene a distanza. Lo rassicura poter contare sul suo harem di «mogli in ufficio», che si occupano di lui e leniscono le sue angosce. È convinto che le donne siano per natura più leali e affidabili. Magari gli uomini sono più autorevoli e competenti, ma è anche più probabile che abbiano secondi fini e scopi propri. Mentre, secondo la sua visione del mondo, le donne hanno la tendenza istintiva a fare di un uomo il proprio scopo. In particolare un uomo come lui.

Non era stato per caso o per semplice equilibrio di casting che la sua spalla in *The Apprentice* fosse una donna, o che sua figlia Ivanka fosse diventata la sua confidente più stretta. Trump si sente capito dalle donne. O quantomeno da quelle che predilige: ottimiste, pratiche, affidabili e attraenti. Per riuscire a lavorare per lui bisogna intuire e soddisfare un ininterrotto flusso sotterraneo di esigenze e manie personali. La regola vale anche per molti altri personaggi di grande successo, ma nel caso di Trump è elevata alla potenza. La sua caparbietà nel pretendere dagli altri un'attenzione e una sensibilità assolute rispetto ai suoi capricci, abitudini, pregiudizi e desideri spesso inconsulti è pressoché unica. Trump va maneggiato con cura, moltissima cura. Le donne, come confessò a un amico, hanno un sesto senso per certe cose. In particolare quelle che si sono addestrate a essere tolleranti, ignare, divertite o impermeabili alla sua misoginia spensierata e a un incessante sottotesto sessuale, combinato in modo incongruo e spesso stridente con un atteggiamento paterno.

Kellyanne Conway aveva conosciuto Donald Trump a una riunione di condominio del Trump International Hotel, situato di fronte al palazzo dell'ONU, dove, all'inizio degli anni Duemila, abitava con la sua famiglia. Il marito George, che aveva studiato all'Harvard College e alla Yale Law School, era socio della Wachtell, Lipton, Rosen & Katz, una nota società specializzata in fusioni e acquisizioni. (Ufficialmente, la società aveva inclinazioni democratiche, ma dietro le quinte George aveva collaborato con la squadra legale di Paula Jones nella causa contro Bill Clinton.) L'equilibrio professionale e domestico della famiglia Conway ruotava intorno alla carriera di George. Quella della moglie era rimasta in secondo piano. Kellyanne – che nella campagna elettorale di Trump avrebbe usato ad arte le proprie origini operaie – era nata e cresciuta nel New Jersey profondo, figlia di un camionista che la madre non aveva sposato e poi allevata soltanto da lei (oltre che dalla nonna e da due zie nubili, immancabilmente menzionate quando parla della sua vita). Dopo la laurea in legge alla George Washington aveva lavorato come stagista per il sondaggista di Reagan, Richard Wirthlin. Dopodiché era diventata assistente di Frank Luntz, curiosa figura del partito repubblicano, noto per i contratti televisivi e i parrucchini quanto per l'acume nei sondaggi. In quel periodo anche la Conway cominciò a comparire sulla televisione via cavo.

Nel 1995 aveva fondato una società di ricerche e sondaggi, che tra le altre virtù presentava quella di potersi adattare alla carriera del marito, ma la sua presenza nelle cerchie politiche repubblicane non aveva mai superato un livello mediocre, né le sue apparizioni televisive erano mai uscite dall'ombra di personaggi più noti, come Ann Coulter e Laura Ingraham. Trump però si era accorto di lei, e a quella riunione di condominio si presentò.

Tuttavia, in senso stretto non era stato lui a determinare la vera svolta nella vita della Conway, ma i Mercer, che nel 2015 – quando Trump era ancora ben lontano dal rappresentare l'ideale conservatore – la assunsero per collaborare alla campagna di Cruz, e poi, nell'agosto del 2016, la dirottarono su quella del futuro presidente.

La Conway comprese al volo il proprio ruolo. «Io le darò sempre del lei, signor Trump» disse al candidato, con aria solenne, durante il colloquio per l'incarico. L'aneddoto diventò un cliché, ripetuto – insieme ad altre battute da copione – dalla Conway in tutte le interviste, tanto a beneficio di Trump che del pubblico.

Il suo titolo ufficiale – direttrice della campagna elettorale – era fuorviante. Il vero capo era Bannon, mentre lei si occupava dei sondaggi. Ma lui non impiegò molto ad accaparrarsi anche quel ruolo, lasciandole come unica opzione un incarico che peraltro Trump considerava immensamente più importante: quello di portavoce televisiva.

La Conway sembra passare in continuazione tra due modalità. In privato dà l'impressione di considerare Trump un uomo esasperante, assurdo, un pallone gonfiato persino, o quantomeno è quello che lascia intendere agli interlocutori che sul conto di Trump la pensano così. Per manifestare il giudizio sul suo capo ricorre a una serie di espressioni del viso: occhi al cielo, bocca spalancata, scuotimenti della testa. Ma in pubblico si trasfigura, diventando una fedelissima, una paladina e una collaboratrice inossidabile. È antifemminista (o, più esattamente, con una complicata capriola ideologica, considera antifemministe le femministe) e attribuisce il merito dei suoi metodi e del suo temperamento alla vita di moglie e madre. È istintiva e reattiva: da qui il ruolo come vera e propria guardia del corpo di Trump, sempre pronta a farsi avanti per incassare un proiettile verbale al suo posto.

Il presidente va matto per il suo atteggiamento da scudo umano, e si appunta tutte le sue apparizioni televisive in agenda, per vederle in diretta. E, appena finito il collegamento, è spesso il primo a telefonarle. Come portavoce la Conway è capace di trasformarsi quasi in ventriloqua, lanciandosi con totale convinzione nelle stesse dichiarazioni trumpiane che, in privato, commenterebbe fingendo di spararsi alla tempia.

Dopo l'elezione – con il conseguente, frenetico riassetto della sua vita domestica, oltre alla corsa per far ottenere al marito un incarico nell'amministrazione – Trump aveva dato per scontato che Kellyanne dovesse diventare la sua addetta stampa. «Era convinto quanto mia madre che fosse uno degli incarichi più importanti» osservò lei «perché entrambi guardano un mucchio di televisione.» Secondo il suo resoconto, lei aveva declinato, o cercato di prendere tempo. Continuava a proporre alternative: sarebbe stata sì la sua portavoce chiave, ma anche qualcos'altro. Per la verità, anche tutti gli altri cercavano di dissuadere Trump dall'affidarle quel ruolo.

Per il presidente la lealtà è la virtù più preziosa, e la Conway è certa che sia stato proprio il suo atteggiamento da kamikaze nel difenderlo dai media a farle meritare una posizione di assoluta priorità alla Casa Bianca. Ma si può esagerare anche in lealtà e lei ha superato i limiti: era talmente iperbolica nel lodare Trump che persino i fedelissimi la giudicavano eccessiva e respingente. Addirittura Jared e Ivanka, inorriditi dalle sue apparizioni televisive, le usavano come spunto per criticare la volgarità della Conway. Spesso si riferivano a lei con il nome in codice «Unghie», per i suoi artigli da Crudelia De Mon.

Già a metà febbraio i media – in genere imboccati da Jarvanka – cominciarono a sostenere che fosse stata ostracizzata. Lei smentì a gran voce, snocciolando il lungo elenco di appuntamenti televisivi, sia pure di secondo piano, che riempiva la sua agenda. Ma poi, lontano dalle telecamere, si presentò nello Studio Ovale e con le lacrime agli occhi si offrì di rassegnare le dimissioni se il presidente aveva perso fiducia in lei. Di fronte all'abnegazione, Trump si commuove quasi sempre, e anche in quell'occasione si profuse in generose rassicurazioni. «Per te ci sarà sempre posto nella mia amministrazione» le disse. «Resterai qui per otto anni.»

In realtà era vero che era stata messa da parte, declassata ai programmi televisivi meno gettonati, a fungere da emissaria designata presso i gruppi della destra, ed esclusa da tutte le discussioni sui temi più significativi. Lei dava la colpa ai media, lagnandosi quanto Trump di essere una perseguitata. Questo ha reso il suo rapporto con il presidente ancora più profondo: uniti nella sorte, si consolano a vicenda delle ferite inflitte da una piaga comune.

A ventisei anni, Hope Hicks era stata la prima assunta del neonato comitato elettorale, perciò conosceva il presidente infinitamente meglio della Conway, e sapeva che il suo compito più importante, per quanto concerneva i media, era evitarli a ogni costo.

Era cresciuta a Greenwich, nel Connecticut. Il padre dirigente lavorava per il Glover Park Group, società di consulenza politica e comunicazione strategica di orientamento democratico, e la madre era stata assistente di un membro democratico del Congresso. Poco portata per gli studi, Hope aveva frequentato la Southern Methodist University e poi aveva fatto qualche lavoro occasionale come modella prima di intraprendere una carriera nelle pubbliche relazioni. Il suo primo capo era stato Matthew Hiltzik, titolare di una piccola agenzia a New York e noto per l'abilità nel gestire clienti delicati, compresi il produttore cinematografico Harvey Weinstein (poi al centro di uno scandalo di proporzioni epiche per anni e anni di molestie e abusi sessuali, accuse da cui Hiltzik e il suo staff avevano a lungo contribuito a proteggerlo) e la star televisiva Katie Couric. Hiltzik, un democratico militante che aveva lavorato per Hillary Clinton, rappresentava anche la linea di abbigliamento di Ivanka Trump, e la Hicks cominciò a sua volta a lavorare per lei, prima di tanto in tanto, poi a tempo pieno. Nel 2015 Ivanka la prestò al comitato elettorale del padre. Man mano che la campagna di Trump passava da semplice curiosità a influente fattore politico a schiacciasassi, i genitori della Hicks, sempre più increduli, cominciarono a vedere la figlia come la vittima di un sequestro. (Dopo la vittoria di Trump e il suo trasferimento alla Casa Bianca, gli amici e i confidenti si domandavano angosciati quanta analisi le sarebbe stata necessaria per riprendersi, una volta terminato il mandato.)

Nei diciotto mesi di campagna elettorale, il comitato itinerante di solito comprendeva il candidato, il direttore, Corey Lewandowski e la Hicks. Con il tempo – oltre a diventare una protagonista involontaria della storia, esito che sbalordì lei più di chiunque altro – Hope si trasformò in una sorta di instancabile factotum, la più devota e indulgente di tutti i collaboratori di Trump, prima e dopo.

Nel giugno del 2016 Lewandowski, con cui la Hicks intratteneva una discontinua relazione sentimentale, fu licenziato per un litigio con la famiglia Trump. Qualche tempo dopo, durante una conversazione alla Trump Tower con il suo capo e i figli, Hope si disse preoccupata per il trattamento che i media stavano riservando a Corey e, riflettendo ad alta voce, si domandò se non potesse fare qualcosa per aiutarlo. Trump, che di solito tendeva a comportarsi in modo protettivo e persino paterno nei suoi confronti, ribatté: «E perché dovresti? Tu per lui hai già fatto abbastanza. Sei il più bel pezzo di fica che gli capiterà mai nella vita». Hope Hicks scappò dalla stanza.

Con la nomina a candidato ufficiale del partito repubblicano e poi l'elezione a presidente, le cerchie di collaboratori intorno a Trump si moltiplicarono, ma la Hicks continuò a svolgere il ruolo di sua pierre personale. Sarebbe sempre rimasta la sua ombra, e la persona che più facilmente ha accesso a lui. «Hai parlato con Hope?» è una domanda che si sente di continuo, nella West Wing.

Per quanto sponsorizzata da Ivanka e sempre leale nei suoi confronti, la Hicks viene considerata come la vera figlia di Trump, mentre Ivanka è vista come la sua vera moglie. In senso più funzionale, ma altrettanto fondamentale, la Hicks è la prima responsabile dei rapporti del presidente con i media. Lavora al suo fianco, completamente separata dall'ufficio comunicazioni, con i suoi quaranta dipendenti. È lei a occuparsi di veicolare il suo messaggio e la sua immagine, o, più esattamente, gli fa da agente, vendendo il suo messaggio e la sua immagine: quanto a decidere l'uno e l'altra, il presidente si fida solo di se stesso.

Priva di una solida fede politica ma, con i suoi precedenti nelle pubbliche relazioni a New York, piuttosto sprezzante nei confronti della stampa di destra, Hope era l'inviata speciale del presidente presso i media mainstream. Trump le aveva affidato la missione più impervia: conquistare il «New York Times».

Non ci era riuscita, ma, per usare le parole del presidente, «Hope non si arrende mai».

In più di un'occasione, all'indomani dell'ennesima salva di articoli sferzanti, il bonario saluto mattutino del presidente al suo arrivo in ufficio è stato: «Mi sa che sei la peggior pierre del mondo».

All'inizio del periodo di transizione, con la Conway ormai fuori gara per l'incarico di addetta stampa, Trump si mise in testa di assegnarlo a una «star». L'elenco di papabili comprendeva la conduttrice radiofonica conservatrice Laura Ingraham, intervenuta alla convention, Ann Coulter e Maria Bartiromo di Fox Business. (Si trattava di apparire in televisione, ripeteva, perciò la bellezza era un must.) Quando nessuna di quelle ipotesi si concretizzò, l'incarico fu offerto a Tucker Carlson, di Fox News, che declinò l'invito. Poi qualcuno cominciò a sostenere la tesi opposta: l'addetto stampa doveva essere il contrario di una star. Anzi, l'intera organizzazione della Casa Bianca per i rapporti con i media andava decurtata. Se era la stampa il nemico, perché corteggiarla e concederle tanta visibilità? Era uno dei principi fondamentali del bannonismo: inutile sforzarsi di andare d'accordo con i propri avversari.

Intanto la questione restava in sospeso, e Priebus raccomandò uno dei suoi vice al Comitato nazionale repubblicano, Sean Spicer: quarantacinque anni, stimato professionista di Washington, con un intero curriculum di incarichi a Capitol Hill negli anni di George W. Bush oltre che presso il Comitato. Ma Spicer esitava, continuando a chiedere ai colleghi della palude: «Se accetto, non rischio di non lavorare mai più?».

Le risposte erano contrastanti.

Durante la transizione, molti membri della squadra di Trump tendevano a concordare con Bannon che l'approccio giusto per gestire la stampa fosse tenerla a distanza, a maggior distanza possibile. E quando la notizia (o il sospetto) che la sua proposta stava per essere presa in considerazione cominciò a circolare, i giornalisti la interpretarono come un'altra prova dell'atteggiamento anti-media della Casa Bianca, e dei suoi tentativi sistematici di negare le informazioni all'opinione pubblica. In realtà anche tutte le amministrazioni precedenti avevano valutato l'ipotesi di spostare la sala stampa fuori dall'edificio, ridurre il numero di aggiornamenti ufficiali, limitare l'accesso alle telecamere o il numero di giornalisti accreditati. Da First Lady, anche Hillary Clinton era stata tra i fautori di una minore presenza della stampa all'interno della Casa Bianca.

Donald Trump, al contrario, non riusciva proprio a rinunciare alla possibilità di tramutare la propria casa in un palcoscenico. Rimproverava regolarmente Spicer per le sue performance scadenti in conferenza stampa, spesso analizzandole punto per punto. Il suo giudizio sulle sue capacità dipendeva in parte dalla convinzione inalterata che nessuno sapesse gestire i media bene quanto lui; di conseguenza il trattamento meno che lusinghiero che riceveva non era colpa sua, ma della cialtronesca squadra di incapaci che chissà come gli era toccata in sorte: tutta gente senza carisma, magnetismo e i giusti contatti nei media.

Investendo il suo addetto stampa con continue raffiche di rimproveri e ordini perentori da regista, e tenendolo sempre sotto pressione, Trump lo ridusse a un fascio di nervi, contribuendo a trasformarne le apparizioni pubbliche in disastri annunciati. E intanto l'intera organizzazione interna dedicata ai rapporti con i media si spaccava in tante piccole agenzie in concorrenza reciproca.

Una di queste era l'universo parallelo in cui, secondo la West Wing, vivevano Hope Hicks e il presidente, ancora convinti che a breve i media mainstream si sarebbero resi conto del fascino e della saggezza di Donald Trump. Il tempo che altri presidenti avevano dedicato a discutere le esigenze, i desideri e le possibili leve negoziali dei vari membri del Congresso, Trump e la Hicks lo dedicavano a esaminare un cast fisso di personalità televisive, cercando di intuire le aspirazioni segrete e i punti deboli di conduttori e produttori, nonché di reporter del «Times» e del «Post».

Spesso il fulcro di questi dibattiti surreali era la giornalista del «New York Times» Maggie Haberman. I suoi servizi in prima pagina, che vertevano tutti sulla stramberia di Donald Trump, comprendevano il racconto dettagliato delle eccentricità, i comportamenti discutibili e le piazzate del presidente, il tutto confezionato in uno stile ammiccante e sarcastico. A parte l'ipotesi che Trump, dopotutto un ragazzo del Queens, nutrisse ancora un rispetto reverenziale per il «Times», nessuno nella West Wing riusciva a spiegarsi perché lui e la Hicks si rivolgessero tanto spesso proprio alla Haberman, concedendo interviste che immancabilmente si tramutavano in ritratti caustici e offensivi. Qualcuno suggeriva che Trump sperasse di reiterare i successi del passato, o ne provasse nostalgia: il «Times» gli era contro, ma la Haberman aveva lavorato a lungo per il «New York Post». «È molto professionale» disse la Conway, difendendo il presidente e cercando di giustificare l'accesso straordinario concesso alla giornalista. Mentre, a dispetto della sua ostinazione a ingraziarsi il «Times», il presidente la giudicava «cattiva e orribile». Ciononostante, quasi ogni settimana, lui e la Hicks confabulavano per stabilire quando fissarle l'appuntamento successivo.

Kushner e Bannon portavano avanti ciascuno la propria personale strategia mediatica. L'abitudine a fornire informazioni confidenziali alla stampa era diventata talmente scoperta e sfacciata – nessuno aveva la minima difficoltà ad attribuire un nome e un cognome alle «fonti interne» citate dai media – da generare degli staff ufficiali.

Kushner aveva un portavoce per il suo ufficio per l'innovazione americana. Josh Raffel, un democratico proveniente, come la Hicks, dalla scuderia di Matthew Hiltzik e con un'esperienza di lavoro a Hollywood, fungeva da rappresentante personale sia di Kushner sia della moglie, anche perché la coppia riteneva che, a causa della sua alleanza con Priebus, Spicer non li stesse promuovendo in modo abbastanza aggressivo. Lo scopo dell'assunzione di Raffel era esplicito. «Josh è la Hope di Jared» era la descrizione ufficiale del suo profilo professionale nella West Wing.

Il portavoce coordinava i rapporti personali di Kushner e Ivanka con i media, anche se il grosso del lavoro riguardava lei. Ma, cosa più importante, coordinava le soffiate di Kushner alla stampa, o per meglio dire i suoi «suggerimenti» ufficiosi, in genere contro Bannon. Kushner, che giurava con grande convinzione di non aver mai passato commenti sottobanco ai giornalisti, giustificava la presenza di un proprio ufficio stampa anche come difesa da quello di Bannon.

L'addetta di Bannon, Alexandra Preate – un'arguta ereditiera conservatrice con una spiccata passione per lo champagne, già portavoce di Breitbart News e di varie personalità conservatrici, come Larry Kudlow –, era un'ottima amica di Rebekah Mercer. In un rapporto che nessuno riusciva a spiegarsi, gestiva tutti i comunicati ufficiali di Bannon destinati alla stampa, ma non era assunta dalla Casa Bianca, anche se la sua presenza in ufficio era costante quasi quanto quella dei dipendenti. La situazione era atipica, ma il motivo lampante: il suo cliente era Bannon, non l'amministrazione Trump.

Per la costante preoccupazione di Jared e Ivanka, Bannon godeva ancora di un accesso senza rivali alle notevoli capacità di Breitbart di pilotare gli umori e l'attenzione della destra. Sosteneva di aver tagliato i ponti con gli ex colleghi del sito, ma non ci credeva nessuno e tutti davano per scontato di non doverci credere. I suoi contatti ancora stretti con Breitbart erano una formidabile arma di ricatto.

Stranamente, nella West Wing erano tutti d'accordo sul fatto che Donald Trump, il presidente mediatico, si fosse dotato di uno degli uffici stampa più disfunzionali nella storia della Casa Bianca. Si facevano scommesse sulla durata in carica di Mike Dubke, un consulente per le pubbliche relazioni repubblicano assunto come direttore delle comunicazioni. Riuscì a resistere soltanto tre mesi.

Allo staff della Casa Bianca la cena dei corrispondenti sembrava un esame creato apposta per mettere alla prova loro e il presidente. Quanto a lui, era deciso a partecipare, certo che il suo fascino potesse averla vinta sul rancore che nutriva per tutti gli invitati, e che loro nutrivano per lui.

Citò a mo' di esempio la sua apparizione del 2015 al *Saturday Night Live*, che a lui era parsa un successo. Quella volta non aveva voluto saperne di prove e copioni, assicurando a tutti di essere bravissimo a improvvisare. I comici non improvvisano, gli avevano risposto, le battute sono tutte scritte e preparate. Il consiglio non aveva fatto breccia.

Trump era ancora convinto di essere un mattatore, ma quasi chiunque altro alla Casa Bianca era terrorizzato. E se il suo discorso alla cena dei corrispondenti fosse stato un fiasco? Il pubblico dell'evento era già prevenuto, e quella sera il presidente avrebbe avuto gli occhi di tutti puntati addosso. E poi, per tradizione, l'intervento presidenziale era improntato a ironia e autoironia, e, per quanto non si facesse scrupoli a prendersi gioco degli altri, Trump era piuttosto permaloso. Eppure, a differenza del suo staff, la prospettiva della cena non sembrava preoccuparlo, anzi, non vedeva l'ora.

La Hicks, di solito sempre pronta ad assecondare ogni suo capriccio, cercava di non incoraggiarlo. Bannon fu ben più diretto, ma si concentrò sull'aspetto simbolico: il pubblico della serata era il nemico, perciò il presidente non doveva blandirlo o intrattenerlo. Con i media bisognava usare la frusta, non cercare complicità. In questa come in qualsiasi altra situazione, il principio guida di Bannon restava inalterato: nessun cedimento, niente accomodamenti, nessun compromesso. E alla fine, ben più delle caute allusioni alla sua mancanza di talento o arguzia, fu quell'argomento a convincere Trump. Decise di non presenziare.

La Conway, la Hicks e pressoché chiunque nella West Wing tirarono un sospiro di sollievo.

Poco dopo le cinque, nel centesimo giorno della sua presidenza e in un clima particolarmente umido, mentre i circa duemilacinquecento rappresentanti della stampa e i loro ospiti si riunivano nella sala ricevimenti del Washington Hilton per la cena dei corrispondenti della Casa Bianca, il presidente lasciò la West Wing per salire a bordo del suo elicottero, il Marine One, e raggiungere la base aerea di Andrews. Lo accompagnavano Steve Bannon, Stephen Miller, Reince Priebus, Hope Hicks e Kellyanne Conway. Il vicepresidente Pence e la moglie arrivarono direttamente sulla pista in un secondo momento, dopodiché, a bordo dell'Air Force One, tutto il gruppo partì alla volta di Harrisburg, in Pennsylvania, dove il presidente doveva tenere un discorso. Gli assistenti di volo servirono a tutti uno spuntino a base di tortini di granchio, poi il presidente concesse un'intervista speciale a John Dickerson di «Face the Nation» per i suoi primi cento giorni alla Casa Bianca.

L'evento di apertura a Harrisburg era organizzato all'interno di una fabbrica di attrezzi da giardinaggio, e il presidente dimostrò un particolare interesse per l'assortimento di carriole colorate. La sede dell'evento successivo, dove avrebbe pronunciato il suo discorso, era un'arena da rodeo presso la fiera dell'agricoltura.

Era quello lo scopo della gita: rammentare al resto del Paese che il presidente era un vero uomo del popolo, non uno di quei bambocci in smoking alla cena dei corrispondenti (sempre ammesso che la gente comune fosse interessata all'evento, o anche solo sapesse della sua esistenza). Il secondo obiettivo era distrarre il presidente dal fatto che si stava perdendo la cena.

Ma non ci fu verso: Trump continuò a chiedere a tutti di aggiornarlo sulle battute.

16

Comey

«È impossibile fargli capire che non può interferire con l'indagine» sbottò agli inizi di maggio Roger Ailes, membro esasperato dell'informale gabinetto di consultazione di Trump. «Un tempo era diverso, si poteva imporre agli investigatori di lasciar perdere, di non indagare su qualcuno. Ma se ci provi adesso, come d'incanto l'indagato diventi tu. Ma non c'è verso di spiegarglielo.»

All'origine del problema c'era la combriccola dei miliardari che ogni sera parlava al telefono con Trump e che, nel tentativo di tranquillizzarlo, di fatto lo stava aizzando. E il motivo del contendere era l'inchiesta dell'FBI e del Dipartimento di Giustizia. Molti di quegli uomini facoltosi si consideravano esperti in materia. Nel corso delle loro carriere gli apparati di giustizia avevano procurato loro così tanti grattacapi da indurli a crearsi contatti e fonti all'interno del Dipartimento, per tenersi aggiornati sulle sue iniziative. Era giunta voce che Flynn stava per essere coinvolto, come pure Manafort. E in ballo non c'era soltanto la Russia. C'era Atlantic City. E Mar-a-Lago. E Trump SoHo.

Chris Christie e Rudy Giuliani – che a loro volta si consideravano particolarmente esperti in materia e sostenevano a spada tratta l'affidabilità delle proprie fonti – ripetevano al presidente che il Dipartimento di Giustizia gliel'aveva giurata: era tutto parte di un complotto di Obama.

E ancora più pressante era il timore di Charlie Kushner, filtrato attraverso il figlio e la nuora, che indagando su Trump gli inquirenti finissero per ficcare il naso anche nei suoi affari. A gennaio una fuga di notizie aveva mandato a monte un accordo dei Kushner con il colosso finanziario cinese Anbang Insurance Group, per il rifinanziamento del vasto debito di una delle principali proprietà immobiliari di famiglia, 666 Fifth Avenue. A fine aprile, grazie a fonti interne al Dipartimento di Giustizia, un articolo di prima pagina del «New York Times» aveva collegato Kushner a Beny Steinmetz, un miliardario israeliano con interessi nel settore dei diamanti, delle estrazioni minerarie e dell'immobiliare, in rapporti con i russi e indagato dalle polizie di tutto il mondo. (Alla reputazione di Kushner non aveva giovato il fatto che il presidente avesse raccontato senza farsi troppi problemi che Jared poteva risolvere in quattro e quattr'otto il problema del Medio Oriente, perché i Kushner conoscevano tutti i malavitosi di Israele.) La prima settimana di maggio, il «New York Times» e il «Washington Post» avevano scritto dei tentativi della famiglia di attirare investitori cinesi con la promessa di visti americani.

I «ragazzi» – Jared e Ivanka – avevano la netta e angosciatissima impressione che l'FBI e il Dipartimento di Giustizia avessero allargato le indagini dall'interferenza russa nelle elezioni alle finanze di famiglia. «Ivanka è terrorizzata» gongolò Bannon.

Al suo coro di miliardari Trump cominciò a domandare se non fosse il caso di licenziare il direttore del Bureau, Comey. Non che fosse la prima volta che ci pensava, ma in passato Comey veniva citato solo en passant insieme alla sfilza di altre persone di cui Trump minacciava sempre di sbarazzarsi. Secondo te dovrei licenziare Bannon? E McMaster? E Spicer? E Tillerson? Il rituale – lo sapevano tutti – serviva più da pretesto per fare sfoggio dei suoi poteri presidenziali che per intavolare una vera discussione sullo staff. Ma nel mondo al contrario di Trump, bastava che i miliardari prendessero anche solo lontanamente in considerazione la domanda per concludere che la risposta fosse sì. Secondo Icahn dovrei licenziare Comey (o Bannon, o Priebus, o McMaster, o Tillerson).

Ma la figlia e il genero, i cui timori erano intensificati da quelli di Kushner senior, la pensavano davvero così. Insistettero con il presidente che, se una volta si poteva ancora sperare di conquistarlo, adesso Comey era diventato una mina vagante, un avversario pericoloso la cui vittoria avrebbe inevitabilmente significato una sconfitta per loro. Quando Trump si agita per qualcosa, osservò Bannon, è perché c'è sempre qualcuno a istigarlo, e in quei giorni la famiglia non parlava d'altro: Comey era ambizioso, ripetevano, in toni sempre più concitati e febbrili, e si sarebbe fatto un nome distruggendo loro. Il rullo dei tamburi era sempre più assordante.

«Quel figlio di puttana si è messo in testa di licenziare il capo dell'FBI» disse Ailes.

La prima settimana di maggio, il presidente fece una sfuriata a Sessions e al suo vice, Rod Rosenstein. Li mortificò entrambi, sbraitando che non erano capaci di controllare i propri sottoposti, e che dovevano trovare una scusa per licenziare Comey, anzi, li accusò per non averlo già fatto mesi prima (scaricando su di loro la responsabilità di non aver deciso il cambio della guardia al momento dell'insediamento).

Sempre quella settimana, il presidente, Jared, Ivanka, Bannon e Priebus convocarono nello Studio Ovale il consigliere legale della Casa Bianca, Don McGahn. L'incontro avvenne a porte chiuse, il che lo rese ancora più sospetto, dato che quella porta era sempre aperta.

I democratici odiano Comey in blocco, dichiarò il presidente, formulando il parere che più gli tornava comodo come fosse una realtà di fatto. E anche gli agenti dell'FBI: il settantacinque per cento di loro non lo sopporta proprio. (Era stato Kushner a scovare chissà dove quella percentuale, e Trump non aveva esitato a usarla.) Licenziarlo sarà un vantaggio enorme in termini di raccolta fondi, aggiunse poi, proprio lui che di raccolta fondi non voleva mai nemmeno sentir parlare.

McGahn cercò di spiegargli che non era Comey a dirigere l'indagine sulla Russia, e che l'inchiesta sarebbe proseguita anche senza di lui. In virtù del suo incarico, McGahn si trovava spesso nella necessità di raccomandare cautela al presidente, e di conseguenza era un bersaglio frequente delle sue ire.

Di solito le sfuriate di Trump sembravano quasi studiate ad arte, ma i segnali di una collera genuina c'erano tutti: perdeva completamente il controllo, gli si deformavano i tratti e si gonfiavano le vene. Uno spettacolo impressionante. E stava per succedere anche adesso.

Incenerendo il consigliere legale con uno sguardo, Trump sbottò: «Comey è un traditore». C'erano traditori ovunque e andavano annientati. John Dean, John Dean, ripeté. «Lo sai che cos'ha fatto John Dean a Nixon?»

Trump, che vedeva la storia in termini di personaggi – alcuni simpatici, altri detestabili –, era fissato con John Dean. Dava di matto quando, ai talk show, un Dean molto invecchiato e ingrigito paragonava il Trumpgate al Watergate. Gli bastava vederlo per dimenticare tutto il resto e lanciarsi in un inarrestabile monologo in cui inveiva contro la slealtà delle persone e le cose che erano disposte a fare pur di apparire in televisione, di solito accompagnando l'invettiva con varie teorie revisioniste sul Watergate e sul fatto che in realtà Nixon era stato incastrato. E sui traditori. Gente pronta a calpestarti per farsi strada. Parassiti che bisogna eliminare. E la Casa Bianca ne era infestata. (In seguito sarebbe stato Bannon a prenderlo da parte, per ricordargli che nell'amministrazione Nixon John Dean era stato proprio consigliere legale, e che quindi forse era il caso di dare un po' di tregua a McGahn.)

Alla riunione, Bannon, prima completamente isolato ma ora unito a Priebus dalla comune avversione a Jarvanka, colse l'opportunità per argomentare con passione che Comey bisognava lasciarlo stare: tesi che, pur senza farne i nomi, era anche un atto d'accusa contro Jared, Ivanka e quei «geni» dei loro alleati. («Genio» era un termine che Trump usava in senso derisorio per bollare chiunque lo infastidisse o si considerasse più intelligente di lui, e Bannon se n'era appropriato per denigrare la sua stessa famiglia.) In tono fosco e minaccioso, Bannon avvertì Trump: «La questione della Russia per ora è soltanto un trafiletto, ma se licenzi Comey finirà in prima pagina sui giornali di tutto il mondo».

Lui e Priebus uscirono dalla riunione convinti di aver prevalso. Ma già nel fine settimana, davanti all'angoscia della figlia e del genero, il presidente ricominciò a masticare bile. I Trump stavano passando il weekend a Bedminster, nel New Jersey, e avevano invitato anche Stephen Miller. Il tempo era pessimo e, non potendo giocare a golf, il presidente era inevitabilmente tornato sulla questione Comey. Secondo gli estranei alla cerchia di Jarvanka, fu Jared a spingerlo all'azione, fomentando la sua rabbia. Nella loro versione, Kushner, con l'assenso del presidente, suggerì a Miller alcuni possibili estremi per la cacciata del direttore dell'FBI e gli chiese di stendere la bozza di una lettera di licenziamento. Miller, che a scrivere aveva qualche difficoltà, chiese aiuto alla Hicks, a sua volta priva di talenti troppo spiccati. (In seguito Miller sarebbe stato rimproverato da Bannon per essersi lasciato coinvolgere e potenzialmente compromettere dall'intrigo Comey.)

Scritta in fretta e furia, e secondo le direttive di Kushner o del presidente stesso, la lettera era un assurdo guazzabuglio di tutti gli elementi che la famiglia Trump avrebbe usato per giustificare il licenziamento: il modo in cui Comey aveva gestito l'inchiesta su Hillary Clinton, il fatto (inserito su richiesta di Kushner) che persino l'FBI lo detestava e l'ossessione principale del presidente, il rifiuto di Comey di smentire ufficialmente le voci del suo coinvolgimento nell'inchiesta. Insomma, tutto tranne il fatto che il Bureau stesse effettivamente indagando sul presidente.

La fazione di Kushner avrebbe contestato aspramente la versione che indicava Jared come motore o eminenza grigia dell'operazione, scaricando ogni responsabilità – il testo della lettera quanto la volontà di sbarazzarsi di Comey – sulle spalle del presidente, e assegnando al genero la parte di testimone passivo (in questi termini: «Kushner era a favore della decisione?». «Sì.» «Era stato informato del licenziamento imminente?» «Sì.» «Ha caldeggiato la decisione?» «No.» «Ha esercitato pressioni per settimane o mesi per estromettere Comey?» «No.» «Si è opposto all'estromissione?» «No.» «Aveva messo in guardia il presidente sul rischio che finisse male?» «No»).

Inorridito dalla lettera, McGahn dichiarò recisamente che andava cestinata. Nonostante la raccomandazione del legale, la bozza fu consegnata a Sessions e Rosenstein, che si affrettarono a prepararne un'altra, interpretando a modo loro i desideri espliciti di Kushner e del presidente.

«Lo sapevo che appena tornato avrebbe fatto scoppiare la bomba» disse Bannon dopo il rientro del presidente dal weekend a Bedminster.

La mattina di lunedì 8 maggio, nel corso di una riunione nello Studio Ovale, il presidente informò Priebus e Bannon di aver preso una decisione: il direttore Comey andava licenziato. Entrambi lo implorarono di non farlo, chiedendogli quantomeno di rifletterci ancora un po'. È una tecnica chiave per gestire il presidente: rinviare. Rimandando un'iniziativa si apre la possibilità che intervenga qualcos'altro – un fiasco equivalente o persino peggiore – a prevenire il disastro imminente. E poi la strategia sfrutta abilmente la bassissima soglia di attenzione di Trump: qualunque cosa abbia in mente viene presto soppiantata da una nuova ossessione. Al termine dell'incontro, Priebus e Bannon erano certi di aver almeno guadagnato un margine di respiro.

Più tardi, lo stesso giorno, Sally Yates e James Clapper, ex direttore dell'Intelligence nazionale, comparvero dinanzi alla sottocommissione del Senato per le inchieste penali e il terrorismo, scatenando una furibonda bufera di tweet di Trump.

Un altro esempio, osservò Bannon, del problema fondamentale di Trump: il vizio di prendere ogni cosa sul personale. Il presidente interpreta tutto secondo la logica tipica del mondo degli affari o dello spettacolo. C'è sempre qualcuno che cerca di fregarti, rubandoti un cliente o la scena. La vita è una battaglia continua per impedire a chi ha meno di te di sottrarti ciò che è tuo. Per Bannon il fatto di ridurre la politica a duelli e polemiche sminuiva la portata storica dell'impresa compiuta da Trump e dalla sua amministrazione. Ma mascherava anche i veri poteri che li avversavano. Non erano le persone il nemico, ma le istituzioni.

Quanto a Trump, il suo nemico era Sally Yates, «quella puttana».

Dopo il suo licenziamento, il 30 gennaio, la Yates aveva conservato un riserbo altamente sospetto. Avvicinati dai giornalisti, lei e i suoi intermediari spiegavano che gli avvocati avevano imposto il silenzio stampa. Il presidente era certo che stesse soltanto preparando il suo agguato. Nelle telefonate agli amici, si interrogava sul «piano», la «strategia» della sua avversaria, e continuava a incalzare le sue fonti del dopocena, chiedendo loro quale potesse essere «l'asso nella manica» della Yates e di Ben Rhodes, ai suoi occhi il principale complice di Obama nel «complotto».

Rispetto ai suoi nemici – e, per la verità, anche agli amici –, la questione che più lo preoccupava era la strategia mediatica. Erano i media il campo di battaglia. Trump dà per scontato che chiunque al mondo non aspiri ad altro che ai proverbiali quindici minuti di celebrità, e quindi tenga in serbo un piano da mettere in atto quando, finalmente, abbia conquistato le luci della ribalta. Se sulla stampa non puoi diventare un protagonista, allora diventi un informatore. Niente è casuale, nel mondo dei media. Tutto è manipolato e pianificato, una montatura o una macchinazione. Tutte le news sono in una certa misura fake, di questo Trump è sicuro, dato che lui stesso ne ha fabbricate in quantità industriali durante la sua carriera. Per questo ha aderito subito al concetto di fake news. «È da una vita che invento balle e la stampa le pubblica regolarmente» è un suo vanto.

Il ritorno di Sally Yates e la sua comparizione davanti alla sottocommissione d'inchiesta non potevano essere che la battuta d'inizio di un'incisiva e ben organizzata campagna di marketing a vantaggio dell'ex viceattorney general. (L'ipotesi fu confermata alla fine di maggio dal generoso e celebrativo profilo della Yates pubblicato dal «New Yorker». «Qui voleva arrivare, quella» fu il commento del presidente. «Era già tutto architettato. E questa è la sua ricompensa.») «La Yates è famosa solo grazie a me» si lamentò, inasprito. «Senza di me, non è nessuno.» Davanti al Congresso, quel lunedì mattina, la Yates rese una performance da Oscar – fredda, controllata, dettagliata, senza traccia di protagonismo –, fomentando la collera e l'agitazione del presidente.

La mattina di martedì 9 maggio, con il presidente ancora fissato sul licenziamento di Comey, e Kushner e la figlia a spalleggiarlo, Priebus insistette per un nuovo rinvio. «Esiste un protocollo per questo genere di cose» spiegò a Trump. «Non è il caso che Comey venga a saperlo dalla televisione. Lo ripeto per l'ultima volta: questa non è la strada giusta. Se proprio volete licenziarlo, bisogna dirglielo di persona. È questo il comportamento corretto e professionale.» Di nuovo il presidente sembrò placarsi per concentrarsi sulla procedura necessaria.

Ma era un'illusione. In realtà, quando vuole svicolare dalle procedure convenzionali – o, come in quel caso specifico, ignorare ogni relazione tra causa ed effetto –, il presidente si limita a escludere ogni altro interlocutore dalle sue personali procedure. Anche quella volta, all'insaputa di tutti, aveva deciso di fare di testa sua. È possibile che il licenziamento di James Comey dalla direzione dell'FBI passi agli annali come la più esplosiva decisione unilaterale di un presidente moderno.

Intanto, al Dipartimento di Giustizia, l'attorney general Sessions e il suo vice Rosenstein stavano a loro volta montando un caso contro Comey. Avrebbero adottato la linea decisa a Bedminster, imputandogli gli errori commessi nella gestione della faccenda delle email della Clinton: un'accusa poco credibile perché, se fosse davvero stata quella la questione, per quale motivo Comey non era stato licenziato subito, all'insediamento dell'amministrazione Trump? Comunque Sessions e Rosenstein si stavano affannando invano. Il presidente aveva già deciso di fare a modo suo.

Jared e Ivanka continuavano a spronarlo, ma nemmeno loro sapevano che la mannaia stava per abbattersi. Hope Hicks, l'ombra fedele di Trump, in genere al corrente di ogni suo pensiero – se non altro perché lui è incapace di tenerseli per sé –, era ignara di tutto. Come pure Steve Bannon, per quanto convinto che la bomba sarebbe scoppiata da un momento all'altro. Il capo di gabinetto era all'oscuro. E anche l'ufficio stampa. Indifferente a qualsiasi regola, il presidente stava per lanciare una crociata personale, dichiarando guerra all'FBI, al Dipartimento di Giustizia e a molti membri del Congresso.

A un certo punto del pomeriggio, Trump informò la figlia

e il genero del suo piano. I due aderirono all'istante, diventarono suoi complici e tennero alla larga dal presidente chiunque fosse contrario al licenziamento.

Per una sinistra coincidenza, quel giorno il lavoro nella West Wing stava procedendo in modo ordinato e senza intoppi. Mancava poco alle cinque e nell'atrio c'era il solito viavai: il cronista politico e commentatore di campagne elettorali Mark Halperin attendeva Hope Hicks, Howard Kurtz di Fox era lì per vedere Sean Spicer e l'assistente di Reince Priebus era andato ad avvertire la persona che lo stava aspettando che il suo capo avrebbe tardato qualche minuto.

Fu allora che, informato sbrigativamente McGahn delle sue intenzioni, il presidente premette il grilletto. Le cinque erano passate da pochi minuti quando la sua guardia del corpo personale, Keith Schiller, si presentò nella sede dell'FBI per consegnare all'ufficio di Comey la lettera di licenziamento. La seconda frase del testo comprendeva queste parole: «Con la presente si certifica il suo decadimento dall'incarico, con decorrenza immediata».

A causa di un servizio raffazzonato, trasmesso da Fox News, per qualche momento lo staff della West Wing si illuse che Comey avesse rassegnato le dimissioni. Poi, viaggiando attraverso i vari uffici, la realtà soppiantò l'equivoco.

«Quindi adesso tocca a un procuratore speciale?» esclamò Priebus, incredulo e come tra sé, appena lo informarono dell'accaduto.

Spicer, che in seguito sarebbe stato aspramente rimproverato per non aver saputo presentare la faccenda in una luce favorevole al presidente, ebbe appena il tempo di assimilare la notizia prima dell'aggressione della stampa.

Non solo il presidente aveva preso la decisione senza consultare nessuno, tranne la sua strettissima cerchia familiare, ma furono lui, Ivanka e Kushner a gestire quasi da soli anche la narrazione dei fatti, la loro spiegazione, persino le giustificazioni legali. Il pretesto adottato da Sessions e Rosenstein per il licenziamento fu inserito quasi all'ultimo secondo nel comunicato ufficiale, e a quel punto, su indicazione di Kushner, il motivo del licenziamento diventò che il presidente aveva agito su loro raccomandazione. Il compito ingrato di presentare quell'improbabile versione dei fatti toccò a Spicer e al vicepresidente. Ma la tesi di facciata crollò ben presto, se non altro perché quasi tutti nella West Wing, affrettandosi a prendere le distanze dal disastro, contribuirono a smontarla.

Ora la frattura interna alla Casa Bianca vedeva da un lato il presidente e la sua famiglia, e dall'altro tutto lo staff, incredulo, allibito, ammutolito.

Trump sembrò persino voler smentire la tesi precedente sulle insistenze di Rosenstein e Sessions. Ci teneva a far sapere al mondo quanto era pericoloso quando veniva provocato: era stato lui e soltanto lui ad abbattere Comey. Era una faccenda personale. Si atteggiò a presidente potente e vendicativo, pronto a colpire senza pietà quanti cercavano di sfidarlo, e implacabile nel proteggere la sua famiglia.

«La figlia rovescerà il padre» commentò Bannon, dando alla vicenda una cupa sfumatura shakespeariana.

Ancora stranito, lo staff della West Wing continuava a ripetere che si sarebbe potuto fare diversamente. Dovevano pur esistere sistemi più diplomatici per sbarazzarsi di Comey, e al presidente di fatto erano stati suggeriti. (Una delle proposte più involute, e che in seguito avrebbe assunto una valenza ironica, era sollevare il generale Kelly dalla carica di ministro della Sicurezza interna e insediare Comey al suo posto.) Ma la verità era che Trump quegli scenari alternativi li aveva respinti tutti per un motivo ben preciso: il suo intento era punire e umiliare il direttore dell'FBI. La crudeltà è una delle sue prerogative.

Per questo il licenziamento era avvenuto nel modo più pubblico possibile, e davanti agli occhi della famiglia di Comey, colto in contropiede dalla notizia mentre teneva un discorso in California. Dopodiché il presidente rese ancora più personale la faccenda con una violenta invettiva contro il direttore, in cui tra l'altro insinuava che l'intero Bureau disprezzasse Comey quanto lui.

Il giorno dopo, come per dare ulteriore risalto e bearsi ancora di più sia dell'insulto sia della propria impunità, ricevette nello Studio Ovale una delegazione di pezzi grossi russi, compreso l'ambasciatore Kisljak, a sua volta al centro dell'inchiesta sul Trumpgate. Ai suoi ospiti il presidente dichiarò: «Ho appena licenziato il capo dell'FBI. Era un matto, un vero squinternato. Ho subito grandi pressioni per via della Russia. Adesso la questione è risolta». Poi, non contento, rivelò un'informazione fornita agli Stati Uniti da Israele, attraverso un suo agente in Siria, su un nuovo metodo messo a punto dall'ISIS per nascondere bombe nei laptop da portare in aereo; e così facendo si addentrò in dettagli sufficienti a far saltare la copertura dell'agente israeliano. (L'episodio non contribuì a ingraziargli le cerchie dell'intelligence: nel mondo delle spie, l'identità delle fonti è il segreto più classificato in assoluto.)

«È Trump» disse Bannon. «Crede di poter silurare tutto il Bureau.»

Il presidente era convinto che il licenziamento di Comey l'avrebbe reso un eroe agli occhi del mondo. Nelle ventiquattro ore successive presentò la sua versione dei fatti a vari amici. La storia era semplicissima: aveva tenuto testa all'FBI. Aveva dimostrato la volontà di sfidare i poteri dello Stato. L'outsider contro gli insider. In fondo non era proprio per questo che la gente l'aveva votato?

In un certo senso aveva ragione. Uno dei motivi per cui i presidenti non licenziano i direttori dell'FBI è il timore delle conseguenze. È la sindrome di Hoover: tutti i presidenti possono diventare ostaggio delle informazioni di cui è in possesso l'FBI, e se si azzardano a non trattarlo con deferenza lo fanno a proprio rischio e pericolo. Trump, invece, aveva sfidato il Bureau: si era scagliato da solo contro un potere arbitrario da sempre oggetto delle contestazioni della sinistra e, in tempi più recenti, anche della destra. «Non capisco» diceva il presidente agli amici, in tono sempre più implorante. «Perché non fanno tutti il tifo per me?»

Anche questo è un suo tratto fondamentale: l'incapacità di vedere il suo comportamento dalla prospettiva degli altri. O di comprendere fino in fondo cosa gli altri si aspettano da lui. Il concetto della presidenza come ruolo istituzionale e politico che richiede di attenersi a un certo rituale, nonché alla correttezza e cura semiotica del messaggio – l'arte del governo, insomma –, gli è completamente estraneo.

Nel governo la notizia del licenziamento di Comey fu accolta da un moto di repulsione istintiva da parte di tutti gli apparati burocratici. Bannon aveva cercato di spiegare a Trump come sono fatti i funzionari di carriera nelle istituzioni, che si sentono al sicuro all'interno di organizzazioni egemoniche e credono in una causa comune: sono persone molto, molto diverse da chi punta a una distinzione individuale. E Comey era in primo luogo un burocrate. Cacciarlo con disonore equivaleva all'ennesimo insulto del presidente nei confronti dell'apparato burocratico.

Rod Rosenstein, autore della lettera che da principio aveva fornito la giustificazione per il licenziamento, si trovò nella linea di fuoco. A cinquantadue anni e con gli occhiali senza montatura – l'accessorio emblema del burocrate –, era il procuratore in servizio da più tempo del Paese. Ha sempre vissuto all'interno del sistema, con l'unica aspirazione di veder riconosciuto il suo rispetto indefettibile per tutte le regole. È un uomo schietto e trasparente, e tiene moltissimo a questa reputazione.

Adesso tutti quegli anni di lavoro erano ridotti in cenere. A furia di intimidazioni, un presidente prepotente e arrogante aveva indotto i due più alti rappresentanti della legge a condannare in modo sconsiderato, o quantomeno intempestivo, il direttore dell'FBI. Già prima Rosenstein si era sentito usato e sfruttato. E ora scopriva anche di essere stato imbrogliato. Era un allocco.

Trump aveva costretto lui e Sessions a fabbricare una giustificazione legale, senza poi reggere la messinscena burocratica. Dopo averli coinvolti nel suo piano, adesso mostrava che i loro sforzi di presentare un'argomentazione ragionevole e legittima erano in realtà una truffa e, potenzialmente, un reato di intralcio alla giustizia. Aveva chiarito senza mezzi termini di non aver licenziato il direttore dell'FBI perché si era comportato male nella faccenda della Clinton; lo aveva fatto perché il Bureau stava indagando con troppa aggressività su di lui e sulla sua amministrazione.

Più che ligio ai regolamenti, Rod Rosenstein – che fino a

quel momento aveva incarnato la quintessenza del funzionario apolitico – diventò agli occhi di tutta Washington un ignaro strumento di Trump. La mortificazione era cocente. Ma la vendetta fu istantanea, devastante e (naturalmente) servita nel più assoluto rispetto delle regole.

Data la decisione dell'attorney general di ricusarsi dall'indagine sulla Russia, ora spettava al suo vice determinare se sussistesse un conflitto di interessi – ovvero se lui stesso fosse coinvolto nella vicenda al punto da non poter agire in modo obiettivo –, e in tal caso, a sua sola discrezione, nominare un procuratore speciale, esterno, con ampi poteri e prerogative, alla guida dell'indagine e, potenzialmente, del processo.

Il 17 maggio, otto giorni dopo il licenziamento di Comey, senza consultare la Casa Bianca o l'attorney general, Rosenstein nominò l'ex direttore dell'FBI Robert Mueller a capo dell'inchiesta sui legami fra Trump, il suo comitato elettorale, il suo staff, e la Russia. Se poco prima Michael Flynn era diventato l'uomo più potente di Washington per ciò che poteva rivelare sul conto del presidente, adesso Mueller lo era molto di più, perché aveva la facoltà di costringere Flynn e l'intera banda di sottoposti e amici storici di Trump a vuotare il sacco.

Naturalmente, e forse con una certa soddisfazione, Rosenstein sapeva di aver sferrato ciò che sarebbe potuto essere un colpo letale alla presidenza Trump.

Meravigliato, scuotendo la testa, Bannon commentò, in tono asciutto: «Trump non si rende conto di ciò che lo aspetta».

17

In patria e all'estero

Il 12 maggio Roger Ailes sarebbe dovuto volare da Palm Beach a New York per incontrare Peter Thiel, cofondatore di PayPal, uno dei primi e rari sostenitori di Trump nella Silicon Valley, sempre più perplesso di fronte all'imprevedibilità del presidente. Thiel e Ailes – entrambi preoccupati che lo stesso Trump potesse nuocere al trumpismo – avrebbero dovuto discutere della creazione e del lancio di un nuovo network di notiziari via cavo. Thiel lo avrebbe finanziato e Ailes ci avrebbe lavorato, oltre a portare a bordo O'Reilly, Hannity e forse anche Bannon.

Due giorni prima dell'incontro, Ailes cadde in bagno e batté la testa. Prima di entrare in coma, riuscì a dire alla moglie di non rinviare la riunione con Thiel. Morì sei giorni dopo. La sua parabola era stata davvero singolare: dalla maggioranza silenziosa di Nixon ai democratici reaganiani fino all'entusiasmo della base che aveva sostenuto Trump.

Il funerale si tenne a Palm Beach il 20 maggio. Fu un'occasione per osservare l'ambiguità e l'avvilimento degli esponenti della destra. Le personalità di destra continuavano a manifestare con decisione il proprio appoggio a Trump, ma sembravano nervosi, o addirittura a disagio. Alla cerimonia, Rush Limbaugh e Laura Ingraham si sforzavano di mostrare il loro sostegno al trumpismo, ma al tempo stesso prendevano le distanze da Trump.

La destra non poteva fare a meno di Trump. Era l'antiliberal per eccellenza: un autoritario che era diventato il massimo esempio vivente di resistenza all'autorità. Era l'esatto contrario di tutto ciò che la destra trovava paternalistico, ingenuo e ipocrita nella sinistra. Ma Trump era Trump: superficiale, volubile, sleale, del tutto incontrollabile. E nessuno lo sapeva meglio delle persone che lo conoscevano bene.

Beth, la moglie di Ailes, aveva deciso di invitare al funerale soltanto i più fedeli amici del marito. Erano stati esclusi tutti coloro che avevano vacillato al momento di prendere le sue difese, dopo il licenziamento, o che avevano preferito la famiglia Murdoch. Trump, la cui recente amicizia con Murdoch era ancora in pieno idillio, si era ritrovato dalla parte dei nemici. Erano passate ore, e poi giorni – di cui la vedova teneva puntigliosamente il conto – e la telefonata di condoglianze non era ancora arrivata.

La mattina della cerimonia, l'aereo privato di Sean Hannity decollò dall'aeroporto di Long Island, diretto a Palm Beach. Insieme a lui c'era un gruppo ristretto di collaboratori di Fox, nuovi e del passato, fedeli sostenitori di Ailes e di Trump. Eppure tutti loro faticavano a capire il comportamento del presidente: prima la vicenda Comey, di cui non riuscivano ad afferrare la logica, e adesso la sua completa assenza in occasione della scomparsa del suo vecchio amico Ailes.

«È un cretino, non c'è dubbio» commentò Liz Trotta, corrispondente di Fox.

La conduttrice Kimberly Guilfoyle trascorse quasi tutto il viaggio a raccontare delle ripetute richieste di Trump perché prendesse il posto di Sean Spicer alla Casa Bianca. «Ci sarebbero non pochi problemi, inclusa la sopravvivenza personale.»

Quanto a Hannity, la sua visione della destra stava diventando Trump-centrica dopo essere stata Fox-centrica. Non pensava certo che anche lui, nel giro di un anno, sarebbe stato cacciato dalla rete o che avrebbe finito per trovarsi in un ambiente ostile, eppure soffriva per l'atteggiamento servile di Trump nei confronti di Murdoch, che non solo aveva cacciato Ailes, ma era anche un conservatore per comodo. «Murdoch sosteneva Hillary!» inveiva Hannity.

Hannity pensava a voce alta e disse che avrebbe lasciato la

rete per andare a lavorare a tempo pieno per il presidente, perché niente era più importante del successo di Trump, «nonostante Trump» aggiunse, ridendo.

Però rimproverava a Trump di non aver nemmeno chiamato Beth. «Colpa di Mueller, lo ha distratto» concluse, aspirando una lunga boccata dalla sigaretta elettronica.

Forse Trump era un mostro, come la creatura di Frankenstein, ma era la creatura della destra: la prima, l'unica, l'originale. Hannity avrebbe potuto chiudere un occhio sul pasticcio del caso Comey, e su Jared. E anche sul caos che regnava alla Casa Bianca.

Però Trump non aveva telefonato a Beth.

«Cosa cazzo c'è che non va in lui?» si chiedeva Hannity.

Trump era convinto di essere a un passo dalla svolta. O meglio, dalla svolta che gli avrebbe permesso di rovesciare la situazione agli occhi della stampa. Era irrilevante che avesse sprecato i suoi primi cento giorni, che avrebbero dovuto gettare le basi per i successivi. Potevi essere messo alla gogna mediatica e il giorno dopo tornare in auge grazie a un colpo vincente.

«Abbiamo bisogno di roba grossa» diceva spesso, in tono rabbioso. «Questa non è roba grossa. Ho bisogno di roba grossa, portatemi qualcosa di grosso. Lo sapete che cosa vuol dire grosso?»

L'abolizione dell'Obamacare, le infrastrutture, una vera riforma fiscale erano le promesse di Trump che Paul Ryan doveva condurre in porto, ed erano andate tutte in fumo. I membri di vertice dello staff ritenevano che fosse stato un errore iniziare dalla sanità. E poi, chi era stato a deciderlo?

La conseguenza naturale poteva essere concentrarsi su obiettivi più limitati, su versioni meno ambiziose del programma, ma a Trump non piaceva pensare in piccolo, ed era sempre più svogliato e irritabile.

Allora avrebbero dovuto concentrarsi sulla pace in Medio Oriente.

Come molti uomini dello spettacolo e imprenditori da comunicati stampa, anche Trump ritiene che la complessità e la burocrazia siano i suoi principali nemici, e che la semplificazione sia la soluzione a ogni problema: aggira o ignora le difficoltà, punta dritto all'obiettivo. Se è abbastanza ambizioso e grandioso, si venderà da solo. In questo tipo di approccio, ci sono sempre molti intermediari che promettono di aiutarti a semplificare e soci pronti a condividere la tua grandezza.

E qui entra in scena il trentunenne Mohammad bin Salman al-Saud, attuale principe ereditario dell'Arabia Saudita, noto anche come MBS.

Il caso volle che il re dell'Arabia Saudita, padre di MBS, non stesse attraversando un buon periodo. In qualche modo, la monarchia saudita si stava convincendo della necessità di aprirsi alla modernità, e MBS, incallito giocatore di videogame, era una personalità emergente all'interno della famiglia reale. Non era il classico nobile, riservato e taciturno, bensì un abile venditore, affascinante e a proprio agio nel mondo, ciarliero ed estroverso. Si era preso in carico gli affari economici e cercava di realizzare una visione, piuttosto trumpiana, che prevedeva di surclassare Dubai e diversificare l'economia. Il suo regno sarebbe stato innovativo e moderno; perlomeno più moderno del precedente (anche le donne avrebbero potuto prendere la patente, fortuna che stavano arrivando le auto senza conducente!). La leadership saudita era vecchia, tradizionale, piuttosto anonima e attenta al consenso. La famiglia reale, dalla quale proveniva la classe dirigente, era invece eccessiva, stravagante e pronta a godere dei lussi della modernità, soprattutto all'estero. MBS aveva fretta e voleva fare da collante tra le diverse anime della monarchia.

Nel mondo, i leader liberal-democratici erano rimasti paralizzati dall'elezione di Donald Trump, anzi dalla sua stessa esistenza, ma il Medio Oriente è un mondo al contrario. L'aggressività di Obama, il suo eccesso di razionalizzazione e la microgestione dei problemi, preceduti dal militarismo morale e dai conseguenti disastri di Bush, preceduti a loro volta dagli accordi, dagli affari e dalle pugnalate alle spalle di Clinton, avevano aperto la strada alla Realpolitik di Trump. Il quale non era abbastanza paziente per accettare la logica delle mani legate, tipica dell'ordine seguito alla Guerra fredda, né per sedere davanti a una scacchiera spesso statica, dove la migliore delle mosse era quasi impercettibile, e l'unica alternativa era la guerra. Trump aveva un approccio molto più semplice: chi comanda? Voglio il suo numero di telefono.

Oltre a ciò, seguiva una regola altrettanto semplice: il nemico del mio nemico è mio amico. Grazie soprattutto agli insegnamenti di Michael Flynn, Trump aveva un'idea fissa riguardo il Medio Oriente: il nemico era l'Iran. Quindi, chiunque si opponesse all'Iran era suo amico.

Dopo le elezioni, MBS si era messo in contatto con Kushner. Nella confusione seguita alla vittoria di Trump, non era stato nominato alcun personaggio di spessore politico internazionale, con una solida rete di contatti. Persino Rex Tillerson, segretario di Stato in pectore, mancava di una vera esperienza in politica estera. Agli sbalorditi ministri dei Paesi stranieri sembrò logico vedere nel genero del neopresidente un elemento di stabilità: qualsiasi cosa fosse successa, lui sarebbe rimasto. E per alcuni regimi, come la monarchia saudita, un genero era molto più rassicurante di qualsiasi politico, perché di sicuro non era stato scelto per le proprie idee.

Tra i molti squarci aperti da Trump nel tessuto di governo di una moderna superpotenza, uno di quelli che permettevano l'ingresso di un cavallo di Troia era la sua mancanza di competenza e relazioni in politica estera. Questo d'altro canto offriva a molti Paesi una seconda possibilità nei rapporti con gli Stati Uniti, a patto che fossero disposti a parlare il nuovo linguaggio di Trump, qualunque fosse. Non c'erano rotte già tracciate, soltanto opportunismo e un'inedita apertura alle transazioni. Inoltre si sarebbe potuto far ricorso alle armi del fascino e della seduzione, alle quali Trump era molto sensibile, così come alla proposta di un affare vantaggioso.

Era una Realpolitik di stampo kissingeriano. Del resto, lo stesso Kissinger, che da anni frequentava Trump a New York e aveva preso Kushner sotto la propria ala, stava tornando alla ribalta e dava una mano a organizzare incontri con i cinesi e i russi.

Molti degli alleati storici degli Stati Uniti, e anche molti dei suoi antagonisti, erano sconcertati, o addirittura inorriditi, ma alcuni di loro videro profilarsi opportunità da cogliere al volo. I russi pensarono di poter ottenere il via libera sull'Ucraina e la Georgia, oltre alla revoca delle sanzioni, se avessero rinunciato alle loro posizioni su Iran e Siria. All'inizio della transizione, un funzionario di alto grado del governo turco avvicinò un importante uomo d'affari americano per chiedergli se fosse più vantaggioso fare pressioni sulla presenza militare statunitense in Turchia oppure offrire al neopresidente la possibilità di costruire un albergo sul Bosforo, in una posizione incantevole.

C'era un'interessante sintonia tra la famiglia Trump e MBS. Come il resto della classe dirigente saudita, anche MBS era, di fatto, molto ignorante. In passato questo era un limite per la monarchia, perché nessuno era in grado di analizzare le nuove idee con cognizione di causa e quindi occorreva essere cauti nel proporre cambiamenti. Però Trump e MBS erano alla pari: sapendo entrambi piuttosto poco, potevano fidarsi l'uno dell'altro. Quando MBS si propose a Kushner come suo emissario nel regno saudita, fu come «incontrare un compagno simpatico il primo giorno di scuola», per usare le parole del principe.

Il pensiero di Trump sul Medio Oriente mise subito da parte le ipotesi del passato, che forse non conosceva neppure, e si concentrò sui seguenti punti: ci sono sostanzialmente quattro attori (nel senso che possiamo lasciar perdere tutti gli altri), ovvero Israele, Egitto, Arabia Saudita e Iran. I primi tre possono coalizzarsi contro il quarto, mentre Egitto e Arabia Saudita, una volta ottenuto ciò che vogliono rispetto all'Iran, e qualsiasi altra cosa che non interferisca con gli interessi degli Stati Uniti, possono fare pressioni sui palestinesi per costringerli a un accordo. Voilà.

Era un imbarazzante miscuglio di opinioni: l'isolazionismo di Bannon («Andatevene pure all'inferno, i vostri casini non ci riguardano»), l'atteggiamento anti-iraniano di Flynn («Di tutti i cattivi del mondo nessuno è peggio dei mullah») e il kissingerismo di Kushner (o almeno, in mancanza di un pensiero originale, il tentativo diligente di seguire i consigli del novantaquattrenne).

Ma il punto fondamentale era che le tre precedenti amministrazioni non avevano capito il Medio Oriente. Trump e i suoi sostenitori disprezzavano profondamente il pensiero tradizionale che aveva portato a quel risultato. Di conseguenza, la nuova regola operativa da seguire era molto semplice: fare il contrario di ciò che avrebbero fatto gli altri (Obama, ma anche i neocon di Bush). Tutto in loro generava sospetto: il comportamento, i principi, le idee, persino i loro studi, l'ambiente da cui provenivano, il loro ceto sociale. E poi, non era necessario avere una profonda conoscenza della materia: era sufficiente agire in maniera diversa dai predecessori.

La vecchia politica estera era basata sulle sfumature: affrontiamo un sistema infinitamente complesso di minacce, interessi, incentivi e accordi, e relazioni che cambiano in continuazione, e sforziamoci di raggiungere un equilibrio che possa durare nel tempo. Al contrario, la nuova politica estera, efficace secondo i parametri di Trump, riduceva lo scacchiere a tre elementi: le potenze con le quali si può collaborare, le potenze con le quali non si può collaborare e quelle che contano poco, e che quindi si possono ignorare o sacrificare, a seconda della situazione. Era un approccio da Guerra fredda. E infatti, nella visione di Trump, gli Stati Uniti avevano raggiunto il massimo vantaggio globale proprio nel periodo della Guerra fredda. In quegli anni l'America era stata grande.

A Kushner spettò il compito di sperimentare la dottrina di Trump. La testò con Messico, Canada, Cina e Arabia Saudita: a ciascun Paese offrì la possibilità di rendere felice il suocero.

Il Messico bruciò la propria opportunità nei primi giorni della nuova amministrazione. Nella trascrizione delle conversazioni tra il presidente messicano Enrique Peña Nieto e Trump, che in seguito sarebbero state rese pubbliche, è evidente che il Messico non aveva capito o non voleva accettare le nuove regole del gioco. Peña Nieto si rifiutò di fingere di voler finanziare la costruzione del muro: se avesse collaborato alla farsa, ne avrebbe tratto enormi vantaggi, senza dover sborsare neppure un quattrino.

Poco tempo dopo, arrivò a Washington il primo ministro

canadese, Justin Trudeau, quarantacinquenne, globalista, dello stesso stampo di Clinton e Blair. Trudeau sorrise molto e si morse più volte la lingua. E funzionò: ben presto il Canada diventò il nuovo migliore amico di Trump.

I cinesi, che Trump aveva attaccato con durezza durante la campagna elettorale, parteciparono a un vertice organizzato da Kushner e Kissinger a Mar-a-Lago. (Trump si riferiva al presidente cinese Xi Jinping appellandolo «Mister Iksi». Per fargli ottenere la pronuncia giusta gli dissero di immaginare che fosse una donna e chiamarlo con il pronome personale inglese «she».) Il clima era disteso, i cinesi volevano assecondare Trump, e capirono subito che il presidente era molto gentile con chi lo adulava.

Ma furono i sauditi, oggetto di aspre critiche durante la campagna elettorale, a fare centro, anche grazie alla loro intuitiva comprensione dei valori della famiglia, del cerimoniale e del decoro.

Esisteva da tempo una relazione consolidata tra gli Stati Uniti e il rivale di MBS, ovvero Muhammad bin Nayef al-Saud (MBN), erede al trono saudita. Alcuni elementi di spicco della NSA e del Dipartimento di Stato temevano che gli incontri e la relazione sempre più stretta tra Kushner e MBS potessero mandare un messaggio pericoloso a MBN, cosa che puntualmente accadde. Gli esperti del Dipartimento erano convinti che Kushner fosse stato abbindolato da un opportunista le cui reali intenzioni erano sconosciute. Il genero di Trump, piuttosto ingenuamente, non credeva affatto di essere stato ingannato e, con la sfrontatezza di un trentaseienne che si ritrova al comando, riteneva che la questione non fosse rilevante: Noi abbracciamo tutti quelli che ci vogliono abbracciare.

Il piano di Kushner e MBS era molto chiaro, sebbene in contraddizione rispetto alla politica estera tradizionale: Se ci dai quello che vogliamo, noi ti daremo quello che vuoi tu. MBS fu invitato a Washington in marzo, dopo aver promesso che avrebbe portato buone notizie. (La delegazione saudita era molto numerosa, ma fu ricevuta alla Casa Bianca da un ristretto gruppo di collaboratori del presidente. Ai sauditi non sfuggì un dettaglio: durante l'incontro, Trump ordinò a Priebus di alzarsi e andare a prendergli alcune cose.) Tra il vecchio Trump e il giovane MBS, entrambi seduttori, adulatori e burloni da country club, nacque un'intesa perfetta.

Fu una mossa diplomatica aggressiva. MBS usò l'abbraccio di Trump per la sua lotta di potere all'interno del regno e la Casa Bianca, pur negando tutto, lo lasciò fare. In cambio, MBS mise sul piatto una serie di accordi e annunci che avrebbero coinciso con la visita del presidente in Arabia Saudita: il primo viaggio all'estero della nuova amministrazione. Trump ne sarebbe uscito vincitore.

Il viaggio era stato pianificato prima del licenziamento di Comey e della nomina di Mueller. Al Dipartimento di Stato erano molto preoccupati. La durata, dal 19 al 27 maggio, sarebbe stata eccessiva per qualsiasi presidente, a maggior ragione per Trump, che non era abituato e non era stato adeguatamente preparato. (Lo stesso presidente, pieno di fobie relative ai viaggi e ai posti che non conosceva, si lamentava della fatica della missione.) Tuttavia, la partenza sembrava quasi un dono del cielo: era il momento migliore per distrarre l'attenzione da Washington. Un viaggio avrebbe potuto cambiare tutto.

Partecipò l'intera West Wing, oltre al personale del Dipartimento di Stato e della Sicurezza nazionale: Melania e Ivanka Trump, Jared Kushner, Reince Priebus, Stephen Bannon, Gary Cohn, Dina Powell, Hope Hicks, Sean Spicer, Stephen Miller, Joe Hagin, Rex Tillerson e Michael Anton, oltre a Sarah Huckabee Sanders, la portavoce della Casa Bianca, Dan Scavino, responsabile dei social media per l'amministrazione, Keith Schiller, responsabile della sicurezza personale di Trump, e Wilbur Ross, ministro del Commercio. (Ross era preso in giro da tutti perché non perdeva mai l'occasione di salire sull'Air Force One. Come disse Bannon: «Wilbur è uno Zelig, dovunque ti giri lo vedi immortalato in una foto».) Il viaggio e la nutrita delegazione americana erano l'antidoto e la risposta alla nomina di Mueller.

Il presidente e il genero faticavano a trattenere l'entusiasmo. Erano sicuri di aver avviato il percorso che avrebbe portato alla pace in Medio Oriente, e in questo non erano molto diversi da parecchie amministrazioni del passato.

Trump non lesinò complimenti al genero. «Jared ha portato gli arabi dalla nostra parte. Il gioco è fatto» rivelò durante una delle sue telefonate del dopocena. «Sarà bellissimo.»

«Era convinto che quel viaggio potesse cambiare tutto, come il colpo di scena in un pessimo film» raccontò il suo interlocutore.

Nelle strade vuote di Riad, il corteo presidenziale sfilava davanti ai manifesti con le fotografie di Trump e del monarca, l'ottantunenne padre di MBS, e la scritta INSIEME VINCEREMO.

L'entusiasmo presidenziale era stato l'effetto, o forse la causa, di una sostanziale esagerazione di quanto era stato effettivamente concordato nei negoziati che avevano preceduto il viaggio. Prima della partenza, Trump aveva detto che i sauditi avrebbero finanziato una nuova presenza militare nel regno, superando e sostituendo il quartier generale dell'esercito statunitense in Qatar. E che ci sarebbe stato «il più sorprendente progresso di tutti i tempi nei negoziati tra Israele e Palestina». Sarebbe stato «un cambiamento rivoluzionario, mai visto prima».

Le parole di Trump sui risultati dell'accordo erano molto lontane dalla realtà, ma ciò non sembrava alterare il suo entusiasmo.

Nell'immediato, i sauditi avrebbero comprato armi dagli americani per 110 miliardi di dollari, per un totale di 350 miliardi in dieci anni. «Centinaia di miliardi di dollari di investimenti negli Stati Uniti e lavoro, lavoro, lavoro» dichiarò il presidente. Inoltre, americani e sauditi avrebbero unito le forze per «rispondere ai violenti messaggi degli estremisti, contrastare il finanziamento del terrorismo e intensificare la cooperazione per la difesa». E avrebbero istituito a Riad un centro anti-estremismo. Secondo il segretario di Stato, anche se non si poteva ancora parlare di pace in Medio Oriente, il presidente «sente che è un momento importante. Parlerà con Netanyahu per spiegargli come procedere e con il presidente Abbas per dirgli ciò che ritiene necessario perché i palestinesi raggiungano il proprio obiettivo».

Era un grande affare in stile Trump. Nel frattempo, la famiglia presidenziale – Trump, la First Lady, Ivanka e Jared – era scarrozzata su automobili d'oro, e i sauditi organizzarono un ricevimento da settantacinque milioni di dollari in onore del presidente, che venne invitato ad accomodarsi su una sedia a forma di trono. (In una fotografia, Trump sembra inchinarsi mentre riceve un'onorificenza dal monarca saudita, suscitando le ire di una parte della destra.)

I sauditi convocarono cinquanta nazioni arabe e musulmane perché venissero a omaggiare il presidente. Trump chiamò gli amici rimasti in patria e disse loro che tutto era stato sorprendentemente facile e che era stato Obama, in maniera sospetta e incomprensibile, ad aver incasinato tutto. Ci sono state «delle tensioni, ma non ce ne saranno con questa amministrazione» promise al re del Bahrein, Hamad bin Isa al-Khalifa.

Abd al-Fattah al-Sisi, l'uomo forte egiziano, fu abile a impressionare il presidente americano: «Lei ha una personalità unica ed è in grado di ottenere l'impossibile». (Trump replicò ad al-Sisi: «Adoro le sue scarpe. Che scarpe, ragazzi!».)

Fu un cambiamento radicale nell'approccio e nella strategia della politica estera, con effetti quasi immediati. Trump ignorò, o addirittura sfidò, i consigli degli esperti e appoggiò il piano saudita di aggredire il Qatar. Era convinto che il Qatar finanziasse gruppi terroristici e non dava peso a chi diceva che i sauditi facevano altrettanto. (La nuova versione era che soltanto alcuni membri della famiglia reale saudita avevano foraggiato il terrorismo.) Poche settimane dopo il viaggio presidenziale, MBS fece arrestare MBN in piena notte e lo obbligò a rinunciare al titolo di principe ereditario, di cui si appropriò. Trump confidò ai suoi amici che lui e Jared avevano architettato un colpo di Stato in Arabia Saudita: «Abbiamo messo il nostro uomo al comando!».

Dopo Riad, il presidente si spostò a Gerusalemme, dove incontrò Netanyahu, e poi a Betlemme, da Abbas, al quale confermò, parlando di sé in terza persona, che «Trump porterà la pace». Poi volò a Roma, per incontrare il papa, e a Bruxelles, dove, com'era prevedibile, tracciò una netta linea di demarcazione tra la politica estera fondata sull'alleanza occidentale, saldamente in piedi dalla fine della Seconda guerra mondiale, e il nuovo dogma: *America First*, l'America prima di tutto.

Secondo Trump, gli eventi recenti avrebbero dovuto dare forma – e lustro – alla sua presidenza e non riusciva proprio a capacitarsi che gli enormi risultati ottenuti non attirassero il plauso unanime. Bannon, Priebus e gli altri notarono che il presidente sembrava negare l'esistenza dei tantissimi articoli che continuavano a rincorrersi sulla vicenda Comey-Mueller.

Uno dei limiti di Trump, evidente durante la campagna elettorale e anche dopo l'insediamento, è la scarsa comprensione del principio di causa ed effetto. Fino a quel momento, i problemi che aveva causato in passato erano stati sostituiti da nuovi avvenimenti, così si era convinto che una vicenda, per quanto sgradevole, potesse essere sempre cancellata e rimpiazzata da una storia più bella, carica di maggior pathos. Basta cambiare argomento di conversazione. Era proprio il risultato che si attendeva dal viaggio in Arabia Saudita e dalla campagna che aveva intrapreso con decisione per mettere fine all'ordine mondiale fondato sulla vecchia politica estera. Eppure continuava a ritrovarsi intrappolato tra Comey e Mueller, e non ne capiva la ragione. Era un'impresa fin troppo ardua tirarsi fuori da quell'impasse.

Dopo la parte saudita del viaggio, Bannon e Priebus, messi a dura prova dalla distanza ravvicinata con il presidente e la sua famiglia, erano tornati a Washington con il compito di affrontare la crisi che, in assenza dello staff presidenziale, stava diventando l'evento che avrebbe dato forma alla presidenza Trump.

Che cosa pensano davvero di Trump le persone che gli sono vicine? Non è soltanto una domanda legittima, ma l'interrogativo più frequente nella cerchia dei suoi collaboratori. Non smettono mai di chiederlo a se stessi e di immaginare che idea ne abbiano tutti gli altri.

Di solito non esprimono questi pensieri a voce alta, ma nel caso di Comey e Mueller, dietro le solite spiegazioni elusive e fumose, tutti, tranne i suoi familiari, davano la colpa a Trump.

Come nella fiaba, il re era nudo. Era possibile esprimere abbastanza liberamente dubbi circa la sua capacità di giudizio, la sua intelligenza e soprattutto i consigli che gli venivano dati.

«Non è solo pazzo, è anche stupido» confidò Tom Barrack a un amico.

Bannon e Priebus si erano opposti al licenziamento di Comey, una mossa fortemente voluta da Jared e Ivanka. Il terremoto seguito alla vicenda aveva indotto Bannon ad affermare, e a ripetere in lungo e in largo, che tutti i consigli elargiti dalla coppia erano pessimi.

Nessuno credeva che licenziare Comey fosse stata una buona idea, e persino il presidente sembrava in imbarazzo. Bannon intravide un nuovo ruolo che poteva ricoprire: il salvatore di Trump. E Trump avrebbe sempre avuto bisogno di essere salvato, perché era un ottimo attore, ma incapace di gestire la propria carriera.

La sfida per Bannon presupponeva un enorme vantaggio: se la fortuna di Trump calava, la sua non poteva che aumentare.

Bannon si mise all'opera durante il viaggio in Medio Oriente. Si concentrò sulla figura di Lanny Davis, uno degli avvocati di Clinton durante il periodo dell'impeachment. Per quasi due anni, Davis si era trasformato nell'instancabile pubblico difensore e portavoce della Casa Bianca. Secondo Bannon, la coppia Comey-Mueller era pericolosa per Trump tanto quanto Monica Lewinsky e Kenneth Starr lo erano stati per Clinton, e vide nella strategia adottata all'epoca un esempio per sfuggire a un destino fatale.

«I Clinton si prepararono alla battaglia con incredibile disciplina. Bill e Hillary spostarono la difesa all'esterno della Casa Bianca e, una volta placata la bufera, non ne parlarono più. Riuscirono a non farsi stritolare. Starr li aveva colti in flagrante, eppure se la cavarono.»

Bannon sapeva cosa fare: sigillare la West Wing e nominare uno staff esterno di legali ed esperti di comunicazione impegnato a difendere il presidente. Trump si sarebbe mosso in una realtà parallela, senza sporcarsi le mani con quello che stava per diventare uno sport molto cruento, come lo era stato per i Clinton. La politica sarebbe stata messa in un angolo buio, e Trump avrebbe agito da presidente e comandante in capo.

«Allora lo faremo anche noi» insistette Bannon, infervorato e pronto alla battaglia. «Una sala operativa apposita, avvocati e portavoce solo per quello. Dobbiamo tenere lontana una guerra per combatterne un'altra. Tutti capiranno. Be', forse Trump no. Non era quello che si aspettava. Non proprio, almeno.»

Bannon fremeva e Priebus cercava una scusa per allontanarsi dal presidente. Rientrarono a Washington per prepararsi a isolare la West Wing.

A Priebus non sfuggì il fatto che Bannon stava allestendo una retroguardia di difensori, costituita da David Bossie, Corey Lewandowski e Jason Miller, che si sarebbero occupati di rilasciare dichiarazioni all'esterno, e che gli sarebbero stati fedeli. E, soprattutto, a Priebus non sfuggì il fatto che Bannon stava chiedendo al presidente di ricoprire un ruolo che non gli si addiceva per niente: quello del direttore generale freddo, calmo, paziente.

E di certo non aiutò il fatto di non riuscire a trovare uno studio legale di primo piano disposto ad accettare l'incarico. Prima di rientrare a Washington, avevano già ricevuto tre rifiuti da studi di altissimo profilo. Temevano la reazione dei dipendenti più giovani, se avessero accettato di difendere il presidente, e che Trump potesse umiliarli in pubblico, quando il gioco si fosse fatto duro. E, per finire, che Trump non avrebbe saldato la parcella.

Alla fine furono nove gli importanti studi legali che rifiutarono l'incarico.

18

Il ritorno di Bannon

Secondo i suoi sostenitori, Bannon era tornato. Lui stesso dichiarò: «Sto bene, davvero. Sono tornato. Avevo detto di non farlo, non si può licenziare il capo dell'FBI, ma i geni qui intorno la pensavano diversamente».

Bannon è tornato? si chiedevano, preoccupati, gli altri, ovvero Jared e Ivanka, Dina Powell, Gary Cohn, Hope Hicks e H.R. McMaster.

Il suo ritorno significava che aveva sfidato, con successo, il principio organizzativo della Casa Bianca nell'era di Trump: la famiglia vince sempre. Anche durante il suo «esilio», Bannon non aveva smesso di attaccare pubblicamente Jared e Ivanka. Le sue esternazioni erano solo formalmente confidenziali, e miravano a mettere in dubbio, con toni pungenti, a volte esilaranti, l'acume, l'intelligenza e le motivazioni della coppia. «Pensano di difenderlo, ma in realtà difendono soltanto se stessi.»

Affermò che la loro influenza era finita, annientata. E se così non fosse stato, i loro pessimi consigli, dettati da interessi egoistici, avrebbero distrutto il presidente. Ivanka era anche peggio di Jared. «Durante la campagna elettorale, lei è stata una delusione. Quando poi è entrata a far parte dello staff della Casa Bianca, tutti hanno capito che è davvero stupida. Sa qualcosa di marketing e ha una bella presenza, ma di politica e di come gira il mondo, zero. Ha perso ogni credibilità. Allora Jared si è buttato e ha concluso quell'accordo con gli arabi.»

I sostenitori di Jared e Ivanka sembravano sempre più spaventati all'idea di incrociare quelli di Bannon. Temevano – e parevano crederci davvero – che fossero degli assassini.

Sul volo per Riad, Dina Powell avvicinò Bannon per parlargli di una fuga di notizie che la riguardava su un sito di destra. Sapeva che le voci arrivavano da Julia Hahn, che aveva lavorato a Breitbart ed era vicina a Bannon.

«Dovresti parlarne con lei» commentò lui, divertito. «Ma Julia è una bestia. Ti salterà addosso, anzi, fammi sapere come va a finire.»

Tra tutti, la Powell era uno dei bersagli preferiti di Bannon. Spesso era presentata come viceconsigliere per la Sicurezza nazionale, anche dal «New York Times», ma in realtà era viceconsigliere della Sicurezza nazionale per la strategia. Secondo Bannon, era la stessa differenza che corre tra il direttore di una catena di hotel e il concierge.

Al ritorno dal viaggio oltreoceano, la Powell iniziò a parlare seriamente di voler lasciare la Casa Bianca per tornare nel settore privato. Disse di ispirarsi a Sheryl Sandberg.

«Oh cazzo!» commentò Bannon.

Il 26 maggio, il giorno prima che la delegazione facesse ritorno negli Stati Uniti, il «Washington Post» pubblicò una notizia secondo la quale, prima dell'insediamento, Kushner e l'ambasciatore russo Kisljak, su suggerimento del genero del presidente, avevano discusso della possibilità di aprire un canale di comunicazione privato tra il Cremlino e la squadra di transizione. La fonte del «Post» erano «funzionari degli Stati Uniti, al corrente di rapporti dei servizi segreti». Secondo i sostenitori di Jared e Ivanka non poteva che trattarsi di Bannon.

L'ostilità, ormai abissale, tra Jarvanka e Bannon nasceva in parte dalla convinzione della coppia che Bannon avesse parlato con i media dei rapporti del genero del presidente con i russi. In altri termini, quella tra le due fazioni non era più una guerra intestina: si era ormai trasformata in uno scontro mortale. Perché Bannon potesse assicurarsi la sopravvivenza, Kushner doveva essere screditato, messo alla berlina, finire sotto inchiesta e persino in carcere.

Tutti dicevano a Steve Bannon che era impossibile vincere

contro la famiglia Trump, ma lui gongolava perché credeva di averli in pugno. Nello Studio Ovale, Bannon attaccò Ivanka, in presenza di suo padre. «Sei una maledetta bugiarda» inveì, puntandole il dito contro, sotto gli occhi del presidente. Le rimostranze di Ivanka, che in passato aveva sminuito Bannon, furono accolte da Trump con distacco: «Piccola, te l'avevo detto che questa è una città difficile».

Bannon era tornato, ma non era chiaro cosa significasse il suo ritorno. Trump lo aveva davvero rivoluto in squadra oppure gli portava ancora più rancore perché era sopravvissuto al suo tentativo di silurarlo? Nessuno credeva che Trump avesse dimenticato. Anzi, di sicuro il presidente continuava a rimuginare. «Il peggio che ti possa capitare è che lui pensi che tu abbia avuto successo a sue spese» spiegò Sam Nunberg, che aveva fatto parte della cerchia di Trump ma poi era stato cacciato. «E se la tua vittoria è in qualche modo percepita come una sua sconfitta, allora ti conviene tagliare la corda.»

Da parte sua, Bannon credeva di essere tornato perché, in un momento cruciale, i suoi consigli si erano dimostrati decisamente migliori di quelli dei «geni». Il licenziamento di Comey, che secondo Jarvanka avrebbe risolto tutti i problemi, aveva scatenato una serie di conseguenze anche peggiori.

Secondo i sostenitori della coppia, Bannon ricattava il presidente. Il suo rientro, infatti, aveva coinciso con un'attenuazione della virulenza dei media digitali di destra. Nonostante la sua ossessione per le fake news divulgate dal «New York Times», dal «Washington Post» e dalla CNN, la minaccia più grave per il presidente veniva dalla destra. Non avrebbe mai accusato Fox, Breitbart e gli altri media di destra di diffondere fake news, ma quegli organi di informazione erano potenzialmente più dannosi dei loro omologhi di sinistra perché potevano divulgare, risultando di fatto più credibili delle loro controparti, un'infinità di notizie su complotti nei quali un debole Trump si era svenduto all'establishment.

Anche Bannon dovette correggere un errore burocratico commesso in precedenza. All'inizio si era accontentato di essere il cervello delle operazioni, convinto di superare tutti in intelligenza (a dire il vero, pochi provarono a sfidarlo per rubargli il primato), e non aveva reclutato un proprio staff; così iniziò a sistemare nei posti chiave i suoi collaboratori più fedeli. Il suo informale team di comunicatori, che includeva Bossie, Lewandowski, Jason Miller, Sam Nunberg (anche se da tempo aveva rotto con Trump) e Alexandra Preate, era un agguerrito esercito privato di informatori e difensori. Inoltre, i dissidi tra Bannon e Priebus si ricomposero in fretta, cementati dal comune odio per Jared e Ivanka. La Casa Bianca dei professionisti era unita contro la famiglia dei dilettanti.

Bannon poté decidere liberamente la composizione del team di avvocati e comunicatori che avrebbe agito come Lanny Davis per la difesa di Trump. Non essendo riuscito ad assumere avvocati di grido, si era rivolto a Marc Kasowitz, legale di Trump da molti anni, che aveva conosciuto durante la campagna elettorale. Kasowitz allora aveva affrontato una serie di problemi molto delicati, tra i quali le accuse di molestie sessuali rivolte al candidato.

Il 31 maggio il piano di Bannon entrò in azione. Il team di Kasowitz avrebbe gestito in maniera indipendente tutte le discussioni legate alla Russia, a Mueller e alle indagini del Congresso, oltre alle questioni legali personali. Bannon chiarì al suo capo che non avrebbe più dovuto parlare di nessuno di quegli argomenti. Era l'ultimo di una lunghissima serie di sforzi per costringere Trump a comportarsi da presidente.

Il portavoce della squadra legale era Mark Corallo, che aveva fatto parte dello staff di Karl Rove. Bannon stava pensando di far entrare nel team di «gestione della crisi» anche Bossie e Lewandowski. Su suggerimento di Bannon, Kasowitz provò a isolare ancora di più il presidente dandogli un consiglio fondamentale: Manda a casa i ragazzi.

Bannon era davvero tornato. E, con l'aiuto del suo team, aveva costruito un muro intorno a Trump, per provare a tagliare fuori Jarvanka.

Il suo ritorno fu segnato da un evento di importanza capitale. Il 1° giugno, dopo un lungo e acceso dibattito, il presidente annunciò la decisione di voler uscire dall'accordo di

Parigi sul clima. Per Bannon era uno schiaffo in pieno volto alla rettitudine liberal e la conferma che gli istinti di Trump erano in linea con i suoi. Elon Musk e Bob Iger lasciarono immediatamente il comitato dei consiglieri economici del presidente.

Inoltre, era la decisione più avversata da Ivanka Trump.

«Colpita e affondata. La stronza è morta» commentò Steve Bannon.

Una delle armi politiche più devastanti è il procuratore speciale: un vero e proprio jolly.

L'oggetto o gli oggetti, collegati tra loro, della sua indagine saranno sempre sotto la lente dei media. Quando va in scena l'inchiesta, i procuratori diventano una fonte costante di fughe di notizie.

Questo significa che chiunque finisca nel perimetro, sempre più ampio, di un'indagine dovrà procurarsi un avvocato. Anche un coinvolgimento marginale può costare centinaia di migliaia di dollari, e si può arrivare a parlare di milioni per chi occupa un ruolo centrale nell'inchiesta.

All'inizio dell'estate, il mercato dei migliori penalisti di Washington era già in ebollizione. Mentre l'inchiesta di Mueller procedeva, i membri dello staff correvano ad accaparrarsi gli studi legali più agguerriti per evitare che venissero assunti da qualcun altro.

Katie Walsh, che tre mesi prima aveva lasciato l'amministrazione, su consiglio del suo legale dichiarò: «Non posso parlare della Russia, niente, non posso neppure andarci».

Qualunque deposizione o colloquio con gli investigatori poteva rivelarsi pericoloso. Non solo: ogni giorno alla Casa Bianca portava nuove insidie, e un incontro, anche casuale, poteva esporre a ulteriori rischi.

Bannon insisteva sull'importanza assoluta, e per lui strategica, di questo aspetto. Per evitare di finire spremuti davanti al Congresso e per non mettere a rischio la propria carriera, era fondamentale fare attenzione alle persone con cui si parlava. Per essere più chiari: meglio non rivolgere la parola, per nessun motivo, a Jared e Ivanka, che sulla faccenda della Russia erano praticamente contagiosi. Il che per Bannon non era certo un problema, anzi, era un motivo di vanto. Per parte sua dichiarò: «Io non sono mai stato in Russia. Non conosco nessun russo. Non ho mai parlato con un russo. Ed evito di parlare con chi l'ha fatto».

Bannon vide che Pence era stato coinvolto, per sua sfortuna, in una serie di «riunioni sbagliate» e si diede da fare per persuadere il consigliere repubblicano Nick Ayers, in quanto capo di gabinetto di Pence, affinché spingesse «il nostro uomo di riserva» fuori dalla Casa Bianca «a fare il vicepresidente, in giro per il mondo».

Al di là delle paure e delle reazioni immediate, c'era la certezza che un procuratore speciale nominato appositamente per trovare un reato ne avrebbe di certo scovato uno, e forse anche di più. In teoria, tutti potevano coinvolgere qualcun altro nell'inchiesta. Le tessere del domino sarebbero cadute, fino a colpire gli obiettivi.

Paul Manafort – che aveva fatto fortuna nell'area grigia della finanza internazionale, basandosi sul calcolo delle probabilità, secondo cui era molto difficile che un corsaro come lui, abituato a muoversi sottotraccia, venisse sottoposto a un'indagine attenta – sarebbe stato oggetto di un esame minuzioso. A quanto pareva Oleg Deripaska – che, oltre a pretendere da Manafort la restituzione di diciassette milioni di dollari, cercava di ingraziarsi le autorità federali, che avevano posto delle restrizioni ai suoi viaggi negli Stati Uniti – aveva proposto agli inquirenti i risultati della sua indagine personale, piuttosto approfondita, sugli affari di Manafort in Russia e Ucraina.

Tom Barrack, che era al corrente dei pensieri più intimi del presidente e anche delle sue vicende finanziarie, di colpo si rese conto dei rischi che correva. Di fatto, tutti i miliardari con i quali il presidente aveva spettegolato e sproloquiato al telefono, erano potenziali testimoni.

In passato, le amministrazioni costrette ad affrontare un procuratore speciale, nominato per indagare e punire vicende nelle quali poteva essere implicato il presidente, erano state logorate dallo sforzo di resistere all'attacco. Il loro mandato si era diviso in due fasi: il «prima» e il «dopo», e il «dopo» si era arenato in un'inutile e spettacolare caccia al funzionario governativo che le aveva incastrate. Sembrava che l'intera presidenza Trump fosse destinata a diventare un «dopo».

Alla Casa Bianca, nessuno credeva che ci fosse stata un'intesa formale fra Trump e i russi, e neppure un'ingegnosa cospirazione, come quella descritta o auspicata dai media e dai democratici. (Il commento di Bannon, secondo il quale la campagna elettorale di Trump non era stata abbastanza strutturata neppure per cospirare con le sue stesse organizzazioni statali, diventò l'argomento preferito di tutti, anche perché corrispondeva al vero.) Tuttavia, nessuno poteva garantire per gli accordi collaterali, le operazioni condotte in maniera indipendente e altre robette insignificanti che erano il pane quotidiano di un procuratore e anche il probabile «marcio» degli scrocconi al seguito di Trump. Tutti erano convinti che l'indagine, se avesse analizzato la lunga serie delle operazioni finanziarie di Trump, avrebbe finito per raggiungere la sua famiglia e la Casa Bianca.

E poi c'erano le insistenti rivendicazioni di Trump, che non voleva starsene con le mani in mano. Posso licenziarlo, diceva. Era un altro dei suoi ritornelli: Posso licenziarlo, posso liberarmi di lui. Posso licenziare Mueller.

L'idea di uno scontro finale in cui vince il più forte, il più determinato, il più intransigente, il più incurante delle conseguenze, è un aspetto fondamentale della mitologia personale di Trump. Vive in un mondo di duelli, nel quale la rispettabilità e la dignità personale non sono una questione di primaria importanza, e chi non è un debole, nel senso che non ha bisogno di sembrare ragionevole e rispettabile, detiene un vantaggio enorme. E se metti lo scontro sul personale, se ti convinci che è una questione di vita o di morte, è improbabile trovarti di fronte qualcuno che sia disposto a lottare con la tua stessa determinazione.

Questa era l'intuizione principale di Bannon riguardo Trump: il presidente mette tutto sul personale, per lui è impossibile fare diversamente.

Poiché tutti gli sconsigliavano di indirizzare la sua rabbia su Mueller (almeno per ora), Trump se la prese con Sessions.

«Beauregard» Sessions era un alleato fedele di Bannon. In maggio e giugno, le quotidiane invettive del presidente contro l'attorney general rinvigorirono la fazione anti-Bannon. Trump metteva in dubbio la lealtà e la determinazione di Sessions, ma arrivò a criticarlo anche per l'altezza, la voce e l'abbigliamento. Se una persona così vicina a Bannon, pensavano i suoi avversari, era ritenuta responsabile di tutte le disgrazie nella vita di Trump, allora Bannon stesso non poteva essere così in auge. Come al solito, la stima e il disprezzo di Trump erano contagiosi. Se qualcuno era nelle grazie del presidente, tutti coloro che lo circondavano erano visti con altrettanto favore. Allo stesso modo, chi finiva in disgrazia trascinava con sé tutto ciò che lo attorniava.

L'insoddisfazione di Trump era sempre più incontenibile. Sessions veniva preso in giro dal presidente con cattiveria, per la statura e per l'antiquato accento del Sud. Trump ne tracciava un ritratto al vetriolo, evidenziandone le debolezze fisiche e mentali. Le parole pesanti del presidente superavano i muri dello Studio Ovale, le si poteva sentire anche passandoci davanti.

Bannon cercò di placare il presidente, ricordandogli le difficoltà che avrebbero incontrato nella scelta di un altro attorney general, l'importanza di Sessions per la base più conservatrice del partito e la lealtà che aveva dimostrato durante la campagna elettorale, ma i suoi sforzi gli si ritorsero contro. Con grande soddisfazione dei suoi avversari, Bannon finì per attirare su di sé altri insulti del presidente.

Nelle intenzioni di Trump, l'attacco a Sessions era il primo passo per arrivare a silurarlo, ma c'erano soltanto due candidati dai quali poteva aspettarsi di ottenere lealtà assoluta: Chris Christie e Rudy Giuliani. Era convinto che entrambi si sarebbero sacrificati per lui, così come tutti gli altri sapevano che la loro nomina non sarebbe mai stata accettata.

La deposizione di Comey davanti alla Commissione intelligence del Senato si stava avvicinando. Era attesa per l'8 giugno, dodici giorni dopo il ritorno del presidente dal lungo viaggio in Medio Oriente e in Europa. Tra i membri di vertice dell'amministrazione, molti si chiedevano apertamente quali fossero le motivazioni di Trump e le sue condizioni mentali.

Una domanda era sorta spontanea: perché non aveva licenziato Comey nei primi giorni del mandato, quando sarebbe sembrato un normale avvicendamento, senza legami con l'indagine sulla Russia? Le risposte erano molte, anche contraddittorie: la disorganizzazione generale, il ritmo serrato degli eventi e un'effettiva convinzione di estraneità alle accuse. Donald Trump era sicuro di avere molto più potere, autorità e controllo di quanto in realtà ne avesse, così come sovrastimava il proprio talento nel manipolare, piegare e dominare le persone. Di conseguenza i membri di vertice del suo staff credevano che Trump avesse un problema nel valutare la realtà, e che la realtà lo stesse travolgendo.

Quest'affermazione, se confermata, avrebbe minato la premessa fondamentale del sostegno a Trump da parte dei suoi collaboratori. In qualche modo, senza approfondire troppo, pensavano che lui fosse dotato di poteri magici. Poiché il suo trionfo era inspiegabile, doveva possedere talenti che loro non riuscivano neppure a immaginare: il suo istinto, le doti di venditore, la sua energia, oppure il fatto che fosse tutto il contrario di quello che ci si aspettava da un presidente. La sua politica era fuori dagli schemi, un vero e proprio shock per il sistema, ma poteva funzionare.

E se non avesse funzionato? Se tutti quanti avessero preso un abbaglio?

Il licenziamento di Comey e l'inchiesta di Mueller avevano innescato un regolamento di conti, anche se ritardato, che aveva messo fine a mesi di volontaria sospensione dell'incredulità. Le considerazioni e i dubbi improvvisi, maturati nei più alti gradi del governo, non mettevano in discussione la capacità del presidente di essere efficace nel proprio ruolo, ma, per la prima volta in maniera esplicita, riconoscevano che Trump aveva una tendenza inevitabile all'autosabotaggio. Era una conclusione molto preoccupante, ma lasciava aperta una possibilità di soluzione: se tutti gli elementi che alimentavano l'autosabotaggio fossero stati attentamente controllati (informazioni, contatti, uscite pubbliche e la sensazione di essere in pericolo), il presidente avrebbe potuto farcela.

Di colpo, l'opinione prevalente sulla presidenza Trump, e sulle sue residue possibilità di successo, diventò che si può essere salvati dalle persone delle quali ci circondiamo, o affondati da loro.

Secondo Bannon, la presidenza Trump avrebbe fallito, in maniera più o meno rovinosa, se Kushner e la moglie avessero continuato a essere i suoi consiglieri più influenti. La loro inesperienza politica e la scarsa conoscenza del mondo reale l'avevano già azzoppata, ma la situazione era peggiorata dopo il disastro di Comey, perché i due, spaventati, agivano ormai in preda al panico.

I sostenitori della coppia ritenevano che Bannon e il bannonismo avessero incattivito Trump, facendogli perdere il carisma naturale di grande venditore che gli permetteva di affascinare e convincere le persone, e lo avessero trasformato nel mostro che sembrava essere diventato.

Quasi tutti attribuivano a Reince Priebus grandi responsabilità per non essere riuscito a creare una Casa Bianca che proteggesse il presidente da se stesso, da Bannon e dai suoi figli. Però, al tempo stesso, convincersi che il problema fondamentale era Priebus significava cercare il capro espiatorio e accontentarsi di una spicgazione a dir poco ridicola: il capo di gabinetto non aveva abbastanza poteri per riuscire a guidare Trump e coloro che lo circondavano. Lo stesso Priebus avrebbe potuto replicare che nessuno poteva sapere quanto è difficile mediare tra i familiari di Trump, il suo Svengali e le reazioni istintive del presidente. Forse Priebus registrava due o tre sconfitte al giorno ma, senza la sua stoica determinazione e la sua capacità di assorbire le bordate di Trump, ce ne sarebbero state molte di più.

L'8 giugno, dalle dieci del mattino all'una del pomeriggio, James Comey rese una deposizione pubblica davanti alla Commissione intelligence del Senato. La testimonianza dell'ex direttore dell'FBI fu una maratona di franchezza, dirittura morale, onore personale e dettagli incriminanti, e lanciò al Paese un messaggio semplice: forse il presidente era uno stupido, e di certo era un bugiardo.

Nell'era delle buone maniere istituzionali, era capitato a ben pochi presidenti di essere attaccati in modo così diretto davanti al Congresso.

Comey era stato molto chiaro: il presidente riteneva che il direttore dell'FBI fosse un suo dipendente, che gli dovesse il ruolo che occupava, e quindi chiedeva qualcosa in cambio. «Potrei sbagliare, ma il buonsenso mi suggerì che lui voleva ottenere qualcosa concedendomi di restare in carica» affermò Comey.

Secondo l'ex capo del Bureau, il presidente voleva che l'FBI lasciasse in pace Michael Flynn e chiudesse l'inchiesta sulla Russia. Non avrebbe potuto dirlo in maniera più chiara: se il presidente faceva pressioni sul direttore perché temeva che un'inchiesta su Michael Flynn potesse danneggiarlo, si trattava di intralcio alla giustizia.

La contrapposizione tra Comey e Trump non era altro che la contrapposizione tra il buon esercizio del governo e Trump in sé. Comey era apparso meticoloso, ordinato, scrupoloso nella presentazione dei dettagli di quello che era trapelato e sulla natura della propria responsabilità, insomma era stato ineccepibile. Trump, nel ritratto dipinto da Comey, era invece ambiguo, impulsivo, incurante o forse addirittura inconsapevole delle regole, ingannevole e interessato soltanto al proprio tornaconto.

Al termine dell'udienza, il presidente disse che non l'aveva vista, ma tutti sapevano che mentiva. Nello scontro personale – come lo intendeva Trump – tra i due uomini, la differenza tra i contendenti non sarebbe potuta essere più evidente. Il senso della deposizione di Comey era ribattere e contraddire le affermazioni e i tweet che Trump aveva scritto rabbiosamente in propria difesa, gettare un'ombra di sospetto sulle sue azioni e motivazioni, e infine suggerire che il presidente volesse corrompere il direttore dell'FBI.

Anche i più fedeli sostenitori di Trump, convinti che Comey

fosse un impostore e che si trattasse di una farsa, non poterono evitare di pensare che quella era una sfida letale, e che Trump era pressoché indifeso.

Il 13 giugno, cinque giorni dopo Comey, fu Jeff Sessions a testimoniare davanti alla Commissione intelligence del Senato. Doveva spiegare i contatti con l'ambasciatore russo, contatti che lo avevano costretto ad astenersi sulla vicenda, e lo avevano trasformato nel bersaglio preferito del presidente. Mentre Comey era stato invitato dal Senato a esibire la propria virtù, e non si era fatto sfuggire l'occasione, Sessions doveva difendere i propri errori e inganni, o la propria stupidità.

Rifiutò più volte di rispondere a domande sulle sue conversazioni con il presidente fornendo un'interpretazione piuttosto eccentrica dell'*executive privilege*, il diritto del presidente di non divulgare informazioni. Sebbene Trump non lo avesse evocato, Sessions ritenne opportuno cercare di proteggere il suo diritto di esercitarlo in futuro.

Bannon stava seguendo la deposizione dalla West Wing, e presto perse la pazienza. «Avanti, Beauregard!» sbottò.

Con la barba sfatta, lo stratega presidenziale sedeva al lungo tavolo di legno dell'ufficio del capo di gabinetto e fissava il monitor dall'altra parte della stanza.

«Loro pensavano che la bella gente avrebbe apprezzato il licenziamento di Comey.» «Loro» erano Jared e Ivanka. «La bella gente ci avrebbe apprezzati per aver distrutto l'uomo che ha rovinato Hillary.» Mentre Trump considerava Sessions la causa del disastro Comey, Bannon lo vedeva come una vittima.

Kushner, magro come un chiodo, entrò nella stanza. Indossava un abito grigio aderente e una cravatta nera sottile. (Si diceva in giro che fosse l'uomo più elegante di Washington, anche se non era esattamente un complimento.) La lotta di potere tra Bannon e Kushner era spesso evidente nei loro atteggiamenti. Bannon in genere riusciva a rimanere imperturbabile, mentre Kushner poteva essere stizzoso, altezzoso e sprezzante, oppure, come in quel momento, esitante, imbarazzato e rispettoso.

Bannon fece finta di non averlo visto, finché Kushner si schiarì la gola con un colpetto di tosse. «Come va?»

Bannon indicò lo schermo, come per dirgli: Guarda! Poi commentò: «Loro non capiscono che è una questione di istituzioni, non di persone».

«Loro» erano i sostenitori di Jarvanka, o forse tutti quelli che stavano ottusamente dalla parte di Donald Trump.

«Questa è la città delle istituzioni» continuò Bannon. «Licenziare il capo dell'FBI è come licenziare tutto il Bureau. Trump è contro le istituzioni, e le istituzioni lo sanno. Come pensi che andrà a finire?»

Era una sintesi del pezzo preferito di Bannon. Durante la campagna elettorale, Trump aveva minacciato tutte le istituzioni della vita politica americana. Era una versione clownesca di James Stewart in *Mr. Smith va a Washington.* Alimentando l'ira e il risentimento dell'America profonda, aveva creduto che un uomo solo fosse più forte del sistema. La sua analisi partiva dal presupposto che le istituzioni della vita politica fossero in grado di rispondere come le organizzazioni commerciali che conosceva bene, e che ambissero a soddisfare il mercato e incontrare lo spirito del tempo. E se invece quelle istituzioni – i media, il sistema giudiziario, le agenzie governative, il governo in senso lato e la palude con il contorno di studi legali, consulenti, lobbisti e informatori – non avessero voluto adattarsi? Se, per loro natura, fossero state determinate a sopravvivere, allora quel presidente così anomalo sarebbe stato solo contro tutti.

Kushner non sembrava convinto. «Non la metterei in questo modo» replicò.

«Credo che questo sia l'insegnamento dei primi cento giorni, e che qualcuno qui dentro l'abbia capito» continuò Bannon, ignorandolo. «Le cose non potranno migliorare, stanno così.»

«Non saprei.»

«Allora è meglio che tu lo sappia.»

«Io credo che Sessions stia andando bene. Tu che ne pensi?»

19

Mika chi?

I media avevano messo a frutto le potenzialità di Donald Trump, ma pochi erano riusciti a farlo in un modo più personale e diretto di Joe Scarborough e Mika Brzezinski. Il talk show del mattino che conducevano sulla MSNBC era ormai il racconto, in stile soap opera o forse alla Oprah, del loro rapporto con Trump: quanto li avesse delusi, come fosse cambiato il loro giudizio sul presidente e quanto spesso si coprisse di ridicolo. Il legame che un tempo li univa, basato sulla reciproca notorietà e sulla comune concezione che avevano della politica (Scarborough, ex membro del Congresso, sembrava pensare che se Trump era diventato presidente, poteva benissimo diventarlo anche lui), aveva contraddistinto il programma durante la campagna. Ormai però la frattura era un elemento fisso delle notizie di giornata. Scarborough e la Brzezinski salivano in cattedra a dare lezioni al presidente, si facevano portavoce delle angosce dei suoi amici e familiari, lo rimproveravano e si dicevano preoccupati per lui: stava seguendo consigli sbagliati (Bannon) e, come se ciò non bastasse, la sua lucidità mentale sembrava offuscata. Rivendicavano, inoltre, di rappresentare la ragionevole alternativa di centro-destra al presidente e, anzi, si ritenevano un barometro abbastanza preciso degli sforzi e delle difficoltà che il centro-destra incontrava nel dover interagire con lui.

Trump, che credeva di essere stato usato e gettato via dai due conduttori, dichiarò che avrebbe smesso di seguire il programma, anche se poi ogni mattina se lo faceva raccontare da Hope Hicks.

Morning Joe, la trasmissione di Scarborough e della Brzezinski, incarnava l'esempio perfetto dell'esagerato investimento su Trump da parte dei media. Il presidente era la preda contro cui si scagliavano i giornalisti di tutti gli organi di informazione, concentrando su di lui, con un'ossessione quasi estatica, le loro emozioni, il proprio ego, la *joie de guerre*, il protagonismo e le chance di fare carriera. D'altro canto, però, nella prospettiva di Trump erano i media a fare la parte della preda, e lui si serviva di loro allo stesso identico scopo.

La sensazione che gli altri traggano un ingiusto vantaggio sfruttando la sua persona, dopotutto, è uno dei tarli del presidente, da sempre. Probabilmente è un retaggio della durezza e delle pressoché nulle dimostrazioni di affetto di suo padre, o forse deriva dalla consapevolezza di essere ricco (e dalle insicurezze che ne conseguono) o da quella – ben radicata in ogni negoziatore che si rispetti – che non esiste transazione in cui tutte le parti vincano, che dove c'è un profitto c'è anche una perdita. Trump, semplicemente, non riesce a tollerare l'idea che qualcuno si faccia strada a sue spese. Nel suo universo a somma zero, qualunque cosa lui consideri di valore può solo crescere, a suo personale beneficio, ovviamente: in caso contrario, significa che qualcuno lo ha derubato.

Scarborough e la Brzezinski avevano ampiamente monetizzato la loro amicizia con Trump, e senza versare nelle sue tasche nemmeno una percentuale; stando così le cose, il presidente riteneva che la commissione che gli spettava dovesse essere ripagata con un trattamento di favore. Dire che la loro irriconoscenza lo faceva imbestialire sarebbe riduttivo. Per lui era un'ingiustizia bella e buona e ci rimuginava di continuo. «Non nominategli Joe o Mika!» era un imperativo costante.

Il suo disappunto e l'incredulità di fronte al voltafaccia delle persone dalle quali si aspettava di essere sostenuto erano «profondi, incredibilmente profondi», disse il suo ex assistente Sam Nunberg, che aveva dovuto fare i conti sia con il bisogno del presidente di un'approvazione incondizionata sia con il suo sospetto di essere stato sfruttato.

Da questa rabbia scaturì il tweet del 29 giugno su Mika Brzezinski.

Nel più puro stile Trump, le sue dichiarazioni pubbliche hanno lo stesso linguaggio delle conversazioni private. E così, in un tweet chiamò la conduttrice «Mika la Pazza con un basso Q.I.» e in un altro scrisse che quando era andata a trovarlo a Mar-a-Lago con Scarborough per l'ultimo dell'anno, lei «sanguinava di brutto a causa di un lifting al viso». Molti dei suoi tweet non sono, come può sembrare, esternazioni spontanee, scritte di getto, ma seguono uno schema costante. Gli screzi di Trump spesso iniziano come insulti divertenti, si consolidano in accuse rancorose e poi, sull'onda della collera, diventano proclami ufficiali.

Il passo successivo è la gogna mediatica. Il tweet sulla Brzezinski fu seguito da quasi una settimana di polemiche sui social media, accuse in televisione e condanne sulle prime pagine. Il tutto accompagnato dall'altra dinamica dei tweet presidenziali: mentre la fazione liberal si ergeva compatta a fare muro contro Trump, i suoi sostenitori facevano quadrato intorno a lui.

A dire il vero, spesso il presidente sembra non essere del tutto consapevole di ciò che scrive, e proprio per questo non riesce a spiegarsi perché scateni reazioni tanto feroci. Anzi, se ne stupisce. «Cosa ho detto?» chiede dopo essere stato aspramente criticato.

Trump non dispensa quegli insulti per far scena, o comunque non solo per quello. Non si tratta di una strategia ponderata: è più un rendere pan per focaccia e probabilmente direbbe quello che ha da dire anche a rischio di ritrovarsi da solo (l'assoluta mancanza di calcolo, l'incapacità di essere diplomatico fanno parte del suo charme). È solo grazie alla sua buona stella che il trentacinque per cento degli elettori – la quota che, secondo la maggior parte dei sondaggi, sembra ancora appoggiarlo a prescindere da tutto (e che secondo Trump gli permetterebbe di farla franca anche se sparasse a qualcuno sulla Quinta Strada) – rimane tutto sommato imperturbabile e forse si sente addirittura rinfrancato a ogni nuovo exploit del trumpismo.

Dopo aver detto la sua e aver avuto l'ultima parola, Trump era di nuovo allegro.

«Mika e Joe sono entusiasti, i loro ascolti sono schizzati alle stelle» disse il presidente, con una certa soddisfazione e senza timore di smentita.

Dieci giorni dopo, una tavolata di sostenitori di Bannon stava cenando al Bombay Club, un ristorante indiano di lusso a due isolati dalla Casa Bianca. Uno di loro, Arthur Schwartz, consulente di pubbliche relazioni, fece una domanda sul caso Mika e Joe.

Alexandra Preate, l'assistente di Bannon, rispose confusa: «Chi?». Forse non aveva sentito a causa del rumore in sala, oppure per lei la questione era già finita nel dimenticatoio vista la rapidità con cui si succedevano gli eventi nell'era Trump.

La farsa dei tweet su Mika – la rozzezza e la violenza verbale esibite dal presidente, il suo scarsissimo autocontrollo e l'assoluta incapacità di giudizio, nonché l'alzata di scudi che aveva scatenato – era ormai storia vecchia, totalmente oscurata da altre sue scenate e polemiche.

Prima di passare all'indignazione successiva, però, vale la pena prendere in considerazione la possibilità che questo costante, quotidiano accumularsi di eventi – ognuno dei quali cancella quello che lo ha preceduto – sia la vera aberrazione e la fondamentale novità della presidenza Trump.

Forse mai prima nella storia – nemmeno durante le guerre mondiali, il rovesciamento di imperi, in periodi di straordinaria trasformazione sociale o negli scandali che hanno fatto tremare i governi –, gli eventi della vita reale si sono manifestati con un tale impatto emotivo. Con l'impressione di assistere a un programma televisivo, la vita reale di ognuno è diventata secondaria rispetto al dramma pubblico. Non è assurdo dire: Ehi, aspetta un attimo, nella vita pubblica non funziona così. La vita pubblica è priva di coerenza drammatica. (La storia, infatti, acquisisce coerenza drammatica solo con il senno di poi.)

In una realtà tentacolare e refrattaria come quella dell'esecutivo, riuscire ad avviare e mettere in pratica anche le azioni più piccole è un processo incredibilmente lento. La Casa Bianca è appesantita dal fardello della burocrazia. Tutte le varie amministrazioni hanno cercato di svincolarsene e solo occasionalmente ci sono riuscite. Nell'era dell'ipermedialità il compito non è diventato più facile, semmai è stato reso ancora più difficile.

Gli Stati Uniti sono una nazione distratta, frammentata e preoccupata. Emblematica è stata l'esperienza di Barack Obama che, pur essendo una figura rivoluzionaria e un ispirato comunicatore, non è riuscito a suscitare più di tanto interesse. Inoltre, potrebbe essere un duro colpo per quanti si occupano di informazione scoprire che proprio la loro convinzione, antiquata e permeata di senso civico, che la forma più alta di informazione sia quella politica ha contribuito a trasformare la politica da una questione che riguarda tutti a un argomento di nicchia. Purtroppo, la politica è diventata sempre più un affare particolare. È una cosa per addetti ai lavori. La vera palude è formata dagli interessi ristretti, interni e incestuosi. Non è corruzione, solo sovraspecializzazione. È roba da primi della classe. La politica è andata in una direzione e la cultura in un'altra. I fanatici di destra e di sinistra potrebbero pensarla diversamente, ma i sostenitori del grande centro non mettono le preoccupazioni politiche in cima alla loro lista di interessi.

Eppure, a dispetto di ogni logica culturale e mediatica, alle quotidiane e sbalorditive esternazioni di Donald Trump è impossibile non appassionarsi. E non certo perché il presidente in carica stia cambiando o sconvolgendo le fondamenta della vita americana. Nei suoi primi sei mesi di governo, non riuscendo a padroneggiare quasi nessuno degli aspetti del processo burocratico, praticamente non aveva concluso nulla, tranne piazzare il proprio candidato alla Corte suprema. Eppure – «Oh, mio Dio!» – in America e in buona parte del mondo si parla solo di lui. È questa la natura radicale e innovativa della presidenza Trump: cattura l'attenzione di tutti.

All'interno della Casa Bianca, però, quel clamore non era motivo di gioia. Nella visione piuttosto amara dello staff presidenziale, i media stavano trasformando ogni giornata in un inferno, e in un certo senso era vero: la situazione sembrava evolversi soltanto in peggio. Una convinzione confermata dal fatto che il climax raggiunto il giorno prima sembrava nulla al confronto di quello successivo. I media non erano in grado di dare il giusto peso alle esternazioni di Trump: la maggior parte, per non dire tutte, non portavano a nessun risultato, eppure venivano sempre accolte con uguali incredulità e sgomento. Lo staff della Casa Bianca era convinto che le notizie su Trump riportate dai media mancassero di «contestualizzazione», ovvero che la gente sarebbe dovuta arrivare a capire che per il presidente sbuffare e brontolare era assolutamente normale.

Allo stesso tempo, erano rimasti in pochi alla Casa Bianca a non attribuire a Trump anche quella colpa. Sembrava non riuscire ad afferrare un concetto elementare: le parole e le azioni del presidente sarebbero state amplificate all'ennesima potenza. In un certo senso forse non voleva capirlo, per convenienza, perché lui smaniava per attirare l'attenzione, a prescindere che fosse positiva o negativa. Ogni volta le reazioni che suscitava continuavano a sorprenderlo e non riusciva proprio a trattenersi.

Sean Spicer sosteneva il peso del dramma quotidiano che lo aveva trasformato da professionista razionale, mite e obiettivo in un penoso giullare sulla porta della Casa Bianca. Nel suo personale martirio, di fronte alla sua stessa umiliazione e incredulità, dopo un certo tempo – anche se ne aveva avuto il sentore già il primo giorno di lavoro, quando aveva dovuto risolvere la querelle sul numero delle persone presenti alla cerimonia d'insediamento – Spicer capì di essere «finito nella tana del coniglio». In quel posto disorientante, ogni forma di artificio pubblico, finzione, proporzione, astuzia e consapevolezza di sé era stata spazzata via: non faceva parte della routine presidenziale. Un'altra conseguenza del fatto che Trump non aveva mai pensato sul serio di diventare presidente.

D'altro canto, quella costante isteria aveva un insperato pregio politico: se ogni nuovo evento cancellava il precedente, almeno ci si poteva permettere di vivere alla giornata.

I figli di Donald Trump, il trentanovenne Don Jr. e il trentatreenne Eric, vivono un forzato rapporto di dipendenza nei confronti del padre, in un ruolo che li imbarazza, a livello personale, ma di cui hanno anche colto le opportunità professionali: quello di suoi eredi e assistenti.

Il padre prova un certo piacere nel ricordare costantemente ai suoi due rampolli che si trovavano altrove mentre Dio distribuiva i cervelli: come al solito, tende a denigrare chiunque possa dimostrare più acume di lui. La sorella Ivanka, tutt'altro che un genio naturale, era considerata l'intelligente della famiglia, mentre al marito Jared spettava la parte del tipo sveglio. Così Don Jr. ed Eric sono stati relegati alla gestione e all'amministrazione quotidiana. In realtà i fratelli sono diventati manager discretamente competenti della società di famiglia (non che ciò significhi molto) perché il padre non aveva abbastanza pazienza, anzi non ne aveva affatto, per occuparsene. Com'è ovvio, buona parte del loro tempo lavorativo è stato speso per le bizze, i progetti, la promozione e lo stile di vita in generale di DJT.

Uno dei vantaggi offerti dalla corsa alla Casa Bianca era che teneva Trump lontano dall'ufficio. Tuttavia, la gestione della campagna ricadeva largamente sotto la loro responsabilità e, quando si rivelò più di un semplice capriccio, provocò un terremoto nelle dinamiche familiari. Improvvisamente altre persone erano impazienti di occupare il ruolo di luogotenenti chiave di Donald Trump. Gente esterna alla famiglia, come il direttore della campagna Corey Lewandowski, ma anche interna, come il cognato Jared. Trump, in modo non del tutto inusuale per un'azienda a conduzione familiare, mise tutti in competizione per trarne il massimo beneficio personale. L'azienda era sua, esisteva grazie al suo nome, alla sua personalità, al suo carisma; quindi le luci della ribalta erano riservate a quanti erano in grado di servirlo al meglio. Prima che la corsa alla presidenza entrasse nel vivo la competizione non era ancora serrata, ma nei primi mesi del 2016, con il partito repubblicano al collasso e l'ascesa di Trump, i figli si trovarono ad affrontare una nuova situazione professionale e familiare.

Kushner era stato gradualmente coinvolto nella campagna, in parte per volontà di Ivanka, consapevole che, se qualcuno non lo teneva d'occhio, la mancanza di autocontrollo del padre avrebbe potuto incidere sugli affari di famiglia. E poi anche lui, proprio come i cognati, si era lasciato conquistare dall'entusiasmo. Alla fine della primavera del 2016, quando la nomination era tutt'altro che certa, sullo sfondo della campagna di Trump i contendenti al potere si sfidavano con il coltello tra i denti.

Lewandowski guardava entrambi i figli e il genero di Trump con uno sprezzante senso di superiorità: Don Jr. ed Eric erano stupidi e Jared era un tipo insieme altezzoso e ossequioso (un maggiordomo), e soprattutto nessuno dei tre aveva la benché minima esperienza in campo politico.

Con il passare del tempo, Lewandowski entrò in particolare confidenza con Trump. Per la famiglia, soprattutto per Kushner, quell'uomo era una sorta di favoreggiatore: incoraggiava i peggiori istinti del suocero. All'inizio di giugno, a poco più di un mese dalla convention repubblicana, Jared e Ivanka pensarono che fosse arrivato il momento di intervenire, per il bene della campagna e degli affari di Trump.

Facendo fronte comune con Don Jr. ed Eric, i due cercarono di convincere Trump a sbarazzarsi di Lewandowski. Don Jr., sentendosi schiacciato non solo da lui ma anche dal cognato, colse al volo l'opportunità: avrebbe allontanato Lewandowski e preso il suo posto. E, infatti, undici giorni dopo il direttore della campagna era fuori.

In questo contesto si tenne una delle riunioni più grottesche della politica moderna. Il 9 giugno 2016, dopo aver ricevuto la promessa di materiale scottante su Hillary Clinton, Don Jr., Jared e Paul Manafort incontrarono nella Trump Tower una serie di loschi personaggi degni del cast di un film di infimo livello. Don Jr., incoraggiato da Jared e Ivanka, stava cercando di impressionare il padre sperando di convincerlo di avere la stoffa per far decollare la campagna.

Tredici mesi dopo, quando diventò di pubblico dominio, l'incontro avrebbe sintetizzato – per lo staff della Casa Bianca – tanto le argomentazioni a sostegno della collusione con i russi quanto quelle contrarie. Che la collusione ci fosse o no, è certo che le persone coinvolte nella faccenda non erano strateghi né geni del crimine, ma individui così ingenui e sprovveduti da aver entusiasticamente cospirato alla luce del sole.

Quel giorno di giugno fecero il loro ingresso nella Trump Tower un avvocato ben ammanicato proveniente da Mosca – probabilmente un agente russo –, soci dell'oligarca azero Aras Agalarov, un promoter musicale americano – manager del figlio di Agalarov –, una pop star russa e un lobbista del governo russo a Washington. Il motivo per cui visitavano il quartier generale di uno dei probabili candidati repubblicani alla presidenza degli Stati Uniti era incontrare tre dei rappresentanti più in vista della campagna. L'incontro era stato preceduto da uno scambio di email inviate a diversi membri dello staff di Trump. I russi offrivano informazioni che avrebbero messo in cattiva luce, o persino reso passibile di incriminazione, la loro rivale Hillary Clinton.

Le teorie in merito al come e al perché si fosse tenuto questo incontro insensato sono diverse:

- I russi, in collaborazione con il governo del loro Paese o di loro iniziativa, stavano cercando di compromettere la campagna di Trump.
- Lo staff di Trump era già in contatto con i russi per ottenere e divulgare informazioni compromettenti su Hillary Clinton e, in effetti, qualche giorno dopo la riunione, WikiLeaks avrebbe annunciato di essere entrata in possesso delle email della Clinton. Meno di un mese dopo avrebbe iniziato a diffonderle.
- La campagna di Trump, che procedeva tra lo stupore di tutti (con Trump ancora impegnato a recitare il ruolo di chi corre per la presidenza senza nemmeno prendere in considerazione l'idea di vincere), era pronta ad accogliere qualsiasi richiesta e offerta perché non aveva nulla da perdere. Don Jr. il tonto («Fredo», come lo avrebbe soprannominato Steve Bannon, in una delle sue frequenti citazioni dal *Padrino*) stava semplicemente cercando di dimostrare di essere della partita, la persona giusta al posto giusto.
- All'incontro avevano partecipato Paul Manafort – direttore e voce più influente della campagna – e Jared Kushner perché: a) stavano coordinando una cospirazione ad alti livelli; b) Manafort e Kushner, non prendendo troppo sul serio la

campagna e senza nemmeno pensare alle conseguenze, semplicemente si divertivano all'idea di giocare sporco; c) tutti e tre volevano sbarazzarsi di Lewandowski, con Don Jr. nelle vesti del sicario e Manafort e Kushner che, facendo parte della squadra, dovevano presenziare al suo stupido incontro.

Non importa quale fosse la ragione dell'incontro, non importa quale scenario tra questi descriva al meglio la riunione di un gruppo così grottesco e preoccupante; ma è certo che, un anno dopo, praticamente nessuno dubitava che Don Jr. avrebbe voluto far sapere al padre che era stato lui a prendere l'iniziativa.

«Le probabilità che Don Jr. non abbia portato quei tizi nell'ufficio di suo padre, su al ventiseiesimo piano, sono pari a zero» disse un incredulo e sarcastico Bannon, poco dopo che quell'incontro fu reso noto.

«I tre guru della campagna» continuò «hanno pensato che fosse una buona idea incontrare la delegazione di un governo straniero all'interno della Trump Tower in una sala conferenze al venticinquesimo piano, senza avvocati. Non c'era nemmeno un avvocato! Anche se non pensavano che fosse un atto sovversivo, antipatriottico o una cosa comunque brutta – e personalmente credo che fosse tutte queste cose insieme –, avrebbero dovuto allertare immediatamente l'FBI. Se invece non pensavano di essere tenuti a farlo, se erano disposti a tutto pur di avere quelle informazioni, avrebbero quantomeno dovuto fissare l'incontro in un Holiday Inn di Manchester, nel New Hampshire. E mandare degli avvocati a incontrare quella gente: quelli avrebbero passato tutto al setaccio e poi avrebbero riferito a un altro avvocato. Se avessero scoperto di avere qualcosa in mano, avrebbero dovuto trovare il modo di farlo arrivare a Breitbart o a qualche altro canale, o magari scegliere qualcosa di più ufficiale. Così loro non avrebbero visto né saputo niente, perché non ce ne sarebbe stato bisogno... Ma se certa gente è senza cervello...»

Quali che fossero le loro speranze iniziali, alla fine tutti i partecipanti avrebbero sostanzialmente dichiarato che la riunione era stata del tutto irrilevante, ammettendo di aver fatto un buco nell'acqua. Ma anche se così fosse, la rivelazione di quell'incontro, un anno dopo, ebbe tre effetti potenzialmente devastanti.

Primo: confermando che c'era stato un contatto tra rappresentanti della campagna e russi legati al Cremlino, fece crollare come un castello di carte tutte le smentite che erano state ripetutamente formulate dalla Casa Bianca.

Secondo: il fatto che lo staff della Casa Bianca avesse la certezza che Trump non solo fosse al corrente dei dettagli della riunione, ma che avesse anche incontrato i partecipanti, significava che il presidente aveva mentito alle persone la cui fiducia gli era più necessaria. Questo lo avrebbe messo davanti a una svolta: chiudersi in un bunker, prepararsi per un giro sulle montagne russe o tirarsi fuori di lì.

Terzo: era ormai del tutto evidente che gli interessi di ciascuno differivano da quelli degli altri. Le sorti di Don Jr., Paul Manafort e Jared Kushner erano appese a fili diversi. Anzi, l'ipotesi più accreditata nella West Wing era che i dettagli dell'incontro fossero stati fatti trapelare dai sostenitori della fazione di Kushner, sacrificando il figlio del presidente per cercare di distogliere l'attenzione da loro stessi.

Persino prima che trapelassero le notizie sull'incontro del giugno 2016, la squadra di legali di Kushner, messa insieme in fretta e furia dopo la nomina di Mueller come procuratore speciale, aveva raccolto un quadro probatorio sia dei contatti russi durante la campagna sia delle finanze e dei flussi di denaro delle sue società. A gennaio, praticamente ignorando qualsiasi invito alla cautela, Jared era entrato alla Casa Bianca come esponente di vertice dell'amministrazione; ora, sei mesi dopo, si trovava esposto a un rischio legale molto serio. Aveva cercato di mantenere un basso profilo, considerandosi un consigliere dietro le quinte, però a quel punto la posizione pubblica che aveva assunto non stava mettendo a rischio solo la sua persona, ma anche il futuro degli affari di famiglia. Finché fosse rimasto sotto i riflettori, di fatto sarebbe stata preclusa alla famiglia la maggior parte delle risorse finanziarie. E, senza accesso a quelle, le loro holding rischiavano di ritrovarsi in brutte acque.

La fantastica vita che la coppia si era creata – due giovani ambiziosi, ben educati e benvoluti, appartenenti all'élite sociale e finanziaria di New York e con accesso a un potere immenso – era sull'orlo del precipizio, sebbene nessuno dei due fosse stato in carica abbastanza a lungo per fare qualcosa di concreto. C'era il rischio di finire in galera, come pure in bancarotta. Anche se Trump, con la sua consueta insolenza, si fosse offerto di concedere loro la grazia, questo non avrebbe comunque arginato le ripercussioni che la vicenda avrebbe avuto sugli affari dei Kushner, né sarebbe servito ad ammansire Charlie Kushner, il collerico e spesso irragionevole padre di Jared. Inoltre, essendo ormai sotto la lente inquisitoria della legge, il presidente avrebbe dovuto essere prudente e ponderare un cauto approccio strategico, il che era altamente improbabile.

Nel frattempo la coppia non risparmiava critiche allo staff della Casa Bianca: attribuiva a Priebus il caos all'origine di quel clima bellicoso che alimentava le continue fughe di notizie, incolpava Bannon per le soffiate e accusava Spicer di difendere senza troppa convinzione la loro virtù e i loro interessi.

Dovevano difendersi da soli. Una strategia fu quella di lasciare la città (Bannon si era appuntato tutti i momenti di tensione durante i quali la coppia si era presa una vacanza strategica). Poi accompagnarono Trump al G20 di Amburgo, in Germania, in programma il 7 e 8 luglio. Durante il summit appresero che era trapelata la notizia dell'incontro di Don Jr. con i russi (e i due continuavano puntigliosamente a chiamarlo così, «l'incontro di Don Jr. con i russi»). Come se non bastasse, il «New York Times» stava per pubblicare la storia.

All'inizio l'entourage di Trump si aspettava che le indiscrezioni della riunione di Don Jr. venissero diffuse dal sito web Circa. Il team legale e il suo portavoce – Mark Corallo – si erano messi all'opera per gestire la notizia. Mentre era ad Amburgo, però, lo staff presidenziale scoprì che il «Times» stava scrivendo sull'incontro un articolo ricco di dettagli – probabilmente forniti dalla fazione di Kushner – che sarebbe stato pubblicato sabato 8 luglio. Gli avvocati del presidente non ne erano stati preventivamente informati perché, a quanto pareva, l'inchiesta non lo coinvolgeva in prima persona.

Ad Amburgo Ivanka, consapevole che la notizia sarebbe uscita presto, stava presentando il suo progetto: un fondo della Banca Mondiale per aiutare l'imprenditoria femminile nei Paesi in via di sviluppo. Un altro esempio di come, anche secondo lo staff della Casa Bianca, la linea della coppia fosse assolutamente avulsa da quella dell'amministrazione Trump. In nessun punto del programma elettorale, in nessuna voce sulle lavagne di Bannon, in nessun angolo della mente di Trump c'era mai stato spazio per le donne imprenditrici nei Paesi in via di sviluppo. L'agenda della figlia era in particolare disaccordo con quella del padre, almeno con quella che lo aveva fatto eleggere. Ivanka, per quasi tutto il personale della Casa Bianca, aveva completamente frainteso la natura del suo lavoro, convertendo i tradizionali impegni social-mondani della First Lady nel lavoro dello staff.

Poco prima di imbarcarsi sull'Air Force One per il volo di ritorno, Ivanka, con quella che iniziava a sembrare quasi una forma di ottusità anarchica, occupò il posto del padre tra il presidente cinese Xi Jinping e la premier britannica Theresa May al tavolo principale della conferenza del G20. Ma era una mera distrazione: durante le consultazioni condotte a bordo dell'aereo tra il presidente e il suo staff, il tema centrale non era la conferenza, ma come rispondere all'articolo del «Times» sull'incontro di Don Jr. e Jared nella Trump Tower, che sarebbe stato pubblicato di lì a poche ore.

Nel viaggio per Washington, Sean Spicer e tutti gli addetti dell'ufficio stampa furono relegati in coda all'aereo ed esclusi da quelle discussioni concitate. Hope Hicks assunse il ruolo di stratega delle comunicazioni, prendendosi cura, al solito, solo del presidente. Nei giorni che seguirono, fu ribaltata l'ambizione prettamente politica di trovarsi «nella stanza» del potere: *non* essere in quella stanza (nella fattispecie la cabina anteriore dell'Air Force One) si trasformò in un gran sollievo, l'equivalente della carta «Uscite gratis di prigione» al Monopoli. «Prima mi dava fastidio vederli svolgere il mio lavoro» disse Spicer. «Ora sono felice di essere fuori dal giro.»

Alla discussione sull'aereo parteciparono Trump, la Hicks, Jared e Ivanka e il loro portavoce, Josh Raffel. La figlia del presidente, stando alla successiva ricostruzione fornita dal suo team, avrebbe lasciato presto la riunione e sarebbe andata a dormire dopo aver preso un sonnifero. Jared, sempre secondo quanto raccontato dai suoi, poteva anche esserci stato, ma «non aveva prestato attenzione a nulla». Nel frattempo, in una piccola sala riunioni, Dina Powell, Gary Cohn, Stephen Miller e H.R. McMaster guardavano il film *Fargo*. In seguito avrebbero tutti affermato che, pur essendo fisicamente vicini al luogo in cui veniva discussa la crisi, ne erano stati esclusi. E, a dire il vero, chiunque fosse stato «nella stanza» si sarebbe trovato impelagato in una questione al vaglio del procuratore speciale, chiamato a stabilire se uno o più dipendenti federali ne avessero indotti altri a mentire.

Un presidente furioso, intrattabile e minaccioso dominava la discussione, lasciando in secondo piano la figlia, il genero, la Hicks e Raffel. Marc Kasowitz, l'avvocato che aveva il compito specifico di tenere Trump a debita distanza da qualsiasi questione relativa alla Russia, fu lasciato in attesa al telefono per un'ora e non fu nemmeno passato al presidente. Quest'ultimo insisteva che l'incontro con i russi alla Trump Tower riguardava esclusivamente la questione delle adozioni. Ecco di cosa si era discusso, punto. Punto. Sebbene fosse probabile, se non certo, che il «Times» disponesse dello scambio di email incriminanti – in realtà era possibile che Jared, Ivanka e gli avvocati *sapessero* che il giornale ne era in possesso –, il presidente ordinò che nessuno si lasciasse scappare una sola parola sulla ben più spinosa vicenda relativa a Hillary Clinton.

Era un esempio in tempo reale di negazione e insabbiamento. Il presidente credeva bellicosamente quello che voleva credere. Per lui la realtà coincideva – o sarebbe dovuta coincidere – con le sue convinzioni. Ecco la versione ufficiale che ne seguì: c'era stato un breve e inconcludente incontro di cortesia nella Trump Tower sulla politica delle adozioni tra gli esperti della campagna e privati cittadini russi. La costruzione di questa versione manipolata era un'operazione canagliesca condotta da novellini: da sempre, la combinazione più esplosiva in un tentativo di insabbiamento.

A Washington, Kasowitz e Corallo non furono informati

né dell'articolo del «Times» né di come il presidente intendeva rispondere fino all'uscita della dichiarazione iniziale di Don Jr., appena prima che la storia scoppiasse, quel sabato.

Nel corso delle successive settantadue ore, lo staff di vertice dell'amministrazione si ritrovò completamente tagliato fuori e, ancora una volta, fu costretto ad assistere con sconcerto alle azioni dei più stretti collaboratori di Trump. Inoltre, il rapporto tra il presidente e Hope Hicks – a lungo tollerato come un bizzarro legame tra un uomo anziano e una giovane donna di cui si fidava – iniziò a essere considerato anomalo e preoccupante. Lei, sempre pronta ad assecondarlo e a fargli da filtro con la stampa, non aveva saputo fare da filtro a quella reazione di pancia. Grazie a lei gli impulsi e i pensieri del presidente – non riveduti e non discussi – viaggiavano nel mondo senza alcun controllo da parte della Casa Bianca.

«Il problema non è Twitter, è Hope» commentò uno degli addetti stampa.

Il 9 luglio, il giorno dopo la pubblicazione del primo articolo, il «New York Times» affermava che l'incontro alla Trump Tower era stato appositamente organizzato per discutere con i russi la loro offerta di materiale compromettente sulla Clinton. Il giorno successivo, quando il giornale si preparava a pubblicare l'intero scambio di email, Don Jr. lo anticipò mostrandolo in fretta e furia su Twitter. Seguì una rivelazione quasi quotidiana delle persone – ognuna, a suo modo, particolare e sconcertante – che avevano partecipato alla riunione.

Ma la divulgazione dell'incontro alla Trump Tower assunse un'altra dimensione, forse anche più ampia. Segnò la fine della strategia legale del presidente: la caduta del muro di protezione eretto da Steve Bannon intorno a Trump, a emulazione di quello costruito a difesa di Clinton.

Gli avvocati, preoccupati e disgustati, non poterono far altro che assistere alla scena: ogni persona informata poteva trasformarsi in testimone delle possibili malefatte di un altro. In parole povere, ciascuno cospirava contro gli altri per rendere verosimile la propria versione. Il presidente e la sua famiglia erano in preda al panico e ognuno portava avanti la propria linea difensiva. I titoloni dei giornali e degli altri media, che si susseguivano a ritmo frenetico, rendevano impossibile qualsiasi strategia di lungo periodo. «La cosa peggiore che si possa fare è mentire a un inquirente» disse uno degli avvocati. L'idea, profondamente radicata in Trump, che mentire ai media non fosse reato era considerata dal team dei legali incauta, nella migliore delle ipotesi, e di per sé potenzialmente perseguibile: un chiaro tentativo di depistare le indagini.

Al portavoce del team legale venne imposto di non parlare con la stampa e addirittura di non rispondere al telefono. Mark Corallo, però – che non confidava in un esito positivo e, come aveva dichiarato in privato, era convinto che la riunione sull'Air Force One potesse configurarsi come intralcio alla giustizia –, rassegnò le dimissioni quella stessa settimana (la fazione di Jarvanka l'avrebbe fatto passare come un licenziamento).

«Questi tizi non sono certo lì per farsi giudicare da una banda di ragazzini» esclamò un frustrato Bannon a proposito del team di difesa.

Tuttavia la famiglia Trump, a prescindere dai rischi che correva, non era disposta ad affidarsi agli avvocati. Jared e Ivanka alimentarono una serie di clamorose fughe di notizie – alcolismo, cattiva condotta, vita personale allo sbando – su Marc Kasowitz, colpevole di aver consigliato al presidente di spedire a casa Jarvanka. Subito dopo il ritorno del team presidenziale a Washington, Kasowitz fu silurato.

Il rimpallo delle colpe non era finito. Alla prospettiva di una nuova e amara realtà, se non addirittura della catastrofe, collegata alla débâcle Comey-Mueller, tutti fecero il possibile per evitare di esserne coinvolti.

Le fazioni alla Casa Bianca – Jared, Ivanka, Hope Hicks, una sempre più ambivalente Dina Powell e Gary Cohn da una parte e praticamente chiunque (inclusi Priebus, Spicer, la Conway e ovviamente Bannon) dall'altra – si distinguevano soprattutto per la loro responsabilità o estraneità riguardo il disastro Comey-Mueller. Un disastro, come gli oppositori di Jarvanka non avrebbero mai smesso di sottolineare, che avevano provocato solo loro. I sostenitori di Jarvanka si misero dunque all'opera per allontanarsi quanto più possibile dalle cause di quel fiasco (non potendo negare un qualche coinvolgimento, si difendevano affermando che la loro era stata una partecipazione solo passiva o una semplice esecuzione degli ordini), suggerendo che i loro avversari fossero colpevoli in ugual misura.

Poco dopo che la storia di Don Jr. era venuta a galla, il presidente cambiò, non senza successo, argomento e scaricò la responsabilità per il pasticcio Comey-Mueller su Sessions, screditandolo ancora più del solito, minacciandolo e anticipandogli che i suoi giorni erano contati.

Bannon, che continuava a difendere Sessions ed era sicuro di essersi bellicosamente tirato fuori dal disastro Comey – attaccando la fazione di Jarvanka e tacciandola di stupidità –, all'improvviso iniziò a ricevere chiamate da giornalisti che lo informavano che, secondo le ultime fughe di notizie, lui sarebbe stato un partecipante attivo nella decisione su Comey.

In una telefonata di fuoco, Bannon accusò la Hicks di essere la responsabile di quelle illazioni. Con il passare del tempo, era arrivato a considerarla un'istigatrice delle peggiori tendenze del presidente e una povera leccapiedi di Jarvanka. Inoltre, data la sua partecipazione alla riunione sull'Air Force One, era convinto che lei sarebbe stata implicata nell'inchiesta. Il giorno successivo, con le domande dei giornalisti che continuavano ad aumentare, la affrontò nella sala riunioni, accusandola di fare il lavoro sporco per Jared e Ivanka. Quel faccia a faccia diventò ben presto un confronto esistenziale tra le due fazioni della Casa Bianca, due schieramenti pronti a dichiararsi guerra totale.

«Non sai quello che fai!» gridò Bannon, livido, alla Hicks, chiedendole se lavorava per la Casa Bianca o per Jared e Ivanka. «Non hai idea del guaio in cui ti sei cacciata» urlava, dicendole che se non aveva intenzione di prendersi un avvocato, avrebbe pensato lui a telefonare a suo padre per consigliargli di assumergliene uno. «Sei una testa di legno!» Uscendo dalla sala riunioni si ritrovarono a portata d'orecchio del presidente. Stando alle parole dei fedelissimi di Jarvanka, Bannon «con un tono minaccioso, spaventoso, sempre più forte» si mise a sbraitare: «Andate affanculo, tu e la tua cricca!» mentre Trump, sconcertato, chiedeva con voce lamentosa: «Cosa sta succedendo?».

A quel punto, secondo la ricostruzione dei sostenitori di Jarvanka, la Hicks era scappata via singhiozzando e «visibilmente terrorizzata». Altri, alla Casa Bianca, ricordano quel momento come il punto più alto dell'ostilità tra i due schieramenti. La fazione di Jarvanka era convinta di poter usare quella scenata contro Bannon e spinse Priebus a riferire la questione al consiglio della Casa Bianca, descrivendo l'episodio come il momento verbalmente più ingiurioso nella storia della West Wing, o comunque molto in alto nella classifica degli episodi più offensivi di sempre.

Bannon, da parte sua, pensava che fosse prossima la fine di Jarvanka: erano quei due – non lui – a essere invischiati nel pasticcio Comey-Mueller. Erano loro quelli terrorizzati e fuori controllo.

Per il resto del tempo che trascorse alla Casa Bianca, Steve Bannon non rivolse più la parola alla Hicks.

20

McMaster e Scaramucci

Trump è un impetuoso, ma non ama prendere decisioni, perlomeno quelle che sembrano costringerlo ad analizzare i problemi. E nessuna seppe angosciarlo, fin dal primo momento del mandato, come la questione dell'Afghanistan: un rompicapo che si sarebbe trasformato in una battaglia. Coinvolgeva non solo la sua personale resistenza al ragionamento analitico, ma la divisione in cervelli di sinistra e di destra della Casa Bianca, la spaccatura tra quanti volevano stravolgere lo status quo e quanti miravano a preservarlo.

Bannon diventò la voce, improbabile e dissonante, in favore della pace, o quantomeno di una pace di un certo tipo. A suo modo di vedere, lui solo e la determinazione non proprio ferrea di Donald Trump erano tutto ciò che ancora impediva di consegnare altri cinquantamila soldati americani a una sorte disperata in terra afghana.

A sostegno dello status quo – e, idealmente, di un aumento del contingente – c'era H.R. McMaster, che, accanto a Jarvanka, era diventato il bersaglio principale delle ingiurie di Bannon. Su questo fronte, lo stratega aveva stretto una facile alleanza con il presidente, che non celava troppo il suo disprezzo per il generale fanatico delle presentazioni in PowerPoint. Bannon e Trump si divertivano a prenderlo in giro.

McMaster era un *protégé* di David Petraeus, ex comandante del CENTCOM – il Comando centrale degli Stati Uniti responsabile del Medio Oriente e dell'area Afghanistan/Pakistan – e delle operazioni in Afghanistan, diventato in seguito il direttore della CIA di Obama, per poi dimettersi a causa di uno scandalo che implicava una relazione extraconiugale e un uso scorretto di informazioni riservate.

Petraeus e ora McMaster rappresentavano l'approccio conservativo in Afghanistan e nel Medio Oriente. L'ostinato consigliere per la Sicurezza nazionale continuava a proporre al presidente, sotto diverse formulazioni, un aumento del contingente, ma ogni volta Trump lo congedava dallo Studio Ovale con un gesto impaziente, roteando gli occhi tra il disperato e l'incredulo.

L'avversione e l'astio del presidente nei confronti di McMaster aumentavano di pari passo all'esigenza, sempre più pressante, di giungere a una decisione definitiva, e che lui invece non faceva che rimandare. La sua posizione sull'Afghanistan – un pantano militare di cui sapeva praticamente solo che era un pantano – era sempre stata in favore di un beffardo e caustico benservito ai sedici anni di conflitto. Averlo ereditato non lo faceva sentire particolarmente coinvolto nella questione né lo induceva a rifletterci più di tanto. Per lui quella era una guerra maledetta e non sentiva il bisogno di approfondire. Si limitò a scaricare la responsabilità su due dei bersagli preferiti del suo biasimo: Bush e Obama.

Per Steve Bannon, l'Afghanistan rappresentava l'ennesimo fallimento del pensiero istituzionale. Per la precisione, rappresentava l'incapacità dell'establishment di affrontare il fallimento.

Curiosamente, McMaster aveva scritto un libro proprio su questo tema, un'aspra critica dei presupposti mai contestati con cui i leader militari avevano perseguito la guerra del Vietnam. Il libro era stato accolto con favore da liberal ed establishment, con cui, agli occhi di Bannon, il generale era ormai irrimediabilmente allineato. E ora – sempre timoroso dell'ignoto, attento a lasciarsi aperte delle opzioni, desideroso di stabilità e ansioso di proteggere la sua credibilità presso l'establishment – McMaster consigliava un enorme aumento del contingente in Afghanistan.

Ai primi di luglio le pressioni perché si prendesse una decisione erano ormai giunte quasi al punto di ebollizione. Trump aveva già autorizzato il Pentagono a impegnare le truppe che riteneva necessarie, ma il ministro della Difesa Mattis si rifiutò di agire senza l'espressa autorizzazione del presidente. Alla fine Trump avrebbe dovuto fare quella telefonata. A meno che non trovasse un modo per rimandarla di nuovo.

Bannon riteneva di poter decidere al suo posto – una modalità particolarmente apprezzata dal presidente – se solo fosse riuscito a sbarazzarsi di McMaster, ovvero allontanando la voce più forte a sostegno di un ulteriore invio di truppe e, al tempo stesso, vendicando l'estromissione dello stesso Bannon dal Consiglio per la Sicurezza nazionale a opera del generale.

Con il presidente da una parte a promettere che si sarebbe pronunciato entro agosto e McMaster, Mattis e Tillerson dall'altra a premere perché una decisione fosse presa al più presto, i media nell'orbita di Bannon diedero il via a una campagna volta a bollare McMaster come globalista, interventista e «non il nostro genere di trumpista», oltre che, per giunta, troppo morbido su Israele.

Era un attacco scurrile, benché in parte veritiero. McMaster in effetti parlava spesso con Petraeus e il colpo di scena fu l'insinuazione che stesse fornendo indiscrezioni al generale in congedo, ormai considerato un paria per la dichiarazione di colpevolezza riguardo l'uso scorretto di materiale riservato. Anche il fatto che McMaster fosse inviso al presidente e sul punto di ricevere il benservito corrispondeva a verità.

Era Bannon, di nuovo sulla cresta dell'onda, che si divertiva in un momento di sfrenata sicurezza di sé.

Anzi, in parte per dimostrare che c'erano alternative all'aumento del contingente o a un'umiliante sconfitta – e logisticamente, con ogni probabilità, non ce n'erano –, si fece promotore dell'idea – palesemente interessata – del fondatore della compagnia militare privata Blackwater, Erik Prince: sostituire le forze militari degli Stati Uniti con contractor privati e personale della CIA e dei corpi speciali. La prospettiva fu per qualche momento sostenuta dal presidente, poi liquidata come assurda dalle forze armate.

Ormai Bannon era sicuro che McMaster sarebbe stato fuori dai giochi entro agosto. Era certo di avere la parola del presidente sulla questione. Affare fatto. «McMaster vuole mandare più uomini in Afghanistan» diceva trionfante, «perciò ci manderemo lui.» Nella sua idea, Trump avrebbe dato al generale una quarta stella e lo avrebbe «promosso» comandante in capo in Afghanistan.

Come con l'attacco chimico in Siria, fu Dina Powell – persino mentre si sforzava di tirarsi fuori dalla Casa Bianca, seguendo il percorso della sua musa Sheryl Sandberg o fermandosi a fare una tappa intermedia come ambasciatrice alle Nazioni Unite – a spendersi per contribuire a promuovere l'approccio meno dirompente e più possibilista. Con Jared e Ivanka pronti a sostenerlo, sia perché appariva la linea di condotta più sicura sia perché era opposta a quella di Bannon.

La soluzione appoggiata dalla Powell, che mirava a rimandare il problema e la resa dei conti di un altro anno, o due, o tre, aveva buone probabilità di rendere la posizione degli Stati Uniti in Afghanistan ancora più disperata. Invece di mandare cinquanta o sessantamila uomini – che, con un costo insostenibile e a rischio di scatenare la rabbia popolare, avrebbero davvero potuto far vincere la guerra –, il Pentagono avrebbe inviato un contingente inferiore, tale da passare quasi inosservato e limitandosi semplicemente a impedire che la guerra fosse persa. Agli occhi della Powell e di Jarvanka era la linea d'azione migliore e più facile da far passare, il giusto equilibrio tra i due scenari inaccettabili presentati dai militari: ritirata e disonore o aumento troppo ingente dello spiegamento di forze.

In breve tempo, un piano per l'invio di quattro, cinque, sei o (al massimo) settemila soldati diventò la strategia mediana sostenuta dall'establishment della Sicurezza nazionale e da pressoché chiunque altro a parte Bannon e il presidente. Dina Powell aiutò persino a preparare una presentazione in PowerPoint che McMaster cominciò a mostrare a Trump: immagini di Kabul negli anni Settanta, quando aveva ancora in qualche modo la parvenza di una città moderna. Potrebbe tornare a esserlo, diceva al presidente, se saremo risoluti!

Ma persino con quasi tutti schierati contro, Bannon confidava che avrebbe vinto. Aveva la stampa di destra compatta dalla sua parte e, riteneva, la classe lavoratrice – la base di Trump – che non ne poteva più, con i propri figli a fare da carne da macello in Afghanistan. Ma, soprattutto, aveva il presidente, che, infuriato perché si vedeva proporre lo stesso problema e le stesse opzioni che erano state date a Obama, continuava a riversare malumore e scherno su McMaster.

Kushner e la Powell organizzarono una campagna di fughe di notizie a sostegno di McMaster. Il punto non era difendere l'invio di truppe: riguardava piuttosto, a sua volta, le notizie fatte trapelare da Bannon e il suo uso dei media di destra per infangare McMaster, «uno dei generali più decorati e stimati della sua generazione». Il problema non era l'Afghanistan, era Bannon. McMaster, emblema di stabilità, veniva contrapposto a Bannon, propugnatore del sovvertimento dell'ordine. Furono il «New York Times» e il «Washington Post» a intervenire in difesa del generale contro Breitbart e i suoi alleati e satelliti.

Da un lato l'establishment e i più ostinati detrattori del presidente, dall'altro i trumpisti dell'*America First*. Sotto molti aspetti, Bannon aveva forze e potenza di fuoco assai inferiori, eppure pensava ancora di aver messo a segno il colpo. E grazie alla sua vittoria, non solo si sarebbe evitato un altro stupido quanto doloroso capitolo nella guerra in Afghanistan, ma Jarvanka e la Powell, la loro galoppina, sarebbero stati relegati ancora di più in una posizione di impotenza.

Mentre il dibattito si avviava a una conclusione, il Consiglio per la Sicurezza nazionale, nella sua veste di presentatore di opzioni più che di fautore dell'una o dell'altra (sebbene, com'è ovvio, stesse anche parteggiando), ne propose tre: il ritiro, l'esercito di contractor di Erik Prince e un aumento del contingente di tipo convenzionale, seppure limitato.

Il ritiro, quali che fossero i suoi vantaggi – e per quanto una presa di potere dei talebani in Afghanistan si potesse ritardare o attenuare –, avrebbe comunque lasciato Donald Trump nella posizione di aver perso la guerra: soluzione intollerabile per un presidente.

La seconda opzione, l'esercito di contractor privati e personale CIA, fu affossata dalla CIA stessa. L'Agenzia aveva passato sedici anni a stare accuratamente alla larga dal conflitto: in Afghanistan, era risaputo, non si facevano avanzamenti di carriera; in Afghanistan si moriva. Perciò, per piacere, teneteci fuori.

Restava dunque la soluzione di McMaster, ovvero un aumento del contingente di modesta entità, sostenuto dal segretario di Stato Tillerson: nuove truppe in Afghanistan, che sarebbero state inviate lì con presupposti in qualche modo differenti, con una missione seppur sottilmente diversa, rispetto a quella condotta fino a quel momento.

Le forze armate avevano la certezza matematica che il presidente avrebbe sottoscritto la terza opzione, invece il 19 luglio, durante una riunione del team della Sicurezza nazionale alla Casa Bianca, nella Situation Room, Trump perse completamente le staffe.

Per due ore inveì furibondo contro la grana che gli avevano passato. Minacciò di licenziare quasi tutti i generali della catena di comando: non riusciva proprio ad afferrare, disse, come ci fossero voluti tanti mesi di studio, per poi uscirsene con un piano che non cambiava quasi nulla. Non sapeva che farsene del consiglio dei generali: molto meglio la voce dei soldati semplici. Se dobbiamo andare in Afghanistan, protestò, perché non possiamo trarne un profitto economico? La Cina, fece notare, ha i diritti minerari, ma gli Stati Uniti no (si riferiva a un accordo siglato dieci anni prima e sostenuto dagli Stati Uniti). È proprio come il 21 Club, sbottò infine, spiazzando tutti. Il 21 Club era uno dei suoi ristoranti preferiti di New York. Negli anni Ottanta, il locale aveva chiuso per un anno, assumendo schiere di consulenti per trovare il modo di aumentare i guadagni. Alla fine il consiglio era stato: ingrandite le cucine. Esattamente quello che avrebbe potuto suggerire un qualunque cameriere, sbraitò. Per Bannon, quella riunione fu uno dei momenti più alti dei primi sei mesi della presidenza Trump. I generali presero a svicolare, a tergiversare, nel disperato tentativo di salvare la faccia, ma per il capo stratega quella che riecheggiava nella Situation Room era una «lingua incomprensibile» . «Trump gli ha tenuto testa» dichiarò felice. «Li ha tartassati. Ha svuotato le budella sul loro piano per l'Afghanistan. Continuava a martellare sullo stesso punto: siamo impantanati, stiamo perdendo e nessuno ha un'idea per fare meglio di così.»

Anche se non c'era ancora l'ombra di una strategia alternativa praticabile in Afghanistan, Bannon, al culmine della frustrazione nei confronti di Jarvanka, era sicuro, in quel caso specifico, di essere il vincitore. McMaster era spacciato.

Più tardi, il giorno del briefing sull'Afghanistan, giunse voce a Bannon di un'altra folle trovata di Jarvanka: stavano pensando di assumere Anthony Scaramucci, detto «il Mooch», lo scroccone.

Dopo che Trump si era aggiudicato la nomination, più di un anno prima, Scaramucci – speculatore finanziario e «sostituto» preferenziale di Trump nei notiziari economici in tv (soprattutto su Fox Business Channel) – era diventato una presenza fissa alla Trump Tower. Poi però, nell'ultimo mese di campagna elettorale, con i sondaggi a prevedere un'umiliante sconfitta del candidato repubblicano, si era improvvisamente volatilizzato. La domanda: «Che fine ha fatto il Mooch?» sembrava solo un altro indicatore del certo e impietoso epilogo della corsa di Trump alla Casa Bianca.

Il giorno dopo l'elezione, però, Steve Bannon, sul punto di diventare il capo stratega del quarantacinquesimo presidente eletto, arrivando a metà mattina alla Trump Tower, fu accolto da Anthony Scaramucci che gli porgeva un bel caffè di Starbucks.

Nei tre mesi successivi Scaramucci, benché non più necessario come sostituto e fondamentalmente senza molto altro da fare, prese ad aggirarsi, per non dire appostarsi, nella Tower. Infaticabile, interruppe una riunione nell'ufficio di Kellyanne Conway, ai primi di gennaio, solo per informarla che si faceva rappresentare dalla Wachtell, Lipton, Rosen & Katz, di cui era socio il marito di lei. Menzionò e lodò sperticatamente i soci principali dello studio, poi si accomodò tra i presenti e, a beneficio della Conway e dei suoi ospiti, offrì una commovente testimonianza dell'unicità e sagacia di Donald Trump, nonché della classe lavoratrice – e qui colse l'occasione per ripercorrere in breve i suoi inizi proletari a Long Island – che lo aveva eletto.

Scaramucci non era certo il solo profittatore in cerca di un incarico di governo, ma la sua strategia era tra le più caparbie. Passava le giornate ad attendere riunioni cui farsi invitare o visitatori con cui intrattenersi, cosa facile, questa, perché anche tutti gli altri aspiranti a qualche carica che si aggiravano nei paraggi erano in cerca di qualcuno con cui attaccare bottone. Così diventò ben presto una sorta di ufficioso usciere ufficiale. Non perdeva occasione per strappare un minuto a ogni membro dello staff dirigente che non lo mandasse al diavolo: in attesa che gli venisse offerta una posizione di rilievo alla Casa Bianca, riaffermava – e ne pareva proprio convinto – il proprio spirito di squadra, la propria lealtà e inesauribile energia. Era così certo del futuro che lo aspettava che prese accordi per vendere il suo fondo speculativo, SkyBridge Capital, all'HNA Group, la gigantesca conglomerata cinese.

Le campagne elettorali, sostanzialmente basate sull'ausilio di volontari, attirano una serie di personaggi opportunisti o bisognosi. Quella di Trump, forse, aveva raschiato il fondo del barile più di tante altre. Il Mooch, per parte sua, non era certo stato il volontario più eccentrico, ma molti lo consideravano tra i più spudorati.

Non era solo per il fatto che, prima di diventare un fedele sostenitore di Donald Trump, era stato un accanito oppositore, o che un tempo aveva appoggiato Barack Obama e Hillary Clinton. Il problema era che, davvero, non piaceva a nessuno. Era troppo immodesto e impenitente, persino per l'ambiente politico, e si lasciava dietro una scia di dichiarazioni interessate, spesso contraddittorie, fatte a una persona sul conto di un'altra, che immancabilmente arrivavano alla persona di cui si parlava peggio.

Non era solo uno che si autopromuoveva senza ritegno, ma ne era *orgoglioso*, pavoneggiandosi per la sua fitta rete di conoscenze (questo vanto era sicuramente fondato, perché SkyBridge Capital era un fondo di fondi, per il quale non serve tanto un particolare acume finanziario quanto essere in contatto con i migliori gestori di fondi e aver modo di investire con loro); aveva pagato ben mezzo milione di dollari perché il logo della sua società apparisse nel film *Wall Street 2* e per comprarsi un cameo nella pellicola; dirigeva una conferenza annuale degli speculatori finanziari di cui era lui stesso la star; aveva un ingaggio televisivo a Fox Business Channel ed era un celebre festaiolo durante l'annuale appuntamento di Davos, dove una volta fu visto scatenarsi sulla pista da ballo accanto al figlio di Mu'ammar Gheddafi.

Quanto alla campagna presidenziale, una volta arruolatosi tra le file di Donald Trump – dopo che aveva scommesso pesantemente contro di lui –, prese a rappresentarsi come una versione dello stesso Trump: entrambi erano un nuovo tipo di comunicatore-showman che avrebbe trasformato la politica.

Se la sua insistenza e le sue costanti pressioni non lo avevano reso simpatico, suscitarono però giocoforza la domanda: «Che ne facciamo di Scaramucci?», che chissà come giunse a esigere una risposta. Priebus, nel tentativo di risolvere la questione Mooch e al tempo stesso liberarsi di lui, suggerì di affidargli l'incarico di direttore finanziario del Comitato nazionale repubblicano, offerta che Scaramucci rifiutò con una sfuriata alla Trump Tower, dicendo, con un linguaggio piuttosto colorito, peste e corna del capo di gabinetto, mera anticipazione di ciò che sarebbe seguito.

Lui voleva un posto nell'amministrazione Trump, certo, ma aspirava a uno di quelli che gli avrebbero procurato un'agevolazione fiscale sulla vendita della sua impresa. Un programma federale consente infatti un pagamento dilazionato dei capital gain nel caso di cessione di una proprietà in ottemperanza ai requisiti etici. A Scaramucci serviva un incarico che gli facesse avere un *certificate of divestiture*, come quello che l'invidioso Scaramucci sapeva essere stato rilasciato a Gary Cohn per la cessione delle sue azioni di Goldman Sachs.

Il tanto sospirato incarico gli fu offerto una settimana prima dell'insediamento: direttore dell'ufficio per le relazioni esterne e gli affari intergovernativi. Sarebbe stato il rappresentante del presidente e la sua «cheerleader» di fronte ai gruppi di interesse pro-Trump.

Ma la commissione etica della Casa Bianca tentennò: la cessione della sua impresa avrebbe richiesto mesi e lui avrebbe condotto una trattativa con una società che era almeno in parte controllata dal governo cinese. E poiché Scaramucci non aveva nessuno che prendesse a cuore la sua situazione, si ritrovò di fatto bloccato. Era, notò risentito, uno dei pochi casi, nell'amministrazione Trump, in cui gli affari di una persona confliggevano con una nomina alla Casa Bianca.

E tuttavia, con tenacia da venditore, il Mooch continuò a insistere. Si autonominò ambasciatore senza portafoglio di Trump. Si dichiarò l'uomo di Trump a Wall Street, anche se, tecnicamente, non era un uomo di Trump e da Wall Street, con la vendita della società, se ne stava andando. Era in costante contatto con chiunque, nella cerchia di Trump, fosse disposto a rimanere in contatto con lui.

La domanda «Che ne facciamo del Mooch?» restava lì, sospesa. Kushner, con cui Scaramucci aveva esercitato un raro riserbo e che da altri contatti di New York sentiva decantare la sua indefessa lealtà, contribuì a renderla più pressante.

Priebus e altri tennero a bada Scaramucci fino a giugno, poi, dando prova di grande vena umoristica, gli offrirono e, suo malgrado, lui dovette accettare, la nomina a vicepresidente senior e responsabile della strategia della US Export-Import Bank, un'agenzia del ramo esecutivo che Trump si era da tempo ripromesso di eliminare. Ma il Mooch non era disposto a darsi per vinto e dopo un'altra paziente attività di lobbying gli fu proposto, su sollecitazione di Bannon, il ruolo di ambasciatore all'OCSE, l'Organizzazione per la cooperazione e lo sviluppo economico. L'incarico comprendeva un appartamento di venti stanze sulla Senna, uno staff a disposizione e – Bannon lo trovava piuttosto divertente – influenza e responsabilità pari a zero.

Nel frattempo, un'altra domanda ricorrente – «Che ne facciamo di Spicer?» – sembrava seguire a quel disastro che era stata la raffazzonata risposta della Casa Bianca alla notizia dell'incontro, nel giugno del 2016, tra Don Jr., Jared e i russi. Dal momento che in realtà era stato il presidente, mentre viaggiava a bordo dell'Air Force One, a dettare la risposta di Don Jr. ai primi resoconti della riunione apparsi sul «New York Times», la responsabilità dell'incidente sarebbe dovuta essere attribuita allo stesso Trump e a Hope Hicks: lui aveva dettato, lei aveva trascritto. Ma visto che non si poteva incolpare di disastri il presidente, anche la Hicks fu risparmiata e, sebbene fosse stato espressamente escluso dalla crisi della Trump Tower, la responsabilità dell'episodio ricadde su Spicer, proprio perché, essendo in dubbio la sua lealtà, lui e lo staff delle comunicazioni dovevano essere tagliati fuori.

Il team fu giudicato avverso, se non ostile, agli interessi di Jared e Ivanka; Spicer e i suoi non erano riusciti a elaborare una difesa che includesse anche loro, né avevano difeso in maniera adeguata la Casa Bianca. Ciò metteva ovviamente in luce un punto palese e fondamentale: benché la figlia e il genero del presidente fossero semplici membri dello staff e non avessero un ruolo istituzionale alla Casa Bianca, pensavano e agivano come se fossero parte dell'entità presidenziale. Il loro crescente risentimento era dovuto alla riluttanza di alcuni elementi del personale – in realtà una resistenza profonda e sempre più netta – a trattarli appunto come parte del pacchetto presidenziale (una volta Priebus aveva dovuto prendere in disparte Ivanka per assicurarsi che lei capisse di essere, ufficialmente, solo un membro dello staff; lei aveva insistito sul fatto che era al tempo stesso un membro dello staff *e* la First Daughter).

Bannon era il loro nemico pubblico, da lui non si aspettavano niente, ma Priebus e Spicer erano, ai loro occhi, due funzionari: avevano il compito di sostenere gli obiettivi della Casa Bianca. E gli obiettivi della Casa Bianca includevano i loro obiettivi e interessi.

Spicer, sbeffeggiato dai media per la sua sgangherata difesa e per quella che appariva come un'ottusa lealtà, era stato giudicato dal presidente, pressoché fin dall'insediamento, non abbastanza leale e nemmeno lontanamente aggressivo come avrebbe dovuto essere a tutela di Donald Trump. O, per come la vedevano Jared e Ivanka, della sua famiglia. «Che cosa *fa* esattamente Spicer, con il suo staff di quaranta persone?» era una domanda ricorrente della First Family.

Quasi fin dall'inizio, il presidente aveva interpellato nuovi potenziali portavoce. Si diceva che avesse offerto l'incarico a varie persone, una delle quali era Kimberly Guilfoyle, personalità di Fox News e co-conduttrice del programma *The Five*. La Guilfoyle, ex moglie del democratico californiano Gavin Newsom, era anche, secondo alcune voci, la donna di Anthony Scaramucci. All'insaputa della Casa Bianca, la vita personale del Mooch era drammaticamente in caduta libera. Il 6 luglio, al nono mese di gravidanza del secondogenito, sua moglie aveva depositato un'istanza di divorzio.

La Guilfoyle, sapendo che Spicer era destinato ad andarsene, ma avendo deciso di non accettare l'incarico – o, secondo alcuni, non avendo mai realmente ricevuto l'offerta –, propose Scaramucci, il quale si dedicò subito a persuadere Jared e Ivanka che il loro era soprattutto un problema di pubbliche relazioni e che non erano ben serviti dall'attuale team delle comunicazioni.

Telefonò a un reporter di sua conoscenza e fece pressioni affinché un'imminente notizia sui contatti russi di Kushner non venisse pubblicata. Rincarò poi la dose facendo chiamare il giornalista da un contatto comune, per dirgli che tagliando l'articolo avrebbe aiutato il Mooch a entrare alla Casa Bianca, il che avrebbe garantito anche a lui un accesso privilegiato. Scaramucci assicurò quindi a Jared e Ivanka di aver abilmente insabbiato la vicenda.

Ora sì che aveva la loro attenzione. Ci serve un nuovo modo di pensare, si disse la coppia, qualcuno che sia più dalla nostra parte. Il fatto che Scaramucci provenisse da New York, da Wall Street, e che fosse ricco dava loro la certezza che capisse la situazione, che sapesse qual era la posta in gioco e che era necessario perseguire una strategia aggressiva.

Marito e moglie, d'altra parte, non volevano dare l'impressione di avere la mano pesante. Così, dopo aver duramente accusato Spicer di non essere riuscito a difenderli in modo adeguato, fecero d'improvviso marcia indietro e diedero a intendere di voler solo aggiungere una voce nuova al gruppo. Il posto di direttore delle comunicazioni della Casa Bianca, che non aveva un ambito di competenza specifico, era vacante da maggio, quando si era dimesso Mike Dubke, quasi senza lasciare traccia del suo passaggio. Anthony poteva assumere quel ruolo, pensò la coppia. E in quel ruolo poteva essere un alleato.

«Si intende di televisione» disse Ivanka a Spicer nel tentativo di spiegare quale logica inducesse ad assumere un ex manager di fondi speculativi come direttore delle comunicazioni presidenziali. «Forse può darci una mano.» Fu il presidente, infine, a essere conquistato, durante il loro incontro, dall'imbarazzante, retorica adulazione in stile Wall Street di Scaramucci. («Posso solo sperare di eguagliare in minima parte il suo genio di comunicatore, ma lei è il mio esempio e il mio modello» fu, stando a indiscrezioni, la supplica del postulante.) E fu Trump che in seguito spinse Scaramucci a diventare il vero capo dello staff delle comunicazioni, che riferiva direttamente al presidente.

Il 19 luglio Jared e Ivanka, tramite intermediari, tastarono il terreno con Bannon: Cosa ne pensava dell'ingresso di Scaramucci a capo delle comunicazioni?

A lui pareva così insensato – una mossa sciagurata, la prova certa che i due erano davvero disperati – che si rifiutò di rispondere o anche solo di considerare la domanda. Ora ne era sicuro: Jarvanka stava perdendo la testa.

21

Bannon e Scaramucci

L'appartamento di Bannon nella contea di Arlington, in Virginia, a una quindicina di minuti d'auto dal centro di Washington, era soprannominato «il covo», quasi a riprova della precarietà di Bannon nonché, con una certa ironia, della natura clandestina e persino romantica della sua politica: quelle canaglie dell'alt-right e la loro *joie de guerre*. Bannon era riparato lì dalla Breitbart Embassy, in A Street, sulla collina di Capitol Hill. Era un monolocale da studente universitario in un immobile a uso promiscuo sopra un gigantesco McDonald's – quasi a voler nascondere le sue presunte ricchezze –, con cinque o seicento libri (molti dei quali testi divulgativi a carattere storico) impilati contro il muro privo di scaffali. Anche la sua luogotenente, Alexandra Preate, viveva nel palazzo, come pure l'avvocato americano di Nigel Farage, il leader britannico di destra, propugnatore della Brexit, che faceva parte dell'orbita più ampia di Breitbart.

La sera di giovedì 20 luglio, il giorno dopo la tumultuosa riunione sull'Afghanistan, Bannon stava offrendo una piccola cena a base di cibo cinese da asporto, organizzata dalla Preate. Era espansivo, di umore quasi festaiolo e tuttavia consapevole che, quando ci si sente in cima al mondo, nell'amministrazione Trump, ci si può attendere con buone probabilità di essere fatti fuori. Era lo schema ricorrente, e il prezzo della leadership individuale, quella di un uomo insicuro, quantomeno: se c'era un altro vincente lì accanto, andava ridimensionato.

Molti intorno a lui avevano la sensazione che Bannon stesse per entrare in un'altra spirale negativa. Al primo giro era stato punito per la copertina su «Time» e per il ritratto a *Saturday Night Live* del «presidente Bannon», la più crudele delle stoccate a Trump. Ora era uscito un libro, *Devil's Bargain* (Patto con il diavolo), che sosteneva, spesso usando le parole di Bannon, che Trump non ce l'avrebbe fatta senza di lui. Il presidente era di nuovo contrariato.

Eppure Bannon pareva sentirsi ormai oltre le nuvole. Qualunque cosa fosse accaduta, aveva una visione chiara degli eventi, adesso, e all'interno della Casa Bianca regnava un tale caos che quella chiarezza, se non altro, lo avrebbe portato in vetta. Le sue priorità erano al primo posto, i suoi nemici relegati ai margini. Jared e Ivanka ricevevano colpi ogni giorno ed erano, al momento, anche troppo impegnati a difendere se stessi; Dina Powell si stava cercando un altro lavoro; McMaster si era fatto fuori da solo con la vicenda Afghanistan; Gary Cohn, un tempo temibile avversario, stava tentando disperatamente di farsi nominare presidente della FED e cercava di arruffianarselo («Viene a leccarmi il culo» chiosò Bannon con una risatina sommessa). In cambio del sostegno alla nomina, lui stava ottenendo l'appoggio di Cohn alla sua agenda.

I geni erano fottuti. Forse persino il presidente era fottuto. Ma Bannon aveva la visione e la disciplina, ne era certo. «Mi faccio il culo ogni giorno. L'agenda nazionalista... è roba nostra, cazzo. Sarò lì fino alla fine.»

Prima della cena, Bannon aveva fatto circolare un articolo uscito pochi giorni prima sul «Guardian» – il suo giornale preferito malgrado fosse tra le principali testate di sinistra in lingua inglese – sulle ripercussioni della globalizzazione. Il pezzo, del giornalista liberal Nikil Saval, avallava la premessa politica populista di Bannon – «la concorrenza tra i lavoratori dei Paesi in via di sviluppo e di quelli sviluppati [...] ha contribuito a ridurre salari e sicurezza del posto di lavoro nei Paesi sviluppati» – e la elevava al rango di scontro epocale del nostro tempo. Davos era morta, Bannon, invece, vivissimo.

«Economisti che erano un tempo ardenti fautori della globalizzazione sono diventati tra i suoi critici principali» scriveva Saval. «E oggi ammettono, almeno in parte, che la globalizzazione ha prodotto diseguaglianze, disoccupazione e pressione al ribasso sui salari. Perplessità e valutazioni che gli economisti esprimevano solo nel privato dei loro seminari stanno infine venendo allo scoperto.»

«Comincio a essere stufo di vincere» era stato l'unico commento di Bannon, nella sua email con il link dell'articolo.

Camminando avanti e indietro, irrequieto, prese a raccontare come Trump avesse scaricato McMaster e ad assaporare l'esilarante assurdità della mossa dei geni, la scelta di Scaramucci. Ma a lasciarlo incredulo era soprattutto una cosa accaduta il giorno prima.

Senza informarne i vertici del suo staff o l'ufficio comunicazioni, se non con un'annotazione pro forma, il presidente aveva rilasciato un'importante intervista al «New York Times». L'avevano organizzata Jared e Ivanka, con l'aiuto di Hope Hicks. Maggie Haberman del «Times», la bestia nera di Trump («molto cattiva e per niente intelligente») eppure la giornalista della quale più ricercava l'approvazione, era stata chiamata a incontrarlo insieme ai colleghi Peter Baker e Michael Schmidt: ne era scaturita una delle interviste presidenziali più singolari e malconsigliate della storia, ad opera di un presidente che già deteneva vari primati in quel campo.

Nell'intervista, Trump aveva eseguito le volontà della figlia e del genero, ormai fuori di sé. Sebbene con una finalità non chiara e senza una strategia precisa, aveva mantenuto la sua linea d'azione, minacciando l'attorney general per la sua scelta di astenersi, spianando la strada a un procuratore speciale. Spingeva esplicitamente Sessions a dimettersi, insultandolo e prendendosi gioco di lui, sfidandolo a restare, se ne aveva il coraggio. Tutto ciò non sembrava giovare alla causa di nessuno, se non forse a quella del procuratore speciale. Ma l'incredulità di Bannon – «Jefferson "Beauregard" Sessions non se ne andrà mai» – si concentrava su un altro stupefacente passaggio: il presidente aveva ammonito l'ufficio del procuratore speciale Mueller a non varcare il confine delle sue finanze di famiglia.

«Eeeh... eeeh... eeeh...» gemette Bannon, imitando il suono di un allarme. «Non guardate qui! Diciamo al procuratore dove *non* deve andare a ficcare il naso!»

Descrisse la conversazione che aveva avuto con Trump quello stesso giorno. «Sono andato dritto da lui e gli ho chiesto: "Perché hai detto una cosa simile?". E lui: "La cosa su Sessions?". E io: "No, quella è brutta, ma è normale amministrazione". Ho insistito: "Perché hai detto che le finanze della tua famiglia sono off limits?". E lui: "Be', è...". Gli faccio: "Ehi, faranno quel che devono... Potrà non piacerti, ma ti sei appena garantito che se anche vorrai piazzare qualcun altro come procuratore speciale, ogni senatore gli farà giurare che per prima cosa verrà a chiederti con un mandato le tue stramaledette dichiarazioni dei redditi".»

Sempre sconcertato, raccontò poi i dettagli di un recente articolo del «Financial Times» su Felix Sater, uno dei più ambigui tra gli ambigui personaggi associati a Trump, schierato con l'avvocato personale del presidente, Michael Cohen (a quanto si diceva, nel mirino dell'indagine di Mueller), e collegamento chiave della «pista dei soldi» con la Russia. Sater – «Senti questa... So che potrebbe sconvolgerti, ma aspetta...» – aveva avuto in precedenza gravi problemi con la legge, «beccato a Boca con un paio di tizi a riciclare denaro russo attraverso una boiler room». E ora saltava fuori che «fratello Sater» era stato indagato da – «Senti!» – *Andrew Weissmann* (il potente avvocato di Washington che dirigeva la divisione frodi penali del Dipartimento di Giustizia ed era stato assunto di recente da Mueller). «Miei cari Jarvanka, avete addosso il LeBron James delle indagini sul riciclaggio. Mi si stringe il culo!»

Bannon si batté i fianchi, poi tornò alla sua conversazione con il presidente. «E lui mi fa: "Non fa parte dei loro compiti". Sei serio, amico?»

La Preate, mettendo in tavola il cibo cinese, disse: «Neanche far chiudere bottega alla Arthur Andersen durante la vicenda Enron era tra i loro compiti, ma questo non ha fermato Andrew Weissmann». Il capo delle indagini sul caso Enron.

«Capisci bene dove si va a parare» proseguì Bannon. «Riciclaggio di denaro. Mueller ha assoldato Weissmann e lui è specializzato in riciclaggio. La loro via per fottere Trump passa direttamente per Paul Manafort, Don Jr. e Jared Kushner... È lampante. Passa per la Deutsche Bank e per tutta quella merdata di Kushner. Lì sì che troveranno palate di letame. Andranno fino in fondo. Impacchetteranno quei due e diranno: Sputate il rospo o siete finiti. Ma... l'*executive privilege*!» scimmiottò Bannon. «Abbiamo l'*executive privilege*! Non esiste nessun *executive privilege*! Lo ha dimostrato il Watergate.»

Bannon parve di colpo aver esaurito le energie. Dopo una pausa, aggiunse in tono stanco: «Se ne stanno seduti sulla spiaggia pensando di poter fermare un uragano di categoria 5».

Con le mani di fronte a sé mimò qualcosa di simile a un campo di forza che lo avrebbe isolato dal pericolo. «Non mi riguarda. Ha i cinque geni, o no? Jarvanka, Hope Hicks, Dina Powell e Josh Raffel.» Alzò di nuovo le mani, questa volta come a dire: Io non mi immischio. «Io non conosco russi, non so niente di niente. Non sarò chiamato a testimoniare. Non assumerò un avvocato. Il mio culo non si siederà mai davanti ai microfoni della tv a rispondere alle domande. Hope Hicks è fottuta e manco ne ha idea. La faranno a pezzi. I media spremeranno Don Jr. come un limone. E lo stesso con Michael Cohen. Lui» – il presidente – «ha tenuto a dire che chiunque, al posto di Don Jr., sarebbe andato a quell'incontro con i russi. "*Nessuno* ci sarebbe andato" ho risposto io. "Io sono un ufficiale di marina. Non vado a incontrare cittadini russi, per giunta nella sede ufficiale, sei fuori di testa?" E lui mi fa: "Ma è un bravo ragazzo". Non ci sono stati incontri di quel genere dopo che ho preso in mano io la campagna elettorale.»

Di fronte all'assurdità di quella situazione, il tono di Bannon passò dalla disperazione alla rassegnazione. «Se licenzia Mueller non farà che accelerare l'impeachment. Ma facciamolo, dai, perché no. Perché no? Cosa dovrei fare io? Andare a salvarlo? È Donald Trump. È lui che fa sempre le cose. Vuole un attorney general che non si astenga. Gli ho detto che se se ne va Jeff Sessions, se ne va Rod Rosenstein, seguito a ruota da Rachel Brand» – subito dopo Rosenstein nella gerarchia – «e noi ci ritroveremo a scavare fino a gente che ha fatto carriera nell'amministrazione Obama. Un uomo di Barack Obama farà da attorney general. Gli ho detto: "Non riuscirai ad avere Rudy"» – Trump aveva espresso di nuovo il desiderio che l'incarico fosse assunto dai suoi fedelissimi Rudy Giuliani o Chris Christie – «"perché avendo partecipato alla campagna elettorale dovrebbe anche lui astenersi, e anche Chris Christie, perciò queste sono solo seghe mentali, toglitele dalla mente. E ormai per essere confermati si dovrà prestare giuramento e garantire che si andrà avanti e non si licenzierà nessuno, perché tu ieri hai detto" – eeeh... eeeh... eeeh... – "'le finanze della mia famiglia non si toccano' e loro esigeranno che chiunque ci sia prometta e si impegni a inserire le finanze di famiglia nell'indagine". Gli ho detto: "È una certezza matematica, sicuro come l'oro, perciò ti conviene sperare che Sessions rimanga".»

«Stava chiamando gente a New York ieri sera, chiedendo cosa fare» aggiunse la Preate (quasi tutti alla Casa Bianca ricostruivano il pensiero di Trump in base alle persone a cui aveva telefonato la sera prima).

Bannon si appoggiò allo schienale e, fumante per la frustrazione – pareva quasi uscito da un cartone animato –, tratteggiò la sua strategia legale in stile Clinton. «Si sono messi in assetto da combattimento con straordinaria disciplina. Hanno sgobbato un sacco.» Ma quella *era* una questione di disciplina, sottolineò, e Trump, disse, puntualizzando l'ovvio, era l'uomo meno disciplinato in politica.

Era chiaro dove Mueller e il suo team sarebbero andati a parare, continuò: avrebbero rintracciato una pista di denaro attraverso Paul Manafort, Michael Flynn, Michael Cohen e Jared Kushner e ricondotto uno di loro, o tutti, al presidente.

«Ha un che di shakespeariano» disse, elencando i cattivi consigli della cerchia familiare: «Sono i geni, le stesse persone che lo hanno convinto a licenziare Comey, le stesse che sull'Air Force One hanno tagliato fuori il suo team legale esterno e, pur sapendo delle email, che le prove esistevano, hanno fatto uscire la dichiarazione su Don Jr., che l'incontro riguardava solo le adozioni... Sono gli stessi geni che hanno cercato di far silurare Sessions.

«Kasowitz lo conosce da venticinque anni. Lo ha tolto da

un sacco di casini. In campagna elettorale c'erano... quante? Un centinaio di donne? Kasowitz si è occupato di ognuna di loro. E adesso dura quanto? Quattro settimane? Neanche il tempo di carburare. Questo è l'avvocato più tosto di New York, ed è a pezzi. Mark Corallo, il figlio di puttana più tosto che abbia mai conosciuto, non ce la fa».

«Jared e Ivanka credono» disse ancora Bannon «che se sosterranno la riforma carceraria e salveranno il DACA» – il programma volto a tutelare i figli degli immigrati irregolari – «i liberal scenderanno in loro difesa.» Fece una breve digressione sull'acume legislativo di Ivanka Trump e sulla sua difficoltà, diventata una preoccupazione non da poco alla Casa Bianca, a ottenere appoggi per la sua proposta sul congedo parentale retribuito. «Il motivo, continuo a ripeterle, è che politicamente non ha i numeri. Sai com'è facile farsi sponsorizzare un disegno di legge? Qualunque idiota può riuscirci. Sai perché il tuo non raccoglie adesioni? Perché la gente vede quanto è stupido.» Non a caso, disse, strabuzzando gli occhi e spalancando la bocca, era stata un'idea di Jarvanka cercare di barattare l'amnistia con il muro di confine. «Se non è l'idea più stupida della civiltà occidentale, di sicuro è tra le prime tre. Questi geni sanno almeno chi siamo?»

Proprio allora Bannon ricevette una chiamata, con la notizia che, a quanto pareva, Scaramucci avrebbe davvero potuto ricoprire il ruolo di direttore delle comunicazioni. «Non prendermi in giro, amico» rise. «Non ci provare nemmeno!»

Chiuse la telefonata, esprimendo di nuovo il proprio stupore, misto a disprezzo, per il mondo di fantasia in cui vivevano i geni. «Io neanche ci parlo. Sai perché? Penso ai cazzi miei e con quelli loro non ci hanno a che fare. Non mi interessa cosa combinano, non me ne importa... Non ho intenzione di restare da solo con loro, né di trovarmi con loro nella stessa stanza. Ivanka è entrata nello Studio Ovale, oggi, e appena è arrivata, io l'ho guardata e sono uscito... Non ci resto in una stanza... non voglio. È entrata Hope Hicks e io me ne sono andato.»

«L'FBI ha sbattuto in carcere il padre di Jared» disse la Preate. «Non capiscono che non ci si immischia...»

«Charlie Kushner» la interruppe Bannon, dandosi una manata sulla fronte. «Sta dando di matto perché scaveranno a fondo nei suoi affari per capire come ha finanziato ogni cosa... I rabbini con i diamanti e tutta quella merda proveniente da Israele... e tutta questa gente che arriva dall'Europa orientale... questi russi... e gente del Kazakistan... E lui non può rinegoziare il debito sul 666 [Fifth Avenue], quando andrà in bancarotta, il prossimo anno, cadrà anche tutto il resto... È annientato, finito, andato... senza scampo.»

Si prese per un momento il volto tra le mani, poi rialzò gli occhi. «Sono piuttosto bravo a escogitare soluzioni, ne ho tirata fuori una per quella sua campagna sgangherata più o meno in un giorno, ma in questa faccenda non ne vedo. Non mi viene nessuna idea per uscirne. Be', un'idea gliel'ho data; ho detto: "Spranga la porta dello Studio Ovale, rispedisci a casa i due ragazzi, sbarazzati di Hope, di tutti quei parassiti, e comincia a dar retta al tuo team legale. Kasowitz, Mark Dowd, Jay Sekulow e Mark Corallo. Sono professionisti che hanno fatto mille volte cose del genere. Dai ascolto a loro e non riparlare mai più di questa roba, comportati semplicemente da comandante in capo e, allora, potrai fare il presidente per otto anni... Altrimenti, no: semplice". Ma è lui il presidente, gli viene data una possibilità e sta chiaramente scegliendo di seguire un'altra strada... E non c'è modo di fermarlo. Quell'uomo giocherà a modo suo. È Trump...»

Poi giunse un'altra chiamata, di Sam Nunberg questa volta. Anche lui telefonava a proposito di Scaramucci e le sue parole provocarono in Bannon qualcosa di simile allo sbigottimento: «Non può, cazzo, non può essere vero».

Bannon concluse la telefonata e disse: «Gesù, Scaramucci. Non so nemmeno cosa rispondere. È una cosa kafkiana. Jared e Ivanka avevano bisogno di qualcuno che spiegasse bene le loro merdate. È follia. Resterà su quel podio due giorni e lo faranno talmente a fette che gronderà sangue a litri. Scoppierà, nel senso letterale del termine, nel giro di una settimana. Ecco perché non prendo seriamente questa roba. Assumere Scaramucci? Non è qualificato per fare un cazzo. Gestisce un fondo di fondi. Lo sai che cos'è un fondo di fondi? Non è un fondo. Amico, è pazzesco. Ci facciamo la figura dei pagliacci».

I dieci giorni di Anthony Scaramucci furono inaugurati, il 21 luglio, dalle dimissioni di Sean Spicer, che, stranamente, sembrarono cogliere tutti di sorpresa. In una riunione con Scaramucci, Spicer e Priebus, il presidente – che, annunciando l'assunzione del nuovo direttore delle comunicazioni, lo aveva promosso non solo al di sopra di Spicer, ma di fatto anche al di sopra di Priebus, capo di gabinetto – osservò che i tre sarebbero dovuti riuscire a risolvere la cosa insieme.

Spicer se ne tornò nel suo ufficio, stampò la lettera di dimissioni e andò a consegnarla all'esterrefatto presidente, che cercò di dissuaderlo. Spicer, però, probabilmente l'uomo più sbeffeggiato d'America, capiva che gli si era presentata un'occasione d'oro. I suoi giorni alla Casa Bianca erano finiti.

Per Scaramucci era il momento della rivincita. Attribuiva i suoi umilianti sei mesi nel dimenticatoio soprattutto a Reince Priebus. Dopo aver annunciato che lo attendeva un radioso futuro alla Casa Bianca e venduto la sua società in previsione dell'evento, non aveva ottenuto nulla... Nulla, almeno, che valesse davvero. Ma ora, con un capovolgimento degno di un vero «drago» di Wall Street – degno, in effetti, dello stesso Trump –, si ritrovava di colpo alla Casa Bianca, più grande e splendente di quanto lui stesso avrebbe avuto la sfacciataggine di immaginare. E Priebus era spacciato.

Quello era il segnale che il presidente aveva inviato a Scaramucci: Sistema questo casino. Nella visione di Trump, i problemi del suo mandato fino a quel momento erano dovuti solo ed esclusivamente al team: via il team, via i problemi. Perciò, Anthony aveva ricevuto i suoi ordini. Il fatto che il presidente ripetesse la stessa solfa sulla squadra scadente fin dal primo giorno, che quel ritornello fosse stato una costante dalla campagna elettorale in poi, che gli capitasse spesso di dire a tutti che li voleva fuori, salvo poi tornare sui suoi passi e chiarire che non intendeva sul serio, sfuggì del tutto a Scaramucci.

Cominciò a prendere in giro pubblicamente Priebus e nella West Wing adottò la linea dura nei confronti di Bannon («Non prendo ordini da lui»). Trump pareva approvare una simile condotta e Scaramucci era convinto di dover proseguire in quella direzione. Anche Jared e Ivanka erano compiaciuti: erano sicuri di aver fatto centro e che il nuovo arrivato li avrebbe protetti da Bannon e compagnia.

Bannon e Priebus non erano solo increduli, ma facevano fatica a trattenere le risate. Per entrambi Scaramucci poteva essere solo un'allucinazione – si domandavano se non bastasse chiudere gli occhi al suo passaggio – o, in alternativa, un ulteriore passo verso la follia.

Anche rispetto ad altre settimane campali alla Casa Bianca, quella del 24 luglio fu da sbattere la testa contro il muro. Innanzitutto si aprì con la nuova puntata di quella che era diventata la sitcom sul tentativo di revocare l'Obamacare al Senato. Come alla Camera, il nodo da sciogliere non riguardava tanto l'assistenza sanitaria quanto la disputa tra i repubblicani al Congresso e tra la leadership repubblicana e la Casa Bianca. L'elenco dei voti del partito repubblicano era diventato il simbolo della guerra intestina in corso tra le sue file.

Quel lunedì il genero del presidente apparve ai microfoni di fronte alla West Wing per un'anteprima della dichiarazione che avrebbe reso agli inquirenti del Senato in merito ai collegamenti della campagna elettorale di Trump con la Russia. Non avendo quasi mai parlato prima in pubblico, negò la sua colpevolezza nel pasticcio russo con sprovveduta ingenuità, voce stridula e un tono di autocommiserazione, dipingendosi come un novello Candido, che un mondo duro e spietato aveva privato di ogni illusione.

Poi, quella sera, il presidente si recò in West Virginia, per tenere un discorso ai boy scout d'America. Ancora una volta il tono del suo intervento fu in contrasto con il luogo, l'occasione e il buonsenso. Suscitò le scuse immediate dell'organizzazione ai suoi membri, ai loro genitori e al Paese in generale. La breve gita non parve migliorare l'umore di Trump: il mattino dopo, furibondo, attaccò di nuovo pubblicamente il suo attorney general e, per buona misura e senza un motivo evidente, twittò la sua messa al bando dei transgender dalle forze armate (gli erano state presentate quattro opzioni diverse relative alla politica da adottare in materia, e al solo scopo di impostare una discussione in merito, invece dieci minuti dopo, senza consultare nessuno, Trump twittò la sua decisione).

L'indomani, mercoledì, Scaramucci seppe di una fuga di notizie relativa a un documento con alcune informazioni finanziarie; presumendo di essere stato sabotato dai suoi nemici, diede direttamente la colpa a Priebus e lo accusò tra le righe di illecito. In realtà il documento era pubblico, quindi accessibile a chiunque.

Quel pomeriggio, Priebus disse al presidente che si rendeva conto di doversi dimettere e che sarebbe stato opportuno discutere della sua sostituzione.

La sera, poi, ci fu una piccola cena alla Casa Bianca, con varie personalità presenti e passate di Fox News, compresa Kimberly Guilfoyle, e la notizia trapelò. Scaramucci, che aveva bevuto più del solito nel disperato tentativo di mantenere riservati i catastrofici dettagli della sua vita personale (il legame con la Guilfoyle non avrebbe certo giovato alle trattative di divorzio con la moglie) e stremato dagli eventi oltre la sua capacità di sopportazione, telefonò a un reporter del «New Yorker» e vuotò il sacco.

Ne derivò un articolo surreale: così crudo nella sua virulenza che per quasi ventiquattro ore nessuno sembrò riuscire ad ammettere che Scaramucci aveva commesso un suicidio pubblico. Nel pezzo, che citava tra virgolette le sue precise parole, parlava senza mezzi termini del capo di gabinetto: «Reince Priebus, se proprio volete un'indiscrezione... Gli sarà chiesto molto presto di rassegnare le dimissioni». Precisando che aveva assunto il nuovo incarico «per servire il Paese» e «non in cerca di autopromozione», l'intervistato se la prendeva poi anche con Bannon: «Io non sono Steve Bannon, non cerco di farmi i pompini da solo». (Bannon seppe dell'articolo quando fu chiamato dalla redazione del magazine per un commento in merito all'affermazione del neodirettore delle comunicazioni.)

Scaramucci, che aveva di fatto pubblicamente licenziato Priebus, si era spinto così oltre che diventava impossibile dire chi sarebbe caduto per primo. Priebus, da tempo sul punto di essere silurato, si rese conto di essere stato troppo frettoloso ad accettare di dimettersi, visto che forse avrebbe avuto l'opportunità di sbattere fuori Scaramucci.

Il venerdì, mentre la revoca della riforma sull'assistenza sanitaria sprofondava in Senato, Priebus salì a bordo dell'Air Force One per accompagnare il presidente, diretto a New York per un discorso. C'era anche Scaramucci, il quale, per evitare le ripercussioni dell'articolo del «New Yorker», aveva detto a tutti di essere a New York in visita alla madre. Fino a quel momento si era in realtà nascosto al Trump Hotel di Washington, ma ora eccolo lì, con le valigie in mano (da sua madre, alla fine, ci sarebbe andato sul serio), a comportarsi come se niente fosse.

Durante il volo di ritorno, Priebus e il presidente discussero la tempistica della sua uscita di scena, con Trump che lo esortava ad agire con cautela e a prendersi il tempo necessario. «Mi dirai tu come ritieni meglio procedere» gli disse. «Facciamo le cose per bene.»

Qualche minuto dopo, mentre Priebus posava il piede sulla pista, una notifica sul cellulare gli annunciò che il presidente aveva appena pubblicato un tweet: era stato incaricato un nuovo capo di gabinetto, il ministro della Sicurezza interna John Kelly, e lui – Priebus – era fuori.

La presidenza Trump aveva solo sei mesi, ma la questione di un eventuale rimpiazzo per Priebus era stata argomento di dibattito fin quasi dal primo giorno. Tra i possibili candidati si facevano i nomi della Powell e di Cohn, i favoriti di Jarvanka, del direttore dell'ufficio per la gestione e il bilancio Mick Mulvaney, sostenuto da Bannon, e dello stesso Kelly.

Quest'ultimo – che di lì a poco si sarebbe scusato con Priebus per la mancanza della più elementare cortesia con cui erano state gestite le sue dimissioni – non era stato in realtà consultato. Il presidente aveva twittato la sua nomina prima che lui stesso ne fosse informato.

Ma davvero non c'era tempo da perdere. Il problema principale del governo di Trump era che qualcuno avrebbe dovuto licenziare Scaramucci e, poiché il Mooch si era in effetti sbarazzato di Priebus – la persona che, a rigor di logica, avrebbe dovuto eliminare lui –, occorreva un nuovo capo di gabinetto, più o meno seduta stante, per liberarsi del Mooch.

E sei giorni più tardi, giusto qualche ora dopo aver prestato giuramento, Kelly eseguì.

Redarguiti a loro volta, Ivanka e Jared, i geni che lo avevano assunto, temettero di vedersi attribuire, meritatamente, la colpa di una delle più grottesche se non catastrofiche scelte del personale nella storia moderna della Casa Bianca e si affrettarono a dichiarare che sostenevano con assoluta fermezza la decisione di licenziare Scaramucci.

«Quindi, ti do un pugno in faccia» commentò Sean Spicer da bordo campo, «e poi ti dico: "Oh, mio Dio, dobbiamo portarti all'ospedale!".»

22

Il generale Kelly

Il 4 agosto il presidente e alcuni membri chiave della West Wing partirono per il golf club di Trump a Bedminster. Il nuovo capo di gabinetto, il generale Kelly, era al seguito, ma il capo stratega, Steve Bannon, era stato escluso dalla compagnia.

Trump si accingeva di malumore alla programmata trasferta di diciassette giorni, irritato dal fatto che i media smascherassero puntualmente le sue partite di golf. Perciò la spedizione era stata ribattezzata «viaggio di lavoro»: un altro esempio della vanità del presidente che suscita alzate di spalle, occhi al cielo e scuotimenti del capo da parte del suo staff, incaricato di pianificare eventi che devono sembrare lavorativi, stando però ben attento a lasciare ampi spazi liberi per il golf.

In assenza del presidente, la West Wing sarebbe stata rinnovata: il Trump albergatore ed esperto di interior design era «disgustato» per le condizioni in cui versava e non voleva trasferirsi nel vicino Eisenhower Executive Office Building, dove si sarebbero svolte provvisoriamente le attività della West Wing. E dove Steve Bannon stava aspettando la chiamata per andare a Bedminster.

Sarebbe partito da un momento all'altro, continuava a dire a tutti, ma l'invito non arrivava. Bannon, che si attribuiva il merito di aver portato Kelly nell'amministrazione, non avrebbe saputo dire di preciso in che rapporti fosse con il nuovo capo di gabinetto. In realtà nemmeno il presidente era certo di riscuotere le simpatie di Kelly, e anzi non faceva che chiedere di continuo a chiunque se, a parer loro, lui a Kelly piacesse o no. Più in generale, Bannon non aveva ancora del tutto chiaro cosa facesse Kelly, a parte il proprio lavoro. Come si posizionava esattamente il nuovo capo di gabinetto nell'universo di Trump?

Se nello spettro politico si situava da qualche parte nel centro-destra e se alla Sicurezza interna era stato un convinto fautore di una linea dura sull'immigrazione, certamente non era di destra quanto Bannon o Trump. «Non è un duro e puro» fu la sua rammaricata valutazione. Al tempo stesso, Kelly non era in alcun modo vicino ai liberal di matrice newyorkese della Casa Bianca. La politica, tuttavia, non era il suo campo. Come ministro della Sicurezza interna aveva osservato il caos della Casa Bianca con disgusto, pensando alle dimissioni. Ora aveva accettato di tentare di domarlo, quel caos. Aveva sessantasette anni ed era risoluto, severo, truce. «Sorride mai?» chiedeva Trump, che cominciava già a pensare di essere stato in qualche modo raggirato quando gli era stata caldeggiata la sua nomina.

Ad alcuni trumpisti, soprattutto quelli con un accesso più diretto al presidente, pareva che fosse stato indotto a una certa sottomissione assai poco trumpiana. Roger Stone, una delle persone che Kelly stava cercando di allontanare dal presidente, diffuse l'inquietante notizia di un accordo tra Mattis, McMaster e Kelly, in base al quale nessuna azione militare sarebbe mai stata avviata se tutti e tre non fossero stati favorevoli, e che prevedeva che almeno uno di loro rimanesse a Washington quando gli altri erano via.

Liquidato Scaramucci, i due problemi più immediati di Kelly, ora sul suo tavolo a Bedminster, erano i familiari del presidente e Steve Bannon. Era evidente che l'una o l'altra parte dovesse sparire. O magari tutte e due.

Nessuno avrebbe potuto prevedere se un capo di gabinetto che considerava suo compito stabilire una procedura di comando e rafforzare la gerarchia organizzativa – convogliando le decisioni verso il comandante in capo – potesse operare in maniera efficace, o anche solo sopravvivere, in una Casa

Bianca in cui i figli del comandante in capo erano così influenti. Per quanto la figlia e il genero del presidente stessero mostrando al momento un servile riguardo nei confronti dei nuovi incaricati dell'esecutivo, alla lunga probabilmente avrebbero interferito, per abitudine e temperamento, con l'autorità di Kelly nella West Wing. Non solo esercitavano un'ovvia influenza sul presidente, ma importanti membri dello staff li vedevano come detentori di un ascendente tale da ritenerli il vero centro del potere, quello da cui poteva dipendere la loro carriera.

Strano a dirsi, malgrado la loro inesperienza, Jared e Ivanka erano diventati una presenza non poco inquietante, e da alcuni erano temuti quanto loro due temevano Bannon. Inoltre i due avevano acquisito una notevole abilità nelle lotte interne e nella fuga di informazioni – detenevano un certo controllo del mondo ufficiale *e* delle vie ufficiose –, sebbene insistessero, mostrandosi costernati, di non aver mai fatto trapelare indiscrezioni fuori dalla Casa Bianca. «Se sentono qualcuno parlare di loro, visto che sono così attenti alla loro immagine e si sono accuratamente costruiti un personaggio... è come se chiunque tenti di scavare sul loro conto o di criticarli diventi un grosso problema» ha dichiarato un membro dello staff dirigente. «Ne restano sconvolti e ti danno contro.»

D'altra parte, se «i ragazzi» rischiavano di rendere il lavoro di Kelly praticamente impossibile, anche tenere Bannon a bordo non pareva molto sensato. Quali che fossero le sue doti, era un irriducibile cospiratore ed eterno scontento, propenso a scavalcare qualunque tipo di organizzazione. Senza contare che, mentre cominciava la parentesi di Bedminster – di lavoro o d'altro che fosse –, Bannon era ancora una volta sulla lista delle grane del presidente.

Trump, infatti, non aveva sbollito l'irritazione per la pubblicazione di *Devil's Bargain*, il libro di Joshua Green che attribuiva a Bannon il merito della sua elezione. Inoltre, se da un lato il presidente tendeva a schierarsi con Bannon contro McMaster, la campagna in difesa del generale condotta da Jared e Ivanka stava sortendo un certo effetto. Murdoch, reclutato da Kushner per aiutare a difendere McMaster, aveva fatto personalmente pressioni sul presidente per avere la testa di Bannon. I bannonisti sentivano di doverlo difendere da una mossa impulsiva di Trump, così non solo avevano accusato McMaster di essersi dimostrato un debole sulla questione di Israele, ma avevano anche persuaso Sheldon Adelson a far leva su Trump (Bannon, gli disse Adelson, era la sola persona alla Casa Bianca di cui si fidava in merito a Israele). I miliardi di Adelson e il suo carattere implacabile avevano sempre esercitato un'enorme presa su Trump e il suo sostegno, riteneva Bannon, gli avrebbe dato manforte.

Ma, al di là della gestione di un organismo disfunzionale come la West Wing, il successo di Kelly – o anche solo il segno del suo passaggio alla Casa Bianca, come si premurò di informarlo pressoché chiunque fosse nella posizione di dargli un parere – dipendeva dal fatto che raccogliesse la sfida centrale del suo incarico: gestire Trump. O meglio, sopravvivere *senza* gestirlo. I suoi desideri, bisogni e impulsi non avrebbero dovuto inficiare la struttura organizzativa. Trump era l'unica variabile che non poteva essere controllata. Era come un recalcitrante bambino di due anni. Se si tentava di controllarlo, si otteneva l'effetto contrario. Su questo presupposto Kelly avrebbe dovuto calibrare le sue stesse aspettative.

In una delle sue prime riunioni con il presidente, il generale aveva, tra i punti all'ordine del giorno, Jared e Ivanka. Come vedeva il presidente il loro ruolo? Quali riteneva fossero le loro eventuali mancanze? Come li immaginava per il futuro? Voleva essere un modo diplomatico per aprire una discussione che arrivasse a estrometterli, ma, come Kelly appurò presto, Trump era entusiasta in tutto e per tutto di come i due si stessero muovendo nella West Wing. Forse a un certo punto Jared sarebbe diventato segretario di Stato: quello era l'unico cambiamento che il presidente pareva prevedere. Il massimo che Kelly poté fare fu indurlo ad ammettere che la coppia doveva adeguarsi a una maggiore disciplina organizzativa e non saltare la fila con tanta disinvoltura.

Almeno su quello il generale poteva tentare di fare qualcosa. Durante una cena del presidente con la figlia e il genero, a Bedminster, la First Family rimase spiazzata quando Kelly apparve e si unì alla compagnia. Come avrebbero appreso di lì a poco, non era né un tentativo di socializzazione, né un malaccorto eccesso di confidenza. Era un'imposizione: Jared e Ivanka dovevano passare da lui per parlare con il presidente.

Trump, tuttavia, aveva chiarito di ritenere che il ruolo dei due ragazzi nell'amministrazione richiedesse al massimo qualche aggiustatina e questo poneva ora un problema significativo per Bannon. Aveva davvero creduto che Kelly avrebbe trovato un modo per sbarazzarsi di Jarvanka. Come poteva non riuscirci? Bannon era ormai convinto che i due rappresentassero l'insidia maggiore per Trump e che avrebbero finito per affossarlo. E proprio per questo, Bannon riteneva di non poter rimanere alla Casa Bianca, se ci restavano loro.

Tralasciando l'irritazione attuale di Trump nei confronti di Bannon, ai bannonisti pareva che il loro leader avesse, almeno politicamente, preso il sopravvento. Jared e Ivanka erano stati in qualche modo emarginati; la leadership repubblicana, dopo la questione dell'assistenza sanitaria, era stata screditata; il piano fiscale Cohn-Mnuchin era un pasticcio. Da quel punto di vista, dunque, il futuro all'orizzonte appariva quasi roseo per Bannon. Sam Nunberg, ex fedelissimo di Trump ora al cento per cento un fedelissimo di Bannon, riteneva che lo stratega sarebbe rimasto alla Casa Bianca per due anni e poi l'avrebbe lasciata per guidare la campagna di rielezione del presidente. «Se riesci a far eleggere quest'idiota per ben due volte...» considerava ammirato. Be', sarebbe stato un po' come conquistare l'immortalità politica.

Ma, se si osservavano le cose da un altro punto di vista, Bannon era certo di non poter rimanere al suo posto. Era come se avesse raggiunto una condizione più elevata, che gli permetteva di vedere dall'esterno quanto fosse diventata assurda la Casa Bianca. Stentava a tenere a freno la lingua, anzi, non ci riusciva proprio. Interpellato sull'argomento, non riusciva a intravedere il futuro dell'amministrazione Trump e, se molti bannonisti sostenevano l'inefficacia e irrilevanza di Jarvanka – Ignorali e basta, dicevano –, Bannon, con crescente ferocia e pubblico livore, li tollerava sempre meno ogni giorno.

Continuando ad attendere la chiamata che lo invitasse a

raggiungere il presidente a Bedminster, decise di forzare la situazione e prospettò le sue dimissioni a Kelly. Ma era in realtà un braccio di ferro: lui voleva restare. Era Jarvanka a doversene andare. E il suo diventò un efficace ultimatum.

A pranzo, l'8 agosto, nella club house di Bedminster – tra lampadari di cristallo in stile Trump, trofei di golf e targhe di tornei – il presidente aveva accanto Tom Price, ministro della Salute e dei Servizi umani, e sua moglie Melania. Era presente anche Kellyanne Conway, come pure Kushner e molti altri. In qualche modo era un «pranzo di lavoro»: tra una portata e l'altra si discusse della crisi degli oppioidi, poi seguirono una dichiarazione del presidente e un breve giro di domande dei giornalisti. Leggendo la dichiarazione con voce monotona, Trump tenne la testa bassa, poggiandosi sui gomiti.

Dopo qualche domanda di rito sugli oppioidi, di punto in bianco fu interpellato sulla Corea del Nord e, quasi come in un'animazione in stop motion, sembrò tornare a muoversi di colpo.

La Corea del Nord era stata un problema dalle molte sfaccettature e dalle poche soluzioni che, a suo giudizio, era il risultato di menti inferiori e scarsa risolutezza, e a cui lui faticava a prestare attenzione. Inoltre aveva sempre più personalizzato il suo antagonismo con il leader nordcoreano Kim Jong-un, riferendosi a lui con epiteti offensivi.

Il suo staff non lo aveva preparato alla domanda, ma, deviando con evidente sollievo dalla questione degli oppioidi, d'improvviso compiaciuto per quell'opportunità di affrontare il fastidioso problema, si avventurò, con espressioni che in privato ripeteva spesso – in realtà ripeteva tutto spesso –, fin sull'orlo di una crisi internazionale.

«È meglio che la Corea del Nord eviti ulteriori minacce agli Stati Uniti. Altrimenti dovrà fare i conti con il fuoco e una furia che il mondo non ha mai visto prima. Le minacce del loro leader si sono spinte ben oltre i limiti consentiti, e come ho detto dovranno fare i conti con fuoco e furia e, francamente, una potenza che questo mondo non ha mai visto prima. Grazie.»

La Corea del Nord, una questione che al presidente era stato costantemente consigliato di minimizzare, diventò il tema centrale per il resto della settimana, con gran parte dello staff occupata non tanto dal problema in sé, quanto a tenere a bada un Trump che minacciava di «colpire» ancora.

In un simile contesto, quasi nessuno prestò attenzione all'annuncio di Richard Spencer, neonazista e suo sostenitore, che avrebbe organizzato una protesta alla University of Virginia, a Charlottesville, contro la rimozione della statua del generale statunitense Robert E. Lee. Il titolo del raduno indetto per sabato 12 agosto, *Unite the Right* (Unite la destra), era espressamente inteso a collegare la politica di Trump al nazionalismo bianco.

L'11 agosto, con il presidente che continuava a minacciare la Corea del Nord e, spiazzando pressoché chiunque nel suo staff, un intervento militare in Venezuela, Spencer indisse una protesta serale.

Alle 20:45 – il presidente era ancora a Bedminster – circa duecentocinquanta giovani in pantaloni cachi e polo (un abbigliamento piuttosto trumpiano) diedero inizio a una parata nel campus dell'università, reggendo torce al cherosene. Organizzatori con tanto di auricolari coordinavano l'azione. A un segnale, i manifestanti cominciarono a scandire gli slogan ufficiali del movimento. «Sangue e suolo!» «Non ci rimpiazzerete!» «Gli ebrei non prenderanno il nostro posto!» Ben presto, al centro del campus, vicino alla statua del fondatore dell'ateneo, Thomas Jefferson, il gruppo di Spencer si imbatté in una contromanifestazione. Con la polizia pressoché assente, ne seguì la prima delle risse della settimana.

Il mattino dopo, alle otto, il parco vicino alla statua di Lee diventò il campo di battaglia di un movimento bianco razzista armato di bastoni, scudi, mazze, pistole e fucili automatici (la Virginia è uno Stato in cui vige l'*open carry*, la facoltà di girare con armi in vista); un movimento che, con orrore dei liberal, appariva scaturito dalla campagna elettorale e dalla vittoria di Trump, come proprio Richard Spencer aveva lasciato intendere. A opporsi ai dimostranti c'era una sinistra incallita e militante chiamata sulle barricate. Sembrava il set ideale di una scena apocalittica, malgrado il numero limitato dei dimostranti. Per gran parte della mattinata si assistette a una serie di cariche e controcariche: una battaglia con lancio di pietre e bottiglie, sotto gli occhi di una polizia apparentemente decisa a non intervenire.

A Bedminster si sapeva ancora poco degli eventi in corso a Charlottesville, fin quando, all'una del pomeriggio, James Alex Fields Jr., un aspirante nazista di ventun anni, investì un gruppo di contromanifestanti con la sua Dodge Charger, uccidendo la trentunenne Heather Heyer e ferendo numerosi altri.

In un tweet composto in fretta e furia dal suo staff, il presidente dichiarò: «Dobbiamo unirci TUTTI nella condanna di ogni forma di odio. Non c'è posto per questo tipo di violenza in America. Restiamo uniti!».

A parte questo, comunque, la tabella di marcia presidenziale procedette senza variazioni: Charlottesville era stata una mera distrazione e, in effetti, l'obiettivo dello staff era distogliere l'attenzione di Trump dalla Corea del Nord.

Quel giorno, l'evento principale a Bedminster fu la cerimonia per la firma di una legge che avrebbe aumentato i finanziamenti di un programma di assistenza medica per i veterani di guerra. La cerimonia ebbe luogo in una vasta sala da ballo, nella club house, due ore dopo l'omicidio di Charlottesville.

Durante la firma, Trump si soffermò un momento per esprimere una condanna dell'«odio, del fanatismo e della violenza da più parti» in atto in Virginia. Quasi immediatamente si ritrovò sotto attacco per la distinzione che sembrava rifiutarsi di fare tra i razzisti dichiarati e i loro oppositori. Come Richard Spencer aveva correttamente compreso, le simpatie del presidente non avevano un orientamento chiaro. Per quanto fosse facile e intuitivo condannare dei suprematisti bianchi, che oltretutto si proclamavano neonazisti, Trump mostrava un'istintiva resistenza.

Solo il mattino dopo la Casa Bianca tentò di chiarire la posizione di Trump con un comunicato ufficiale: «Il presidente ha affermato con grande nettezza, nella sua dichiarazione di ieri, che condanna ogni forma di violenza, fanatismo e odio. Ovviamente ciò include suprematisti bianchi, neonazisti del

KKK e tutti i gruppi estremisti. Ha richiamato all'unità nazionale, alla necessità di riunire tutti gli americani».

Di fatto, però, lui non aveva condannato suprematisti bianchi, KKK e neonazisti, e continuò ostinatamente a non farlo.

In una telefonata a Bannon, Trump cercò aiuto per sostenere le sue ragioni: «Dove andremo a finire di questo passo? Tireranno giù il Monumento di Washington, il Monte Rushmore, Mount Vernon?». Bannon – con la convocazione a Bedminster che ancora non arrivava – insistette che quella doveva essere la linea: il presidente doveva condannare la violenza e anche difendere la storia (persino quando era debole in materia come Trump). Concentrandosi sul problema dei monumenti avrebbe stuzzicato la sinistra e tranquillizzato la destra.

Jared e Ivanka, però, con Kelly a sostenerli, sollecitarono una condotta presidenziale. La loro idea era far tornare Trump alla Casa Bianca e affrontare il problema con una forzata condanna dei gruppi fomentatori di odio e di ideologie razziste: esattamente il tipo di posizione non ambigua che, come Richard Spencer aveva strategicamente scommesso, Trump non era disposto ad assumere.

Bannon, cogliendo il disagio di Trump, fece pressioni su Kelly mettendolo in guardia sulle ripercussioni che avrebbe avuto l'approccio di Jarvanka: Si vedrà lontano un miglio che non è una posizione sentita, lo ammonì.

Il presidente arrivò poco prima delle undici, il lunedì mattina, in una Casa Bianca con i lavori in corso e uno sbarramento di domande urlate su Charlottesville: «Condanna le azioni dei neonazisti? Condanna le azioni dei suprematisti bianchi?». Circa novanta minuti dopo, in piedi nella Diplomatic Reception Room, con gli occhi fissi sul gobbo, rilasciava una dichiarazione di sei minuti.

Prima di arrivare al punto: «La nostra economia, ora, è forte. Il mercato azionario continua a registrare nuovi massimi, la disoccupazione è al minimo rispetto agli ultimi sedici anni e le imprese sono più ottimiste che mai. Molte società stanno tornando negli Stati Uniti e portano con sé migliaia di posti di lavoro. Abbiamo già creato oltre un milione di nuovi posti dall'inizio del mio mandato».

E solo allora: «Dobbiamo amarci gli uni gli altri, mostrarci affetto reciproco e unirci nella condanna di odio, fanatismo e violenza... Dobbiamo riscoprire i legami d'amore e di lealtà che ci tengono uniti in quanto americani... Il razzismo è il male e quanti causano violenza nel suo nome sono criminali e teppisti, compresi KKK, neonazisti, suprematisti bianchi e altri gruppi fautori dell'odio che sono contrari a tutto ciò che abbiamo a cuore come americani».

Una minigenuflessione riluttante, una sorta di déjà vu di quando, in campagna elettorale, si era rimangiato il discorso in cui aveva messo in dubbio la nascita di Obama negli Stati Uniti: molto fumo, molte diversioni, poi una dichiarazione bofonchiata. Anche qui, mentre enunciava di malavoglia la linea concordata su Charlottesville, sembrava un ragazzino dopo una sgridata. Risentito e petulante, era chiarissimo che stesse leggendo il testo in modo forzato.

E infatti le sue dichiarazioni «presidenziali» riscossero un plauso limitato, con i giornalisti che continuavano a chiedergli perché ci avesse messo tanto ad affrontare il tema. Mentre risaliva sul Marine One per dirigersi alla base aerea di Andrews, da lì all'aeroporto JFK, poi a Manhattan e infine alla Trump Tower, il suo umore era nero e la sua faccia sembrava dire: Ve l'avevo detto. In privato si sforzava di razionalizzare perché uno, oggi, dovrebbe voler essere membro del KKK: magari non credevano neanche in quel che credeva il KKK, e il KKK stesso non credeva più in quel che credeva un tempo. E comunque, chi lo sapeva davvero in cosa credeva oggi il KKK? Tant'è, diceva, che il suo stesso padre era stato accusato di essere coinvolto con il Klan... falso (in realtà sì, vero).

Il giorno dopo, martedì 15 agosto, la Casa Bianca aveva in programma una conferenza stampa alla Trump Tower. Bannon esortò Kelly a cancellarla. Era di rilevanza zero, comunque. Il tema erano le infrastrutture – l'eliminazione di una normativa ambientale che avrebbe permesso di velocizzare la realizzazione dei progetti – ma di fatto era solo un altro tentativo di mostrare che Trump stava lavorando e non era semplicemente in vacanza. Perché disturbarsi, quindi? Per giunta, disse Bannon a Kelly, cominciava a intravedere che la lancetta sulla pentola a pressione di Trump stava salendo e di lì a poco sarebbe scoppiato.

La conferenza si tenne comunque. In piedi davanti al leggio nella hall della Trump Tower, il presidente si attenne al copione solo per pochi minuti. Con atteggiamento difensivo e tendenza ad autoassolversi, assunse una posizione del tipo: scusarsi non serve a niente, la colpa sta da entrambe le parti, poi parlò a ruota libera. Proseguì senza un'evidente capacità di adattare le emozioni alla circostanza politica o anche solo di fare uno sforzo per salvarsi. Giusto un altro caso, tra i tanti ormai, in cui pareva incarnare la figura tragicomica del politico da film, che dice qualunque cosa gli passi per la testa, senza filtri, come un matto.

«E l'alt-left che ha aggredito l'alt-right, come la chiamate voi? Mostra forse una parvenza di pentimento? E il fatto che li abbiano caricati con i bastoni in mano? Per quel che mi riguarda è stato un giorno orribile, orribile... Credo che la colpa stia da tutte e due le parti. Non ho dubbi al riguardo e nemmeno voi. Se riferiste con precisione i fatti, lo vedreste chiaramente.»

Steve Bannon, sempre in attesa nel suo ufficio provvisorio all'Eisenhower Executive Office Building, pensò: Oh, mio Dio, ci risiamo. Io l'avevo detto.

Eccezion fatta per quella porzione di elettorato che, come Trump aveva rivendicato una volta, gli avrebbe anche permesso di andarsene in giro a sparare sulla Quinta Strada, il mondo civilizzato era universalmente inorridito. Tutti si ritrovavano di colpo sotto una sbigottita lente morale. Chiunque occupasse una qualsiasi posizione di responsabilità anche lontanamente correlata a un'idea di rispettabilità delle istituzioni fu costretto a prendere le distanze. Ogni amministratore delegato di un'azienda quotata in Borsa che intratteneva rapporti con la Casa Bianca di Trump dovette tagliare i ponti. Il problema dominante non erano forse nemmeno le vedute obsolete che l'uomo poteva avere in cuor suo – Bannon asseriva che Trump non era in realtà antisemita, benché rispetto all'altra accusa non sapesse pronunciarsi con certezza – ma il fatto che palesemente non riuscisse a controllarsi.

In seguito alla conferenza stampa della pubblica immolazione, tutti gli occhi si puntarono all'improvviso su Kelly: fu il suo battesimo di fuoco con Trump. Spicer, Priebus, Cohn, la Powell, Bannon, Tillerson, Mattis, Mnuchin: praticamente l'intero staff dirigente e il consiglio di gabinetto passato e presente della presidenza Trump avevano attraversato le fasi di avventura, sfida, frustrazione, lotta, autogiustificazione e dubbio, per poi dover infine affrontare la probabilità assai concreta che il presidente per cui lavoravano, del cui mandato avevano in un certo senso una responsabilità ufficiale, non possedesse i requisiti adatti a ricoprire quel ruolo. Ora, dopo meno di due settimane d'incarico, a Kelly toccava ritrovarsi sull'orlo di quel baratro.

La domanda, per dirla con Bannon, non era se la situazione del presidente fosse grave. Era se la situazione del presidente fosse da Venticinquesimo Emendamento. Quello che parla di incapacità e sostituzione.

Per Bannon, se non per Trump, il cardine del trumpismo era la Cina. La storia della prossima generazione, riteneva, era ormai scritta, e contemplava una guerra con la Cina. Guerra commerciale, economica, culturale, diplomatica: sarebbe stato un conflitto a trecentosessanta gradi di cui pochi al momento, negli Stati Uniti, comprendevano la necessità e che quasi nessuno era preparato ad affrontare.

Bannon aveva stilato un elenco di «falchi»: uno schieramento davvero trasversale che spaziava dalla gang di Breitbart all'ex direttore di «New Republic», Peter Beinart – che gli riservava un sommo disprezzo –, all'ortodosso paladino liberal-progressista Robert Kuttner, direttore del piccolo magazine «American Prospect». Mercoledì 16 agosto, il giorno dopo la conferenza stampa del presidente alla Trump Tower, Bannon, di punto in bianco, chiamò Kuttner dal suo ufficio temporaneo per parlare della Cina.

A quel punto, il capo stratega era assolutamente convinto

di essere prossimo a lasciare la Casa Bianca. Il fatto di non aver mai ricevuto il sospirato invito a raggiungere il presidente a Bedminster ne era un indizio raggelante. Quello stesso giorno, poi, aveva saputo della nomina di Hope Hicks a direttrice delle comunicazioni ad interim: una vittoria della fazione di Jarvanka. Nel frattempo, la coppia continuava a bisbigliare della sua fine certa. Ormai era diventato un rumore di fondo costante.

Non aveva ancora la certezza che sarebbe stato licenziato, e Bannon, per quella che era solo la sua seconda intervista ufficiale mai concessa dalla vittoria di Trump, chiamò Kuttner, segnando di fatto il suo destino. In seguito avrebbe sostenuto che la conversazione non era destinata alla pubblicazione. Ma quello era il metodo Bannon: sfidare la sorte.

Se Trump era stato Trump al cento per cento nella sua più recente conferenza stampa, Bannon fu Bannon al cento per cento nella sua chiacchierata con Kuttner: cercò di far passare l'idea di un Trump debole sulla Cina, corresse, in tono beffardo, l'uscita del presidente sulla Corea del Nord – «Dieci milioni di persone a Seul» sarebbero morte, dichiarò – e offese i suoi nemici interni: «Se la fanno sotto».

Se Trump era incapace di parlare come un presidente, Bannon non era da meno: era incapace di parlare come un consigliere presidenziale.

Quella sera un gruppo di bannonisti si ritrovò a cena non lontano dalla Casa Bianca. Il luogo convenuto era il bar dell'Hay-Adams Hotel, ma scoppiò una lite tra un membro della compagnia, Arthur Schwartz, e il barista, che gli aveva negato la possibilità di cambiare canale dalla CNN a Fox. Schwartz si occupava di pubbliche relazioni e il suo cliente, Stephen Schwarzman del Blackstone Group, presidente di uno dei consigli commerciali di Trump, avrebbe fatto una breve apparizione su Fox News. Dopo la conferenza stampa su Charlottesville, il consiglio stava perdendo numerosi membri e Trump, in un tweet, aveva annunciato l'intenzione di scioglierlo (Schwarzman gli aveva suggerito che, visto che il consiglio era ormai al collasso, tanto valeva far passare la chiusura come una sua decisione).

Schwartz, risentito, disse di volersi spostare al Trump Hotel. Propose anche di andare a cenare a due isolati da lì, al Joe's. Matthew Boyle, caporedattore politico a Washington di Breitbart News, si trovò coinvolto nella sfuriata di Schwartz, che gli rimproverò di essersi acceso una sigaretta. «Non conosco nessuno che fuma» gli disse, tirando su con il naso. Sebbene Schwartz militasse convintamente nell'orbita di Bannon, la frase suonava come una frecciata all'ambiente rozzo di Breitbart. I due devoti bannonisti discussero dell'intervista di Bannon, che aveva colto di sorpresa chiunque gli fosse vicino. Nessuno dei due capiva perché l'avesse rilasciata.

Bannon era finito?

No, no, no, protestò Schwartz. Qualche settimana prima, forse, quando Murdoch si era coalizzato con McMaster ed era andato dal presidente per chiedergli di farlo fuori. Ma poi Sheldon aveva sistemato le cose.

«Steve se n'è rimasto a casa quando è venuto Abbas» continuò Schwartz. «Non voleva respirare la stessa aria di un terrorista.» Avrebbe ripetuto quelle stesse parole ai reporter nei giorni successivi, tentando di riabilitare la virtù destrorsa di Bannon.

Alexandra Preate, luogotenente del capo stratega, arrivò al Joe's senza fiato. Qualche secondo dopo entrò Jason Miller, un altro addetto alle pubbliche relazioni della cerchia di Bannon. Durante la transizione, Miller sarebbe dovuto diventare direttore delle comunicazioni, ma poi era emerso che aveva avuto una relazione con una collega dello staff, che aveva annunciato via Twitter di essere incinta di lui (proprio come sua moglie). Miller, che aveva perso il posto promesso alla Casa Bianca, ma continuava a fungere da portavoce esterno di Trump e Bannon, si trovava ora ad affrontare, con la nascita del bambino – di due bambini da due donne diverse –, un'altra ondata di fango mediatico. Eppure anche la sua attenzione era ossessivamente calamitata dalle possibili implicazioni dell'intervista di Bannon.

Il tavolo ronzava di supposizioni.

Come avrebbe reagito il presidente?
Come avrebbe reagito Kelly?
Stava davvero calando il sipario su Bannon?

È strano come nessuno di loro, pur facendo parte della sua cerchia più stretta, sembrasse capire che, costretto o meno, Bannon avrebbe verosimilmente lasciato la Casa Bianca. Al contrario, agli occhi di tutti la sua esplosiva intervista finì per apparire come una brillante mossa strategica. Bannon non sarebbe andato da nessuna parte: non foss'altro perché, senza Bannon, non c'era nessun Trump.

L'atmosfera era colma di eccitazione: un momento ad alta tensione vissuto da un gruppo di gente appassionata, legata all'uomo che riteneva la figura più avvincente a Washington. Lo consideravano una sorta di elemento irriducibile: Bannon era Bannon era Bannon.

Con il trascorrere della serata, Matt Boyle mandò messaggi infuocati a Jonathan Swan, reporter dalla Casa Bianca, reo di aver scritto, in un suo articolo, che Bannon era uscito sconfitto dal braccio di ferro con McMaster. Di lì a poco, ogni giornalista ben introdotto della città prese a farsi sentire con l'una o l'altra delle persone riunite al tavolo. Quando arrivava un messaggio, se il mittente era un giornalista conosciuto il destinatario sollevava il cellulare e lo mostrava agli altri.

A un certo punto, Bannon inviò a Schwartz, sempre via messaggio, alcuni punti di discussione. Possibile che quello fosse solo un altro giorno nell'infinita sceneggiata della presidenza Trump? Schwartz, che sembrava considerare la stupidità del presidente come un dato politico, si produsse in una vigorosa analisi del perché Trump non potesse fare a meno di Bannon. Poi, in cerca di ulteriori prove a sostegno della sua tesi, disse che avrebbe mandato un messaggio a Sam Nunberg, generalmente considerato l'uomo che comprendeva i guizzi e gli impulsi di Trump meglio di tutti e che aveva saggiamente predetto la sopravvivenza di Bannon in ogni momento incerto dei mesi passati.

«Nunberg sa sempre tutto» commentò Schwartz. Qualche secondo dopo, alzò lo sguardo. Aveva gli occhi sgranati e per un istante rimase in silenzio.

«Nunberg dice che Bannon è morto» si decise infine a dire.

E, in effetti, all'insaputa dei bannonisti, persino di quelli a lui più vicini, in quel momento Bannon stava mettendo a punto la sua uscita di scena con Kelly. Il giorno dopo avrebbe sgomberato il suo ufficetto e, il lunedì, quando Trump fosse rientrato in una West Wing rimessa a nuovo – imbiancatura, mobili e tappeti nuovi, ispirati al Trump Hotel –, Steve Bannon sarebbe tornato alla Breitbart Embassy, sulla collina di Capitol Hill, ancora e sempre, confidava, nel suo ruolo di capo stratega della rivoluzione di Trump.

Epilogo

Bannon e Trump

In un mattino soffocante dell'ottobre 2017, sui gradini d'ingresso della sede di Breitbart, l'uomo che aveva più o meno da solo causato l'uscita degli Stati Uniti dall'accordo di Parigi sul clima commentò con una calorosa risata: «Mi sa che il riscaldamento globale c'era davvero».

Steve Bannon aveva perso quasi dieci chili da quando se n'era andato dalla Casa Bianca, sei settimane prima: stava facendo una drastica dieta a base di solo sushi. «Quel posto» disse il suo amico David Bossie, parlando della Casa Bianca in generale, e di quella di Trump in particolare, «prende persone perfettamente sane e le trasforma in vecchi da buttar via.» Ma Bannon, che Bossie aveva dichiarato praticamente in fin di vita durante i suoi ultimi giorni nella West Wing, era, per sua stessa definizione, di nuovo «infuocato». Aveva lasciato il covo di Arlington per tornare alla Breitbart Embassy, trasformandola in un quartier generale della fase due del movimento trumpista, che avrebbe potuto benissimo non includere Trump.

Interpellato sulla leadership del movimento nazional-populista, Bannon delineò un cambiamento non trascurabile del paesaggio politico del Paese: «*Io* sono il leader del movimento nazional-populista».

Tra i motivi di quell'affermazione e della nuova determinazione di Bannon c'era il fatto che Trump, senza alcuna ragione che il suo ex capo stratega arrivasse a intuire, aveva appoggiato il candidato istituzionale di Mitch McConnell al recente ballottaggio in Alabama, anziché sostenere la proposta nazional-popolare per il seggio al Senato lasciato libero dall'attuale attorney general Jeff Sessions. Dopotutto, McConnell e il presidente si rivolgevano a stento la parola. Dalla «vacanza di lavoro» di agosto a Bedminster, lo staff di Trump aveva cercato di organizzargli un incontro tardivo con McConnell, ma l'entourage di quest'ultimo aveva fatto sapere che era impossibile, perché il leader della maggioranza del Senato era impegnato a farsi tagliare i capelli.

Il presidente – come sempre risentito e spiazzato dalla propria incapacità di intendersi con la leadership del Congresso e poi, al contrario, infuriato per il rifiuto altrui di intendersi con lui – si era comunque schierato incondizionatamente per Luther Strange, il candidato di McConnell, che si scontrava con il candidato di Bannon, la testa calda di destra Roy Moore (Moore era estremo persino per gli standard dell'Alabama: aveva perso la carica di presidente della Corte suprema dello Stato per aver opposto resistenza a un'ingiunzione federale che ordinava la rimozione di un monumento ai dieci comandamenti dall'Alabama Judicial Building).

Per Bannon, la strategia politica del presidente era stata a dir poco ottusa. Aveva scarse possibilità di ottenere qualcosa da McConnell e, anzi, a dirla tutta, lui non aveva chiesto niente in cambio del suo sostegno a Luther Strange, espresso in un tweet estemporaneo di agosto. Le prospettive di Strange non erano solo fosche: aveva buone probabilità di andare incontro a una sconfitta umiliante. Roy Moore era con ogni evidenza il candidato ideale per la base di Trump. Ed era il candidato di Bannon. Lo scontro, quindi, sarebbe stato quello: Trump contro Bannon. In realtà il presidente non era obbligato a sostenere l'uno o l'altro: nessuno avrebbe avuto da obiettare se fosse rimasto neutrale in uno scontro alle primarie. Oppure avrebbe potuto appoggiare Strange tacitamente, senza postare tutti quegli altri tweet.

Per Bannon, il punto non era solo che il presidente non avesse ancora capito cosa rappresentava il suo ruolo, ma anche le sue volubili, smodate e spesso assurde motivazioni. Contro ogni logica politica sosteneva Luther Strange, aveva detto a Bannon, perché «Luther è mio amico».

«Quando lo ha detto sembrava un bambino di nove anni» spiegò Bannon, specificando che Trump e Strange non erano mai e poi mai stati amici.

E in realtà è questo l'enigma che rimarrà insoluto per tutti i membri di vertice dell'attuale amministrazione: il «perché» il presidente Trump si comporti in modo spesso spiazzante.

«Fondamentalmente vuole piacere» era l'analisi di Katie Walsh. «Ha un così profondo bisogno di piacere che è sempre... Tutto è una battaglia per lui.»

Ciò si traduce nell'esigenza costante di vincere qualcosa... qualsiasi cosa. E altrettanto importante è che *appaia* un vincente. D'altro canto, però, è sotto gli occhi di tutti che tentare di vincere senza un piano o un obiettivo chiaro abbia prodotto, nei primi nove mesi dell'amministrazione, quasi solo sconfitte. Al tempo stesso, contro ogni logica politica, l'assenza di strategie, l'impulsività, l'evidente *joie de guerre* di Trump hanno contribuito a generare quella forza dirompente che, per la gioia di molti, sembra sovvertire lo status quo.

Ma ora, pensava Bannon, l'effetto novità cominciava infine a svanire.

Per lui la sfida Strange-Moore era servita a testare il culto della personalità del presidente. Trump certo continuava a credere che la gente seguisse *lui*, che lui fosse il motore di ogni cosa e che il suo sostegno valesse otto o dieci punti in qualunque competizione elettorale. Bannon aveva deciso di mettere al vaglio quella tesi e di farlo nel modo più clamoroso. In totale la leadership repubblicana del Senato e altri finanziatori avevano speso trentadue milioni di dollari per la campagna di Strange, mentre quella di Moore ne era costata due.

Trump, pur sapendo che Strange era indietro nei sondaggi, aveva acconsentito a rinforzare il suo sostegno con un'apparizione di persona. Ma il suo intervento a Huntsville, in Alabama, il 22 settembre, davanti a una folla di dimensioni trumpiane, era equivalso, politicamente, alla linea piatta sul monitor. Era stato un discorso in pieno stile Trump, novanta minuti di divagazioni e improvvisazioni: il muro sarebbe stato costruito (al momento era una barriera trasparente), le interferenze russe con le elezioni degli Stati Uniti erano fake news, chiunque nel suo gabinetto sostenesse Moore sarebbe stato licenziato. Se la sua base si era presentata in massa, ancora attirata dalla novità, il suo tifo per Luther Strange aveva però ottenuto al massimo una tiepida reazione. Con la folla che cominciava ad agitarsi, l'evento aveva minacciato di tramutarsi in qualcosa di intollerabilmente imbarazzante.

Cogliendo l'umore dell'uditorio e alla disperata ricerca di una via d'uscita, Trump aveva sfoderato una battuta su Colin Kaepernick, il quarterback che per protesta contro la disuguaglianza razziale era rimasto con un ginocchio a terra durante l'inno, prima di una partita del campionato nazionale di football. Ne era seguita una standing ovation, dopodiché il presidente aveva prontamente abbandonato Luther Strange nel resto del discorso. Durante la settimana successiva, poi, aveva continuato a indirizzare sferzate alla National Football League. A chi importava della sonora sconfitta di Strange, cinque giorni dopo il discorso di Huntsville? A chi importava che quel risultato fosse l'espressione di un crescente rifiuto nei confronti di Trump, nonché il trionfo di Moore-Bannon, che lasciava presagire ulteriori sconvolgimenti a venire? Trump, ora, aveva un nuovo argomento, e un argomento vincente: il ginocchio.

La premessa fondamentale di quasi chiunque entrasse a far parte della Casa Bianca era: può funzionare; possiamo aiutare a far funzionare le cose. Ora, a tre quarti di cammino del primo anno di mandato, non c'era un solo membro dello staff dirigente che potesse ancora nutrire fiducia in quella premessa. Probabilmente – e certi giorni sicuramente – ritenevano quasi tutti, ormai, che il solo vantaggio di trovarsi lì fosse contribuire a evitare il peggio.

Ai primi di ottobre la sorte del segretario di Stato, Rex Tillerson, fu segnata (ammesso che la sua evidente ambivalenza nei confronti del presidente non lo avesse condannato già prima), quando si seppe che aveva dato a Trump del «coglione».

Insultare l'acume di Donald Trump è al tempo stesso la

cosa che proprio non si può fare e quella che tutti, prima o poi, finiscono per fare, suscitando grasse risate tra i colleghi dello staff. Tutti, ciascuno a modo suo, faticano ad ammettere apertamente il dato di fatto che l'inquilino della Casa Bianca non sa abbastanza, che non sa di non sapere, che non gliene importa più di tanto e, per giunta, rimane sicuro, se non addirittura beato, nelle sue indiscusse certezze. Si sghignazzava parecchio, come studenti all'ultimo banco, su chi l'avesse chiamato come. Steve Mnuchin e Reince Priebus gli avevano dato dell'«idiota», Gary Cohn dello «scemo totale», H.R. McMaster del «cretino», e l'elenco continuava. Tillerson sarebbe diventato solo un altro esempio di collaboratore convinto, in origine, che le proprie capacità potessero in qualche modo compensare le mancanze di Trump.

Schierati con lui c'erano i tre generali, Mattis, McMaster e Kelly, ciascuno dei quali si considerava il detentore di maturità, stabilità e moderazione. E ovviamente, stavano perciò antipatici al loro capo. L'insinuazione che uno di loro (o tutti) potesse essere più concentrato sulle questioni o persino più temprato del presidente scatenava i malumori e le collere di Trump.

La discussione all'ordine del giorno tra i membri dello staff presenti e passati, che avevano tutti escluso un futuro di Tillerson nell'amministrazione, verteva ora su quanto sarebbe durato il generale Kelly come capo di gabinetto. C'era una sorta di totocariche, tra gli addetti ai lavori, e la battuta ricorrente era che Reince Priebus rischiava di essere il capo di gabinetto più longevo di Trump. L'avversione di Kelly per il presidente era cosa nota – lo trattava con sussiego in ogni parola e in ogni gesto – e ancora di più quella del presidente per Kelly. Sfidarlo era lo sport presidenziale; Kelly era diventato proprio ciò che Trump, in vita sua, non era mai riuscito a tollerare: una figura paterna censoria e grondante disapprovazione.

Insomma, al 1600 di Pennsylvania Avenue non ci si facevano illusioni. L'antipatia di Kelly per il presidente rivaleggiava solo con il disprezzo per la sua famiglia: «Kushner», dichiarava, era «indisciplinato». Ancora più profondo era il disprezzo di Cohn nei confronti di Kushner e del suocero. Trump, d'altra parte, subissava Cohn di ingiurie: l'ex presidente di Goldman Sachs era ormai un «idiota totale, scemo e più scemo». In realtà Trump aveva persino smesso di difendere i suoi stessi familiari, chiedendosi quando avrebbero «capito l'antifona, levandosi di torno».

Naturalmente, si era comunque in politica: quanti riuscivano a superare vergogna o incredulità e, malgrado la rudezza e l'imprevedibilità trumpiane, a leccare i piedi al presidente e a compiacerlo potevano ottenere vantaggi politici straordinari. Fatto sta che pochi ci riuscivano.

A ottobre, tuttavia, molti membri dello staff presidenziale seguivano con particolare interesse uno dei pochi scrocconi rimasti. Nikki Haley, ambasciatrice ONU – «ambiziosa quanto Lucifero», secondo la definizione di un alto funzionario –, era giunta alla conclusione che il mandato di Trump sarebbe durato al massimo un solo quadriennio e che lei, con la necessaria sottomissione, sarebbe potuta diventarne l'erede legittimo. Aveva corteggiato Ivanka, diventando sua amica, e lei l'aveva portata in seno alla cerchia familiare, dove Nikki aveva attirato l'attenzione di Trump, e lui la sua.

La Haley, come appariva sempre più evidente alla squadra degli Affari esteri e della Sicurezza nazionale, era la scelta preferenziale della famiglia di Trump per il ruolo di nuovo segretario di Stato, dopo le inevitabili dimissioni di Rex Tillerson (nel passaggio, Dina Powell l'avrebbe sostituita all'ONU).

Il presidente aveva trascorso con lei sull'Air Force One una porzione considerevole del suo tempo privato e si riteneva che la stesse preparando a un futuro nella politica nazionale. Assai più che una repubblicana tradizionale, la Haley era una repubblicana dalla notevole vena moderata – una tipologia sempre più spesso definita «repubblicano alla Jarvanka» – e veniva istruita, ritenevano in molti, alle vedute trumpiane. Il pericolo, come osservò un trumpista di rilievo, era che «è parecchio più sveglia di lui».

Quello che si era prodotto, a primo anno di mandato non ancora concluso, era un effettivo vuoto di potere. Il presidente, nella sua incapacità di andare oltre il caos quotidiano, non aveva saputo cogliere l'attimo, ma, sicuro come la politica, qualcuno lo avrebbe fatto.

In tal senso, il futuro trumpiano e repubblicano stava già andando oltre la Casa Bianca di Trump. C'era Bannon, che operava dall'esterno e tentava di porsi alla testa del movimento di Trump. C'era la leadership repubblicana al Congresso, che cercava di ostacolare il trumpismo, se non di stroncarlo. C'era John McCain, che faceva del suo meglio per metterlo in imbarazzo. C'era l'ufficio del procuratore speciale, che indagava sul presidente e molti del suo entourage.

Bannon aveva ben chiara la posta in gioco. La Haley, figura assai poco trumpiana, ma membro del gabinetto di gran lunga più vicino a lui, con mosse politiche intelligenti avrebbe potuto allettare Trump e indurlo a consegnare nelle sue mani la rivoluzione trumpiana. Infatti, temendo l'ascendente di lei, il fronte di Bannon – la stessa mattina in cui l'ex capo stratega della Casa Bianca, in un ottobre insolitamente caldo, parlava dai gradini d'ingresso della Breitbart Embassy – si stava facendo in quattro per caldeggiare Mike Pompeo, della CIA, come sostituto di Tillerson al Dipartimento di Stato.

Tutto ciò faceva parte della fase due del trumpismo: proteggerlo da Trump.

Il generale Kelly stava tentando, coscienziosamente e non senza amarezza, di domare il caos della West Wing. Aveva cominciato distinguendo le fonti e la natura del caos. La principale, ovvio, erano gli exploit del presidente, che il capo di gabinetto non poteva controllare e si era rassegnato ad accettare. Quanto al caos secondario, era stato in gran parte ridotto dopo la rimozione di Bannon, Priebus, Scaramucci e Spicer, con l'effetto di lasciare la West Wing sotto il controllo quasi esclusivo di Jarvanka.

Ora, dopo nove mesi di mandato, l'amministrazione si trovava a far fronte al problema aggiuntivo di trovare personaggi di una certa levatura in sostituzione di quanti se n'erano andati. E la levatura di quelli rimasti pareva ridursi di settimana in settimana.

Hope Hicks, ventotto anni, e Stephen Miller, trentadue, che avevano entrambi cominciato come efficienti stagisti della campagna elettorale, erano ormai tra le figure di maggior spicco della Casa Bianca. La Hicks aveva assunto il comando operativo delle comunicazioni e Miller aveva sostituito Bannon come capo stratega politico.

Dopo il fiasco di Scaramucci la posizione di direttore delle comunicazioni sarebbe stata notevolmente più difficile da assegnare, per questo era stata affidata ad interim alla Hicks. L'incarico era a titolo provvisorio, in parte perché si dubitava che potesse essere qualificata per gestire un settore già tanto malandato e in parte perché, se la nomina fosse stata definitiva, tutti ne avrebbero dedotto che era il presidente a prendere tutte le decisioni giorno per giorno. Entro la metà di settembre, tuttavia, l'incarico temporaneo era stato convertito, senza clamore, in permanente.

Nel più vasto mondo mediatico e politico, Miller – che Bannon chiamava «il mio dattilografo» – era una figura che lasciava sempre più increduli. Difficilmente riusciva a trovarsi in pubblico senza trovarsi invischiato in qualche clamoroso episodio di denuncia o di protesta. Era l'artefice de facto di politiche e discorsi, e tuttavia fino a quel momento aveva perlopiù scritto solo sotto dettatura.

Il problema maggiore, però, era che la Hicks e Miller, come chiunque altro gravitasse nell'orbita di Jarvanka, erano ora direttamente collegati all'indagine sulla questione russa o ai tentativi di depistarla se non insabbiarla del tutto. Miller e la Hicks avevano steso – o perlomeno battuto – la bozza di Kushner della prima lettera scritta a Bedminster per licenziare Comey. La Hicks aveva affiancato Kushner e la moglie per stilare, sull'Air Force One, il comunicato stampa ideato da Trump sull'incontro con i russi alla Trump Tower.

A suo modo, quello era diventato il discrimine all'interno dello staff della Casa Bianca: chi si era trovato in una stanza compromettente. E anche al di là del caos generale, il costante pericolo giudiziario era uno degli ostacoli che rendevano così difficile reclutare personalità per la West Wing.

Kushner e sua moglie – ormai largamente considerati una

bomba a orologeria – dedicavano un tempo considerevole alla propria difesa e a combattere un senso di crescente paranoia, legato anche alle possibili testimonianze su di loro da parte dei funzionari che avevano lasciato la West Wing.

A metà ottobre, Kushner avrebbe curiosamente assunto nel suo team legale Charles Harder, avvocato specializzato in cause per diffamazione che aveva assistito Hulk Hogan nella causa contro Gawker, il blog di notizie e gossip, e anche Melania Trump nella causa contro il «Daily Mail». La minaccia implicita a media e critici era chiara: se parlerete di Jared Kushner sarà a vostro rischio e pericolo. Significava anche, probabilmente, che Donald Trump stava ancora gestendo la difesa legale della Casa Bianca, infilandoci i suoi avvocati «tosti» preferiti.

Oltre alle quotidiane alzate d'ingegno di Trump, dunque, l'assillo della Casa Bianca restava l'indagine diretta da Robert Mueller. Il coinvolgimento di padre, figlia, genero, padre di lui e famiglia acquisita, il procuratore, i collaboratori che tentavano di salvarsi la pelle, i membri dello staff che Trump aveva ricompensato con il disprezzo: per come la vedeva Bannon, il tutto minacciava di far sembrare le tragedie shakespeariane una storia per bambini del Dr. Seuss.

Tutti aspettavano di veder cadere le tessere del domino e di capire come il presidente, in preda alla sua furia, avrebbe potuto reagire, ribaltando ancora il gioco.

Steve Bannon stava spiegando ai presenti che, a suo giudizio, c'era un 33,3 per cento di probabilità che l'indagine di Mueller portasse all'impeachment del presidente, un 33,3 per cento che Trump desse le dimissioni, magari dietro minaccia del gabinetto dei ministri di ricorrere al Venticinquesimo Emendamento (in virtù del quale lo stesso gabinetto ha la facoltà di rimuovere il presidente nell'eventualità che sia dichiarato incapace di assolvere i doveri del suo ufficio), e un 33,3 per cento che arrivasse alla fine del mandato. In ogni caso, non ci sarebbe sicuramente stato un secondo quadriennio, o anche solo una sua ricandidatura.

«Non ce la farà» disse, davanti all'ingresso della Breitbart Embassy. «Ha perso la testa.»

Tra le righe, stava dicendo anche un'altra cosa: lui, Steve Bannon, si sarebbe candidato alle presidenziali del 2020. La locuzione «se fossi il presidente» si stava trasformando in «quando sarò presidente».

Sosteneva di avere dalla sua parte tutti i più importanti finanziatori della campagna 2016 di Trump: Sheldon Adelson, i Mercer, Bernie Marcus e Peter Thiel. In breve tempo, e come se stesse preparando quella mossa da un po', Bannon aveva lasciato la Casa Bianca e messo insieme una squadra elettorale di superstiti. Rimasto fino a quel momento dietro le quinte, stava incontrando ogni leader conservatore del Paese: facendo del suo meglio, come disse, per «baciare il culo e rendere omaggio a tutti quei venerabili». E stava delineando una lista di eventi conservatori a cui era indispensabile partecipare.

«Perché Steve sta parlando? Non sapevo che avrebbe parlato» commentò il presidente, rivolto ai collaboratori, con stupore e crescente preoccupazione.

E a Trump era stata rubata la scena anche in altri modi. A settembre una sua intervista già programmata a *60 Minutes* era stata cancellata a seguito dell'intervista di Bannon con Charlie Rose, per lo stesso programma, tenutasi l'11 settembre. I consiglieri del presidente ritenevano che non dovesse mettersi nella condizione di farsi paragonare a Bannon. Preoccupati dal fatto che le divagazioni e le allarmanti ripetizioni di Trump (stesse frasi ridette con identiche parole a pochi minuti di distanza) fossero significativamente aumentate e che la sua capacità di mantenere la concentrazione, mai troppo elevata, fosse notevolmente diminuita, i membri dello staff temevano che, con buone probabilità, nel confronto ci avrebbe rimesso. L'intervista con Trump, invece, sarebbe stata proposta a Sean Hannity, previa anteprima delle domande.

Bannon stava anche spingendo il gruppo di Breitbart che investigava sui suoi avversari – lo stesso che aveva raccolto le schiaccianti rivelazioni sui finanziamenti di governi stranieri alla Fondazione Clinton – a concentrare la sua attenzione su quelle che definiva «élite politiche»: una lista onnicomprensiva di nemici, nella quale comparivano sia repubblicani sia democratici.

Soprattutto, Bannon si stava dedicando ai candidati da schierare per le elezioni di metà mandato del 2018. Benché il presidente avesse ripetutamente minacciato di scendere in campo personalmente, alle primarie, contro i suoi nemici, sarebbe stato Bannon, con il suo vantaggio, a dominare quelle sfide. Era lui, non Trump, a far paura al partito repubblicano. Bannon, infatti, era disposto a scegliere candidati estremi, se non ai limiti del presentabile – tra cui l'ex membro della Camera Michael Grimm, che aveva scontato una condanna in una prigione federale –, per dimostrare, come aveva fatto con Trump, la portata, l'astuzia e la pericolosità della politica «alla Bannon». Anche se alle elezioni per il Congresso del 2018, stando alle sue cifre, i repubblicani avrebbero avuto un deficit di quindici punti, l'ex capo stratega della Casa Bianca era convinto che, più estrema fosse apparsa la sfida della destra, più era probabile che i democratici schierassero dei pazzi di sinistra, ancora meno eleggibili di quelli di destra. Il sovvertimento dello status quo era appena cominciato.

Nella visione di Bannon, Trump era solo un capitolo, o persino una deviazione, nella rivoluzione trumpiana, che di per sé aveva sempre riguardato la debolezza dei due partiti principali. La presidenza Trump, indipendentemente da quanto sarebbe durata, apriva lo spiraglio che avrebbe offerto la loro occasione ai veri outsider. Trump era solo l'inizio.

In piedi davanti all'ingresso di Breitbart, in quel mattino di ottobre, Bannon sorrise e disse: «Sarà il delirio totale».

Ringraziamenti

Esprimo la mia gratitudine a Janice Min e Matthew Belloni dell'«Hollywood Reporter», che diciotto mesi fa mi svegliarono una mattina per salire su un aereo, in partenza da New York, e andare a intervistare, quella sera stessa, un improbabile candidato a Los Angeles. Il mio editore, Stephen Rubin, e il mio editor, John Sterling, alla Henry Holt hanno non solo appoggiato questo libro, ma se ne sono presi cura ogni giorno con entusiasmo. Il mio agente, Andrew Wylie, lo ha fatto nascere, come al solito, praticamente in una notte.

Michael Jackson di Two Cities Television, Peter Benedek della UTA e i miei avvocati, Kevin Morris e Alex Kohner, hanno pazientemente sostenuto il progetto.

La lettura dell'ufficio legale può essere un po' come una visita dal dentista. Ma nella mia lunga esperienza, nessun altro avvocato specializzato nel settore è più sottile, sensibile e strategico di Eric Rayman. Ancora una volta, è stato un piacere.

Molti amici, colleghi e persone generose nel vasto mondo dei media e della politica hanno reso questo libro più brillante: tra gli altri, Mike Allen, Jonathan Swan, John Homans, Franklin Foer, Jack Shafer, Tammy Haddad, Leela de Kretser, Stevan Keane, Matt Stone, Edward Jay Epstein, Simon Dumenco, Tucker Carlson, Joe Scarborough, Piers Morgan, Juleanna Glover, Niki Christoff, Dylan Jones, Michael Ledeen, Mike Murphy, Tim Miller, Larry McCarthy, Benjamin Ginsberg, Al

From, Kathy Ruemmler, Matthew Hiltzik, Lisa Dallos, Mike Rogers, Joanna Coles, Steve Hilton, Michael Schrage, Matt Cooper, Jim Impoco, Michael Feldman, Scott McConnell e Mehreen Maluk.

Tutto il mio apprezzamento a Danit Lidor, Christina Goulding e Joanne Gerber, che si sono occupati del prezioso lavoro di verifica dei fatti.

I miei più sinceri ringraziamenti a Victoria Floethe, per il suo appoggio, la sua pazienza e le sue opinioni, e per aver permesso a questo libro di occupare uno spazio così importante nelle nostre vite.

Indice dei nomi

Indice